岩波講座 世界歴史 18

アフリカ諸地域

~二〇世紀

岩波講座

世界歴史 18

アフリカ諸地域
〜二〇世紀

岩波書店

第18巻【責任編集】永原陽子

目次

展望｜*Perspective*

焦点 | *Focus*

コラム｜*Column*

展　望 | *Perspective*

展望 | *Perspective*

世界史の中のアフリカ史
――アフリカ史研究の歩みとアフリカを見る目

永原陽子

一、人類史の中のアフリカ

「アフリカ人は全人類のためにに世界でもことのほか苛酷な土地を切り拓いてきた開拓者である」――現代を代表するアフリカ史家の一人ジョン・アイリフは、アフリカ人の歴史をこのように言い表わす。アフリカ人が過酷な環境の中で生き延びるために常に新しい場所を切り拓いていく「開拓者」であったことは全人類の発展に関わる「歴史への重大な貢献」であり、だからこそアフリカ人は「称賛に値し、注意深く研究するに値する」というのである(Iliffe 1995: 1)。

現生人類《ホモ・サピエンス》誕生の舞台がアフリカ大陸であることは、今日広く了解されている。その時期は今からほぼ二〇万年前とされてきたが、近年のモロッコや南アフリカでの遺物発掘とその遺伝子解析により三〇万年近く前にまでさらに大きく遡っている。ホモ・サピエンスの起源の地が大陸内のいくつかの場にあること、そして初期のホモ・サピエンスが大陸内で広く移動したこともほぼ共通の理解となっている。そして、大陸東北部の大地溝帯を祖地とする旧人同様、一〇万―七万年ほど前にはホモ・サピエンスも「出アフリカ」し、ユーラシア大陸やインド洋・太平洋地域へと拡散していった。その動きは、それ以前の旧人の世界拡散の足跡とも重なり、現生人類と旧人との交雑の痕跡も各所にある。そのような大きなストーリーから見れば、ホモ・サピエンスはその出現以来の圧倒的な時間をアフリカ大陸で費やしており、全世界に拡がったのはまさにアフリカ人が「開拓者」でありたえず移動する人々であったから、ということになる。アフリカ人の生存のための営みを人類史的に意味づけようとするアイリフの議論は、アフリカ史家の我田引水ともいえまい。

現代文明とそれによる環境破壊が人類社会の存亡を危うくし、「人新世」が語られる現在、人間の歴史を自然環境や地球そのものの歴史、さらには宇宙の歴史の中でとらえる「ビッグ・ヒストリー」は、世界史の新たな見方としてますます注目されるようになっている。そのタイムスケールは本巻の射程を超えるが、アフリカ人がそれを取り巻く環境との交渉の中でいかに生き、いかなる社会を作ってきたかを知ることは、人類の歩みを知りその未来を展望しようとする私たちの「世界史」のために、大きな手掛かりを与えてくれるはずだ。

アフリカ大陸で、乾燥と湿潤の時期が繰り返されたのち、現在のような熱帯雨林、サバンナ・ステップ、砂漠が層状に広がる気候分布のおおよその形ができたのは、今から四五〇〇年ほど前にサハラが砂漠化して以降とされる。多くの研究で概ね一致するのは、砂漠化に先立つ湿潤の時代に、サハラ東部ではウシの、サハラ中部ではヒツジの飼養が行われていたということ、つまり狩猟・採集の長い歴史の中から牧畜という食糧確保の方法が原初的に生まれていたことだ。時期的には七、八〇〇〇年前に遡ることができる。しかもそれらの動物は、西南アジアから伝来した家畜ではなく、アフリカ原産種であるという。同じく北アフリカでは野生種のウシの飼養が行われている。北アフリカ、サハラおよびそれ以南の地域では、ウシやヒツジ、ヤギの家畜化が植物の栽培＝農耕よりはるかに早くに始まっていたことがわかる(ベルウッド 二〇〇八)。

乾燥化によって家畜の飼養が困難になると、人々は乾燥地から押し出されるように南下し、サバンナに移動した。

移動の範囲は現在のケニア北部あたりまで広がり、ソルガム(モロコシ)やトウジンビエ、イネなど野生の雑穀を手なずけるようになった。また、エチオピアではテフ(イネ科の穀物)やエンセーテ(バナナのような植物)など、それぞれの地域で土着の雑穀や主食作物の栽培化が始まった。これがいわゆるサバンナ農耕といわれるものであり、サバンナへの移動は人間の食糧のためであるとともに動物の飼養のためでもあった。サバンナ農耕は、五〇〇〇年ほど前に始まるバントゥの移動とともに大陸中部、南部へと拡がっていくことになる。

肥沃な土地がナイル流域に限られ、その他のところでは人口に比して広大な土地が控えていたから、サバンナの農牧、牧畜は、新たな土地を目指して移動することで継続された。それは季節的なものから世代を超えるものまで様々な時間幅での移動性と不可分であった。農耕が狩猟・採集や牧畜にとって代わったわけではなく、農牧、牧畜、狩猟・採集は共存的な関係を展開していく。本巻の寺嶋論文が示すように、現在に至るまでその規模は極限的に小さくなりつつもアフリカには狩猟・採集社会が存続しており、そのことを抜きにしてアフリカの歴史を考えることはできない。

食糧生産の始まりは人類の歴史を考える上での最も大きな関心事である。教科書的には、一万年ほど前のメソポタミアでの穀物栽培の始まりが人類史全体の「農業革命」であり、それが新石器文化の始まりでもあり、さらに人の定住化の始まりでもあり、すなわち国家形成を導いたものとされる。黄河・長江流域やインド亜大陸の場合を含め、定住、農耕、国家は一体的に説明されるのが通常である。狩猟・採集の社会が段階を追って農耕、牧畜へと移行し、農耕の始まりとともに人の生活が移動から定住へと変化した、という図式によれば、アフリカのサバンナ農耕は他の地域より数千年「遅れて」始まったことになる。しかし先に見たとおり、アフリカにおいては、農耕の出現以前にきわめて長い牧畜の歴史があり、それが土着の動物の飼養であったこと、その後に現われた農耕も外来作物ではなく土着作物の栽培化によって生まれたこと、農耕が牧畜とも不可分であり、また、単純な定住性と結びつけられるものでもないことなどを考えれば、通説的な「農業革命」像を単一の尺度とする人類史の見方は修正される必要がある。

　二〇一七年のジェームズ・C・スコット『反穀物の人類史』は、メソポタミアにおける穀物栽培や農耕と定住、そして国家との関係にかんする従来の理解を問い直したことで大きな議論を呼んだ。そこでは、動物の家畜化や植物の栽培、つまり動植物の「飼い馴らし《ドメスティケーション》」が定住をもたらしたのではなく定住はそれよりはるかに早くから狩猟・採集と結びついて出現していたこと、定住や農耕の始まりと国家の形成との間には大きな時間的隔たりがあることが強調されている。その上で、国家は穀物の「飼い馴らし」＝農耕の組織化で課税を可能にしたが、それは人間の「飼い馴らし」つまり奴隷化を前提とした、とされる。

「農業革命」の意味を問い直す点では、より大きなスケールで人類史を論じて大きな話題を呼んだ二〇一一年のユヴァル・ノア・ハラリ『サピエンス全史』も同様である。ハラリによれば、「農業革命」は「認知革命」というより決定的な革命の後の第二の革命ということになるが、ここでも小麦（およびその他の穀物）の「飼い馴らし」（「家畜化」）が豊かさをもたらしたのは王侯貴族にとってであって、民衆にとってはそれはまさに小麦（穀物）による「人間の飼い馴らし」であったとされる。「農業革命」以前の狩猟・採集社会の人々の暮らしの「豊かさ」が国家の出現によってどう変わったか、農耕を選ばない人々が存在するのはなぜか、といった問題は、ヨーロッパの「優位」の原因を地理的環境と技術との関係からとらえた一九九七年のジャレド・ダイアモンド『銃・病原菌・鉄』でも論じられている。これらの著者たちはまた、定住によって人類が感染症の問題を抱え込んだ点も強調している。

　一群の議論はそれぞれ観点を異にするものの、いずれもが定住や農耕をより「優れた」「進歩した」ものとしてそれに基づく国家の形成を「文明」＝進歩の証とする常識への挑戦であり、それゆえ大きな関心を呼んでいる。もっとも、そのような挑戦はアフリカの歴史を学ぶ者には馴染み深いものともいえる。定住と移動との二者択一的ではない関係、人間と自然環境との絶えざる交渉、狩猟・採集、牧畜、農耕の長期にわたる共存、国家という集権的な政体を持続的には形成しない社会、といった事柄は、アフリカ史研究が常に向き合ってきたものである。たとえば、アフリカの少なくない地域に今日まで続く焼畑農業においては農耕自体が移動性と不可分であり、農耕と定住とを単純に結びつけ、土地に対する支配が人に対する支配であり権力の源であるとする「常識」とは相容れない。私たちの世界史理解の中に「アフリカ」が十分に入っていなかったことが、これらの著作から受ける衝撃をいっそう大きくしたといえるかもしれない。

数十万年単位のホモ・サピエンスの歴史(サピエンス以前のホモの歴史まで遡れば数百万年単位)、そして数万年単位の移動と定住をめぐる問題、さらに数千年単位の国家形成の問題といった人類史的・文明史的なテーマは、私たちの歴史的な関心を「アフリカ」へと誘う。以下ではもう少し時間のスケールを下げて、「移動性」や「国家と非・国家」を手掛かりに、アフリカ史の重要な論点を研究史の動向や史料の問題も交えて考えていくことにしよう。

二、世界史の中のアフリカ

今日、「アフリカに歴史はない」と考える人はほとんどいないだろう。素朴な文明の序列論や、文字記録の不在を歴史の不在とするような議論は、少なくとも真剣に「世界史」を考えようとする人々の間ではほぼ姿を消したといってよい。それどころか、アフリカ諸国の独立とともに始まったアフリカの歴史を復権させるための営みは、歴史学全体に新たな視点や方法をもたらしている。

文字

コンゴなど中部アフリカを研究したベルギーの歴史・人類学研究者ヤン・ファンシーナ(バンシナ)は、アフリカ史研究が本格的に始まった一九六〇年代初めに、文字を持たない社会の歴史をとらえる方法として口頭伝承が持つ意義を明らかにした。ファンシーナによれば、文字を持たない社会において、言葉は単なるコミュニケーションの手段ではなく、事物を創り出す神秘的な力を持つものと考えられている。言葉によって語り継がれる伝承にはその社会の思考様式が埋め込まれており、歴史家はそれを何度も繰り返し聞き、その意味体系を読み解くことによって、当該社会の歴史に近づくことができるという(Vansina 1965)。史料としての口頭伝承の意義をそのようにとらえたファンシーナの研究は、以後のアフリカ史研究の展開に大きな影響を与えた。

日本において川田順造が『無文字社会の歴史』によって口承と歴史の問題を提起したのは一九七六年のことだった。西アフリカのモシ王国の口頭伝承をとりあげ、文字を持たない社会がいかに歴史を記録し後世に伝えるかを示した著作は、「文字がなくとも歴史は記録され、伝えられる」という、今となっては当たり前の事実を示し読者に鮮烈な印象を与えた。当時の日本でアフリカの無文字社会の歴史に光を当てることは、人々の関心を「無文字社会としてのアフリカ」に向けたという以上に、歴史研究における非文字史料の意義やそれと文字史料との関係、また「文字社会」にありながら「無文字世界」に生きる人々の存在に光を当て、文字記録が「何を語らないか」を考えさせる契機となった。前後する時期からの社会史の隆盛とも相まって、口頭伝承や図像をはじめとする非文字史料を文字史料と同等の価値のあるものとする考え方は、今日までに広く共有されるようになり、文化人類学や考古学など隣接諸科学の方法や成果を採り入れることも歴史学の常識となっている。

口頭伝承について言えば、初期の衝撃の後には、それが抱える問題も様々に指摘されるようになった。たとえば、伝承は多くの場合、王や英雄の事績を語り継ぐものであるから、そこから社会全体の歴史がどこまで見えるのかといった問題や、伝承の中の出来事の絶対年代をどう考えるか、また、語り手による内容の「揺れ」をどうとらえるか、などといった問題である。とはいえ、それらは実のところ文字史料の場合にも避けて通れない問題であり、史料としての口頭伝承への注目はそのことに対する注意を喚起したともいえる。史料の性格を批判的に検討し、異なる種類の史料と突き合わせながら利用することはいずれの場合にも欠くことができない。史料としての口頭伝承をめぐるそれらの問題については、本巻のもう一つの「展望」松田論文で詳述される。また中尾世治によるコラムも、ブルキナファソでのフィールドワークの経験を踏まえ、口承史料と文字史料とをどのように組み合わせるのかについての思索を展開している(中尾 二〇二〇も参照のこと)。

そもそもアフリカを歴史的な「無文字社会」ととらえることは妥当だろうか。エジプトのヒエログリフや北アフリカのフェニキア文字などよく知られたものに始まり、北アフリカのベルベル系言語(ティファナグ文字)、エチオピアのゲエズ語(ゲエズ文字)、今日のスーダンの古ヌビア語(メロエ文字)、今日のナイジェリア南部の言語(ンシビディ文字)など様々な言語が文字を持っていた。またより新しくは、一九世紀にリベリアのヴァイの人々によって発明されたヴァイ文字のようなものもある。一方、アフリカ固有の文字ではないが、ギリシャ文字、ラテン文字がアフリカで用いられた歴史も忘れるわけにはいかない。たとえばギリシャ文字は今日のエジプト、スーダン、エリトリア、エチオピアに相当する地域で使われた時期がある。

そして何よりも、イスラームの伝播とともにアラビア文字がアフリカ大陸の広い地域で用いられるようになった。それはまずもってアラビア語による記録の出現を意味するが、それも一般に信じられているように「外部者の観察」の類に限られるわけではなく、西アフリカや東アフリカを中心に、当事者による文字記録を生み出した。詳しい紹介は本巻の苅谷論文に譲るとして、アラビア語による膨大な記録からは、北アフリカすなわちアラブ世界の一部となった地域とサハラ以南アフリカとの分断よりも、人やモノの流れと知識や情報の共有こそが浮かび上がってくる。同じようにして、大陸東部はアラビア半島・西南アジアと多面的なつながりをもち、言語の面ではアラビア語とアフリカ諸言語の融合の中からスワヒリ語を生み出した。本巻の鈴木論文に詳しいが、アラビア文字によるアラビア語ならびにスワヒリ語の記録は、この地域の歴史を知る上で不可欠である。

アラビア文字はまた、土地の言語を書き記すためにも用いられるようになる。アラビア文字を用いて土着言語を記すことは東南アジアのイスラーム圏などでも見られる現象であるが、アフリカでは「アジャミ」と呼ばれる。たとえば、西アフリカのマンデ、フラニ、ウォロフ、ヨルバなどのアジャミはよく知られる。アラビア文字の使用がイスラームの伝播と不可分であったことはいうまでもないが、それは必ずしも宗教的な活動やアラビア語の記録のためにのみ用いられたのではなく、アフリカの様々な地域の固有言語での記録を生み出したのである。大陸東海岸でも「スワヒリ」の範囲を超えた広い地域で、長期にわたりアラビア文字が現地の言語の表記に使われていた。たとえば、モザンビーク北部では、ポルトガル人支配者との間の通信にもアラビア文字で表記した言語が使われている。アジャミによって書き残されたものからは、リテラシーが男性のムスリム知識人に限らず女性や非ムスリムにも拡がっていった様子がうかがわれる(Bonate 2008; 2016)。

さらに、一般にはアフリカのイスラーム圏と考えられていない南アフリカにも、一七世紀以降にはオランダ東インド会社による奴隷交易に伴って東南アジアからイスラームが伝わり、アラビア文字が出現した。そこで興味深いのは、元奴隷たちの間で使われていた「ケープ・オランダ語」がアラビア文字で記録された例があることである。奴隷主と奴隷との間の共通語として使われた、クレオールであり口語であるこの言語を書記化しようとしたのは一八七〇年代以降の「アフリカーナー」(オランダ東インド会社統治期にヨーロッパ各地から流入してきた移民の末裔)の民族主義的な運動であったが、それよりはるか以前に、元奴隷たちが「アジャミ」としてアラビア文字を用い、この言葉を記述したのである(Haron 2001)。

アフリカにかかわる文字史料で未だ活用されていないものが大量に存在することについては、『ユネスコ アフリカの歴史』(後述)のように、口承史料を重視した事業においても強調されている。そこでは、アフリカ内に存在する文書に加えて、たとえば南北アメリカ、イラン、イラク、アルメニア、インド、中国などに存在する文書がアフリカ史の解明にとって持つ意義が指摘されている(日本語版、第一巻、上、八頁)。

アフリカ史の否定と歴史の存在証明としての国家

「アフリカには歴史がない」とする偏見の最たるものとして数多のアフリカ史家たちが繰り返し引用してきたのが、ヘーゲルの『歴史哲学講義』(一八三七年)である。「アフリカを除外したところではじめて世界史の舞台が見える」とする断定に憤りを表明することはアフリカ史を書く際の定石にすらなっているので、ここでは改めて立ち入らない。ヘーゲルの論の核心が、国家こそが人間の理性に基づき自由を体現するものであり世界史をつくる主体であるとする点にあることのみ確認しておこう。(1)「自然のままの、まったく野蛮で奔放な人間」であるアフリカ黒人は理性的国家をつくることができず、したがって世界史の中に入らないとの主張は、アフリカの歴史を否定することで近代ヨーロッパが自らの優位を確認していることにほかならない。ヘーゲルの「理性」は、その後も「文明」、「進歩」、「人権」、「民主主義」、「近代化」などに置き換えられつつ、世界史の中で最底辺の位置をアフリカに割り当ててきた。

国家を世界史の主体とする考え方は、近代国民国家の成立期に生まれる実証主義歴史学とも親和的であった。ランケに代表される実証史学はそれぞれの国民国家の歴史を描き、それを束ねたものとして「世界」を描こうとした。否定的な意味で「アフリカ」に言及したヘーゲルの場合とは異なり、ランケの歴史論ではそもそもアフリカは言及すらされず、あたかも世界に存在しないかの如くである。それもまた、今日に至る歴史学に多かれ少なかれ継承されてきた態度である。

ヘーゲルのアフリカ観がマルクスやエンゲルスにおいても何ら変わるところなく踏襲されていると指摘するのはエドワード・サイードである。サイードによれば、彼らのような「反政府的な思想家」であっても、アフリカ(やオリエント）にかんして依拠する歴史記録そのものが「オリエンタリズムのディスクールによって支配」され、「ヘーゲル的観点に汚染されていた」からである（サイード 一九九八：上巻三〇七—三〇八頁）。

もっとも、マルクスやエンゲルスはアフリカについてほとんど具体的には論じていない。階級社会の形成を理論化する中で、同時代の民族学者ルイス・モーガンの古代社会論が示すアメリカ先住民社会と「同じようなもの」がアフリカであるととらえているにすぎない。すなわち、母系制と非国家的な首長制とによって特徴づけられる階級分化以前の段階にある社会、という理解である。「階級社会以前」と母系制を一義的に結びつけることがアフリカの現実とうてい相容れないことは、本巻の杉山論文が示すとおりである。一方、古代エジプトの「専制国家」については、「アジア的生産様式」論で説明する。また近代エジプトについては、南北戦争期のイギリス綿工業との関係で若干の言及がある。史実そのものより歴史の法則的把握に主眼がある中で、アフリカの歴史にかかわる具体的事象に触れた数少ない例としては、エンゲルスの『家族・私有財産・国家の起源』（一八八四年刊）に以下のくだりがある。

「われわれはごく最近アフリカで、この勇気（「白人」を驚嘆させた、「未開人」たるインディアンの勇気）の実例を経験した。数年前にズールーカファー人が、また二、三ヵ月まえにヌビア人が——この両方ともまだ氏族の諸制度が死滅していない種族である——、ヨーロッパのどんな軍隊にもできないことをなしとげた。槍と投槍とで武装しただけで火器をもたない彼らが、イギリス歩兵——密集戦闘にかけては世界第一とみとめられている——の後装銃の弾雨をおかして、銃剣のそばまで突進し、武器におけるはなはだしい懸隔にもかかわらず、また彼らはまったく兵役期間というものをもたず練兵ということを知らないにもかかわらず、一度ならずイギリス歩兵を混乱におとしいれ、敗走させさえした。彼らがどれだけ耐久力があり、どれだけのことをなしとげうるかについては、カファー人は二四時間内に馬よりもはやくいっそう遠距離をはしる、と言ったイギリス人の嘆息がこれを証明している。」（エンゲルス 一九五四：一二五—一二六頁）

一八七九年の南アフリカのズールー人に対するイギリスの戦争およびスーダンでのマフディー戦争を念頭においたこの文章は、アフリカの人々が「まだ氏族の諸制度が死滅していない種族」すなわち階級社会以前、かつ国家形成以前の段階にあり、したがって兵役制度もないとし、にもかかわらずイギリスの軍隊を相手に好戦したとたたえている。マフディーが国家を組織したこと、ズールーが一九世紀のアフリカでも最も高度に組織された軍をもつ国家であったことは今日のアフリカ史では周知の事実であるが、マフディーやズールーを鎮圧する側の情報しかない当時のヨーロッパにあって、まして自身もイギリスにいたエンゲルスがこのような認識をもっていたことは不思議ではない。むしろ、アフリカ社会の実態とは関係なく階級社会以前の社会を理想化する観念が、イギリス帝国への抵抗を勇敢なものとして評価する、同時代の他の論者にはない視点を与えているのである。

このように、アフリカにおける「帝国」の実践と断片的な知識(完全なる捏造ではなく、なにがしかの「真実」を含む)は、アフリカの実情を何一つ知らぬ当時のヨーロッパの知識人たちに、「未開」を蔑むのであれその蛮勇を讃えるのであれ、みずからの理論を補強する材料を提供し、総体としてアフリカ不在の世界史観を形成するものとなった。

こうした事情を考えるなら、独立後のアフリカ諸国の歴史家たちや彼らと共働する欧米の歴史家たち(「アフリカニスト」)が「アフリカにおけるヨーロッパ人の歴史」に代わる「アフリカ人の歴史」を書こうとしたとき、植民地化以前の国家や都市の形成に関心を集中させたのは自然なことだった。八世紀ごろのガーナに始まり一九世紀のソコトに至るまで継起したサハラ砂漠南縁部(サヘル)地域の諸帝国・王国、ブニョロ、ブガンダ、ルワンダ等一三世紀ごろ以降の大湖地域の諸王国や今日のコンゴからアンゴラに及ぶコンゴ王国やクバ王国など中部アフリカの国々、また東南アフリカのグレート・ジンバブウェとその前後の王国など、各地の国家の歴史が熱心に研究された。植民地化以前の国家や都市、それらを生み出した社会を描くことは、アフリカとアフリカ人の歴史の存在証明なのだった。過去の国家の歴史は必ずしも独立後の国家との対応関係で追究されたわけではないが、過去の国家への関心はアフリカ諸国が国民国家として独立せざるを得なかったこととも無関係ではない。

過去の国家の姿を通じてアフリカの歴史の存在証明とする論法は、今日まで形を変えて繰り返されている。たとえば、フランスのアフリカ史家・考古学者フランソワ＝グザヴィエ・フォヴェルによる二〇一三年の『黄金の犀――中世アフリカの歴史』がある。一〇世紀以降の王国や都市の事例を取り上げたこの著作は、「中世アフリカ」が世界の他の地域といかに多様な交渉をもち活気に満ちた場であったかを、近年発掘された考古学的出土品や文書をもとに描いている。一例を挙げるなら、現在エジプトとスーダンの間の激しい領有権争いの場となっており「紛争だらけのアフリカ」のイメージを喚起する紅海沿岸の「ハラーイブ・トライアングル」にある港町アイダブの一二世紀は、アラブ、ユダヤ人、インド人、エチオピア人が平和的に共存するコスモポリタンな場であり、宋の陶磁器片が今日多数発掘されるような、世界に開かれた場所だった(Fauvelle 2018: 105-109)。アフリカの「中世」という時代の活力を強調するこの著作は、都市にも光を当てている点で、帝国・王国のみに関心を集中させた初期の「アフリカ史」とは一線を画すものの、やはり「国家による歴史の存在証明」の系譜に連なる。

この著作の出版の直接のきっかけは、二〇〇七年に当時のフランス大統領ニコラ・サルコジがセネガルを訪問した際に行ったスピーチであった。サルコジは首都ダカールの大学生たちを前に、「アフリカの悲劇はアフリカ人たちが未だ十分に歴史の中に入っていないことだ。アフリカの人々は未来に向かって歩み出していない」と、ヘーゲルを彷彿とさせる言葉で「アフリカの歴史」を語った(2)。そこでサルコジが「アフリカの人々」に求めた「民主主義、自由、正義、法」は、まさにヘーゲルの「理性」だ。ヘーゲルの亡霊が今日も生き残っていることもさることながら、それに対する二一世紀の歴史家による反論の論法が、アフリカ史(研究)が今なお背負っている桎梏を示している。

とはいえ、アフリカ史研究は国家への関心のみを追究し続けたのではない。「アフリカ人のアフリカ史」の集大成ともいうべき『ユネスコ アフリカの歴史』は、一九六四年に構想が始まり、長い年月に及ぶ議論を経て一九八一年から刊行された[3]。全八巻におよぶ大部のシリーズの「総序」の冒頭は、いみじくも「アフリカには歴史がある」という一文から始まっている(ユネスコ、日本語版、第一巻、上、二頁)。アフリカ人とアフリカ史家たちは、欧米や日本などで「新しい歴史学」がもてはやされた一九八〇年代に入ってなお、「アフリカには歴史がある」と内外に向けて宣言しなくてはならなかったわけだが、その叙述は、今日の国家の枠を過去に逆投影することもなく、植民地化以前の国家の存在を不必要に強調することもなく、様々な地域や大小の人間集団を時期と場所に応じて設定し、多様な主体をとらえることに力を注いでいる。この大プロジェクトについては、本章に続く松田論文が詳しく紹介する。

国家中心史観以後

植民地化以前のアフリカの国家や都市については、その形成の背景として外部世界との交易上のつながりが強調されてきた。サヘル地域ではトランスサハラ交易による地中海世界やアラブ世界とのつながりが、大陸東部ではインド洋交易による富の蓄積が、国家やそれに類する政体を生み出したとされる。国家形成における交易の役割を基幹的なものとする「アフリカ的生産様式」論を提唱し、農耕定住社会を前提としたヨーロッパモデルの社会発展論を批判したフランスのアフリカ史家カトリーヌ・コクリ＝ヴィドロヴィチのような議論もある(Coquery-Vidrovitch 1975)。とはいえ、外部世界と交易の重要性を強調しすぎることは、アフリカ社会の内部に発展の契機を見出さず、歴史の主体としてのアフリカを否定することにもつながりかねない。

実際、近年の研究は、国家ないしそれに準ずる政体を生み出したアフリカ側の内在的な要因により多くの関心を注いでいる。たとえば、グレート・ジンバブウェについて、富の源泉がインド洋を介した西アジア、インド、さらには中国との経済的な交渉にある一方で、その生活文化の基底、たとえば住居の様式や土器などは、それ以前からの、また今日にまでつながる、当該地域の住民ショナのそれと通ずる土着のものであったと明らかにされている(Beach

1980; 吉國 一九九九)。

考古学的な発掘はサヘル地域の歴史も大きく塗り替えつつある。たとえば、八世紀ごろに始まるガーナ王国、一三世紀以降のマリ王国(帝国)、一五、六世紀のソンガイ帝国と諸国家が継起するこの地域の要衝にジェンネがある。この街の巨大な土造りのモスクは、都市としての発展ぶりとイスラームの存在感を示すものとして名高く、学問の発展の中心地であったもう一つの都市トンブクトゥとともに、西アフリカにおけるイスラーム的都市・国家のシンボルのように理解されてきた。しかし、一九七〇年代後半に始まるジェンネ南東のジェンネ・ジェノ(「古いジェンネ」の意)遺跡の発掘により、サハラ越えの商人が到来するよりはるか昔、紀元前三世紀にはそこに人々が居住し、稲の栽培や漁撈《ぎょろう》、家畜の飼養などによって暮らしていたこと、つまりこの土地の「街」としての発展はそこまで遡れることが明らかになった。しかも、同地では産出しない鉄鉱石を用いた鋳造が行われていることから、地域間の交易網が存在したことも知られる。ジェンネ・ジェノのこうした役割はジェンネに地位を譲る一二世紀ごろまで継続したという。他方、多様な経済活動の中から様々な職業が生まれその分化も進んでいたこの街には、大規模な建造物の痕跡がなく、強大な権力の存在が認められないという。集権的な政体の形成、すなわち「国家」とは異なる形で早い時期から地域経済の中心をなしていたこのような場所の実像が長らく見過ごされてきたのである(竹沢 二〇一四:五三―五五頁)。

トランスサハラ交易を長期的変化《ロング・デュレ》の中で見る必要を説くギレーン・ライドンは、古代エジプト時代から一五〇〇年までの交易の様相を契約文書ならびにそれ記録する媒体としての「紙」の役割に注目して明らかにしている(Lydon 2019)。それによれば、古代エジプトの時代にパピルスとそれを用いた文書はサハラを越えて西アフリカ、また中部アフリカにまで拡がっており、ローマ帝国支配下の北アフリカでも広く用いられていた。ラクダを使ったキャラヴァンが導入されるようになるとサハラ横断ルートはナイル川流域と西アフリカのニジェール川流域とを結ぶようになり、ガーナ王国の最盛期から一四世紀まではエジプトと西アフリカのサヘル地域との交易が繁栄した。その間、中国で発明された製紙技術をムスリムが獲得し、九世紀にはアフリカでも紙が作られるようになった。一〇世紀以降はアフリカ各地でそれまでのパピルスや陶片に代わって紙が使われるようになり、その結果、契約文書自体が増大したという。ライドンはそこから、「手形」という経済活動の仕組みがエジプトで生まれ、その使用が紙というモノの拡がった範囲に呼応してアフリカから中東、また地中海対岸(今日のイタリア)にまで拡がり、のちの銀行制度の前身となったとする。古代エジプト以来の長い時間軸におけるトランスサハラ交易の歴史は、イスラーム以降の交易とサヘルの国家形成に関心を集中する旧来の歴史像を大きく修正している。

本巻では、代表的な「国家」の舞台であるサヘル地域を扱った坂井論文が「中世」を中心に、中部アフリカを扱った武内論文が現代を中心としつつ、旧来の国家史とは異なる新しい視点から「国家と人々」を描いている。

三、「アフリカ」と「アフリカ人」

ここまでのところ、「アフリカ」や「アフリカ人」という語をとくに定義することなく使ってきた。しかし、そのいずれもが自明の概念ではない。

多くの「アフリカ史」の書物では、対象をサハラ以南アフリカとするか大陸全体とするかについて冒頭で断るのがならわしである。西アジアあるいは中東の延長線上で扱われることの多い北アフリカとは区別されるサハラ以南の「ブラックアフリカ」こそが「真のアフリカ」であるとする論者は少なくない。サハラ以南のアフリカを「黒人」の住む異界として否定的な「黒」のイメージと結びつけ「暗黒大陸」などともしてきた見方に対し、そのイメージを反転させ、誇りを込めた自己像となってきたのが「ブラックアフリカ」である。

それに対して、大陸の一体性を重視するアフリカ観も有力である。前述のユネスコのアフリカ史は、「総序」で従来の歴史学においてアフリカ大陸が「一つの歴史的実体として考えられることもなかった」点に強く抗議し、大陸全体の歴史の実在を力説している(ユネスコ、日本語版、第一巻、上、二八頁)。とはいえ、赤道直下の熱帯雨林から北アフリカや南アフリカの「地中海性」気候にまで広がる巨大な大陸の地理的環境は様々であり、住民も、四つの言語グループのいずれかに大分類されるとはいえ、その多様性は大きい。一つの陸塊たることからただちに「一つの歴史的実体」が導き出されるわけではない。一方、大陸から離れたインド洋上にあるマダガスカルやモーリシャスなどの島が今日の国際政治上は「アフリカ」に分類されているように、「アフリカ」の外延も単純ではない。しかも、それらの島の最初の住民はアジア系であった。

多くのアフリカ史の書物が説明するように、「アフリカ」という語は語源的にはアラビア語の「イフリーキヤ」からきている可能性が高く、ローマ時代以降に「アフリカ」として定着し、大陸北部の地中海岸を指していたものが次第にその先の未知の地全体を意味するようになったと考えられている(ユネスコ、日本語版、第一巻、上、三二一—三三頁)。「アフリカ」と呼ばれる土地に住む人々については、古代ギリシア以来の著者たちによって、「旅人の見聞」などの形をとりつつ、文化的、身体的な特徴が描かれてきた。しかし「黒い肌」をもつことが必ずしも否定的な特徴とされていたわけではなく、「アフリカ人」が「黒人」として人種的指標で括られるようになるのは近代奴隷制・奴隷貿易の展開以降のことであるとする論者は多い(Snowden, Jr. 1983)。一方、信仰を持つ者と持たない者との区別が根幹にあるイスラームにおいても、「不信心者」を見る視線の中に「人種」的要素が含まれ、アフリカ黒人の「他者化」の過程がヨーロッパ人のみならずムスリム知識人たちによっても増幅されたことは、本巻所収の苅谷論文も触れているとおりだ。そのことは、時代が下り、ヨーロッパによる植民地体制下で、ムスリムが他のアフリカ人よりも「文明化」した存在として位置づけられるといった「アフリカ人」内の差別化も生み出すことになる。「アフリカ人」は、様々な主体が自らの合わせ鏡として、「信仰」や「文明」、「人種」などの指標によって作り出した集団概念といえよう。

すでに見てきたとおり、大陸の中には歴史的に国家が多く形成された地域もそうでない地域もあるが、国家という政治的組織の有無にかかわらず、人々の帰属集団は民族(「部族」)や氏族、また狩猟採集民の場合にはより小さな「バンド」などであった。それらについて詳しくは、本巻の松田論文や、寺嶋論文、杉山論文に譲るが、植民地体制下で、「分割して統治せよ」の鉄則により「原住民」と「ムスリム」とが区別されたり、「原住民」の内部が統治側の分類によって「部族」に分けられたりしたことから、当事者側からの「アフリカ人」意識が生まれる余地はなかった。

そのような「他者化」の歴史に対し、「アフリカ」を一つの全体として意識し、そこにアイデンティティを見出したのはディアスポラの黒人たちだった。一九世紀末には、アフリカ大陸から南北アメリカに連れて行かれた奴隷の子孫たちや在欧の黒人たちが、差別打破のために共通のルーツとして「アフリカ」を意識し、アフリカ大陸にいる同胞との連帯を目指すようになる。一九〇〇年には、在米、在欧の黒人に加えアフリカ大陸からも参加者を得て、最初の「パン・アフリカ会議」がロンドンで開かれている。大西洋の両側の「アフリカ人」の連帯を目指すパン・アフリカニズムの運動については本巻の荒木論文に詳しいが、大陸の外にいる「アフリカ人」たちによって、植民地に分断された人々が「アフリカ人」としての意識を持ち始めたことが、アフリカ諸国の独立を推し進めたといえる。また、「黒人性」を文化的創造の核においた「ネグリチュード」運動も、広い意味での「パン・アフリカニズム」の一種である(「ネグリチュード」については、本講座第二一巻所収予定の中村隆之論文を参照のこと)。

「アフリカ人」意識の広がりは、二〇世紀後半のアフリカ諸国の独立につながる政治的意味ばかりでなく、歴史研究の進展にも大きな意味をもった。パン・アフリカニズムの始祖の一人であるW・E・B・デュボイスは、第二次世界大戦直後の『世界とアフリカ』(一九四六年)で、ナイル川流域から西アフリカのニジェール川流域に至る地域のアフリカ人たちが西欧文明の勃興よりはるか以前から高い文明を発達させ、サハラ砂漠や大河がアフリカの人々を分断するのではなく結び付けていたことを指摘していた(Du Bois 1965)。デュボイスの理念的な主張に対し、「アフリカ中心のアフリカ史」の急先鋒であるセネガルの歴史家・人類学者シェイク・アンタ・ジョップは、古代エジプト文明と「ブラックアフリカ」の歴史との共通性を示そうとした。(4) すなわち、割礼などの儀礼、トーテミズム、天地の起源などの世界観や思考方法、建築や楽器、そして何よりも言語などの文化的な面、また自然人類学的な側面からも、「古代エジプトはアフリカ的」であるとし、古代エジプト文明を突出した独立のものととらえてサハラ以南アフリカの歴史と峻別する考え方を批判した(Diop 1974; 1981)。ジョップはブラックアフリカとエジプト文明とが共通の基盤に立つことを強調し、「ブラックアフリカにとっての古代エジプトは、ヨーロッパにとっての古代ギリシア・ローマのようなもの」と言う。そのようなジョップの主張は、「パン・アフリカニスト」を標榜する思想家や運動家によってときとして誇張され、実証性を離れて通時代的な「アフリカの一体性」やその優位を主張するものともなっていった(たとえば Asante 2007)。このような「アフロセントリズム」のもつ意味については松田論文で詳しく論じる。

それに対し、コンゴ出身のV・Y・ムディンベは、代表作『アフリカの創造』(一九八八年)において、古代ギリシア以来「アフリカ」は「他者」として創造されてきたのであり、人種的な指標による他者化も近代に始まったものではないとした上で、アフリカ人自身がそのようなアフリカの創造=捏造を自らのものとしてきたことこそを問題とする。つまり、パン・アフリカニズムやネグリチュードに代表されるようなアフリカ観は、アフリカを他者化してきたヨーロッパの知の枠組みを踏襲したものだというのである。そして、改めて、アフリカ人自身による「叡智」の創造の必要性を説く(Mudimbe 1988)。このような「アフリカ」の本質化への批判はサイードの「オリエンタリズム」を知る私たちにとっては理解しやすく、「アフリカ史」を見る上での根源的な問いを投げかけるものであることは間違いないだろう。

本巻では、通時代的な「アフリカ人」や「アフリカ」を想定はしない。(5)「アフリカ」にはどのような主体があったのか、複数の主体がどのようにかかわっていたのか、大陸内外の地域がどのように関連していたのかいなかったのかを、時代や地域に応じて描き、それぞれの場から世界史を眺めるとどのように見えるかを複眼的に考察したい。先の問いに戻るなら、「アフリカ」を「サハラ以南」に限定するのか否かについても、いずれかを選ぶことはしない。前節でみたように、トランスサハラ交易についての最近の研究は、サハラが地域を隔てるものではなく結ぶものであったことを示している。そこから、「サハラ以南」や「トランスサハラ」という概念から抜け落ちている「サハラ史」の必要を指摘する者もある(Lydon 2009)。つまり、サハラ以南と以北との二分をアフリカ史に通有の前提とはできないことは明らかである。しかし、問題の設定によって、北アフリカを地中海世界やアラブ世界の構成部分としてとらえることに意味がある場合もあることもまた事実である。たとえば、二〇一〇年にチュニジアから始まり「アラブの春」と呼ばれることになる一連の民衆運動の例を挙げることができよう。もっともその場合にも、この動きが「サハラ以南」のアフリカ各地に連鎖的に影響を及ぼしたことを忘れるわけにいかない。

地域についての柔軟なとらえ方を必要とするのはサハラを取り巻く地域のみではない。本巻の鈴木論文が示すように、東アフリカはインド洋に開かれ、そこに独自の歴史的な場を形成した。また、大陸内において前述のナイル川、ニジェール川以外にも、コンゴ川、ザンベジ川などの大河が、人とモノを動かし、広い地域を結びつけたことは、宮本正興・松田素二らによる『新書アフリカ史』(一九九七年)が示した歴史像でもある。

とはいえ、「開かれた世界」、あるいは、遠近の地域間の「結びつき」という特質は、当然のことながらアフリカのすべての時代や地域に当てはまるわけではない。たとえば大陸西南部には、大西洋奴隷貿易の影響が間接的に及ぶまでは、地域的な経済を除いてほぼ閉じられていたといえる地域もある。そのような「孤立」あるいは「小さな世界」もまた、アフリカの歴史を構成する重要な部分である。本巻の各論文とコラムでは、様々なスケールの集団や地域が重層的に織りなしていた歴史のうち、西部(サヘル地域ならびに沿岸部)、東部のスワヒリ海岸、南部、中部、加えて大西洋をはさんだ南北アメリカとの関係の中での南部、東北部(エチオピア)を舞台にとりあげている。

四、アフリカ史の時期区分

「アフリカ」や「アフリカ人」を前述のように伸縮自在に理解するとして、それらの総体としての「アフリカ史」は共通に時期区分することができるだろうか。

植民地期《コロニアル》を中心とした区分

アフリカの歴史を論じる際にしばしば使われるのは、「植民地化以前《プレコロニアル》」「植民地期《コロニアル》」「植民地期以後《ポストコロニアル》」という区分である。これは政治体制についての単純な区切りではあるが、それ以上に、植民地支配がアフリカ社会に与えた影響の大きさを意識したものであり、植民地化以前の社会を「本来の姿」とする発想とも無縁でない。

たとえば、植民地期に「本来の姿」ではなくなったとされるものの代表として「部族」がある。植民地の行政官は言語学者や民族学者と連携しつつ、統治の都合により人々を分類し、集団を名づけ、その長を任命し、場合によっては居住地を指定するなどして、「創造された部族」を実体化しようとした。相互に了解可能な方言程度の相違の言語を話す人々や通婚により流動的な関係にある人々が別の「部族」に仕切られるのも普通だった。アパルトヘイト型支配ではそれは居住空間の分離にまで制度化された。エリック・ホブズボームとともに『伝統の創造』(邦訳『創られた伝統』として刊行)を編んだテランス・レインジャーはジンバブウェ史の専門家であり、まさに植民地時代のアフリカが「伝統の創造」の場であったことを示している。とはいえ、「部族の創造」にしても、植民地化以前の長い歴史の中でそれがどのように形成され変化してきたのか知ることなしにはとらえることができない。「本来のアフリカ」(=「伝統社会」)を想定する考え方は、植民地化以前の歴史の動態に目をつぶることであり、「アフリカに歴史はない」とすることと変わりがない。同様にして、植民地期以後についても、そこでアフリカ社会のすべてが断絶したのでないことはいうまでもない。そもそも、植民地期はアフリカの長い歴史の中のごく最近の一時代にすぎない。

「植民地期」を中心とした三分法的なアフリカ史把握の背景には、植民地に分割された諸地域が各々の領域内で一様の植民地経験をもつとの誤解もある。そのような誤解を視覚的に表現するのがいわゆる「アフリカ分割図」である。「分割史観」が批判されて久しいが(板垣 一九六九)、植民地の境界線でアフリカを切り分け宗主国ごとに色分けした地図は、今なお高校世界史教科書の中に生き残っている。この地図はアフリカにどのような人々がどのような社会で暮らしているのかを示さないばかりでなく、それが本来示そうとしているつもりの植民地支配そのものについてもほとんど何も語っていない。一例を挙げるなら、本巻の正木論文が扱うセネガルやマリはフランス領として色塗られているが、奴隷貿易時代に要塞が造られヨーロッパ人が住み、アフリカの人々との混血も進んだ一部の海岸地域と、一九世紀末に軍事征服が進められた「内陸部」(この概念自体が、植民地支配者側から「未開の地」として想定されたものであり、単なる地理的なものではない)とでは、植民地経験の内容は全く異なる。その「内陸部」にはフラニ(フルベ)のように移動的な遊牧民もあり、彼らは植民地境界の範囲内で生きていたわけではない。植民地の住民が、同一または別の植民地の征服に動員されるのも普通のことだった。一方、アフリカの中には、第一次世界大戦後に初めて植民地支配下に入ったような地域もある。

植民地支配がアフリカ社会に与えた重大な意味を考えるには、植民地の境界線にとらわれず植民地化をプロセスとしてとらえ、地域間の「時差」にこそ注目しなくてはならない。それは、植民地期をはさんだ前後の時代との連続性・非連続性を問うことでもある。そのことと、植民地主義の過酷な現実やそれが今日のアフリカ社会に残す遺産を問題にすることとは、決して矛盾しない。それどころか、そのような視点によってこそ、アフリカ史にとっての植民地期の意味も深く理解することができよう。

「古代・中世・近代」

アフリカの「古代」を代表するエジプト文明と「ブラックアフリカ」との関係にかんする議論についてはすでに述べた。その「古代」と「近代」との間に挟まれた時代としての「中世」を積極的に意味づけようとしたのは、イギリスのアフリカ史家ロランド・オリヴァーであった。オリヴァーは一九八一年の著作『中世アフリカ』で、一四〇〇年から一八〇〇年までをアフリカの「中世」とし、気候環境にしたがって分けた一三の地域(大まかには赤道以北と以南の二つ)ごとの「中世」の様相を示している(Oliver 1981)。二〇〇一年に刊行された同書の改訂版では「中世」の始まりを一五〇年早め、一二五〇年からとしている(Oliver and Atmore 2001)。それは端的にはマムルーク朝のエジプトを起点とするものである。オリヴァーによれば、奴隷貿易時代にあたる一八〇〇年までアフリカの自立性は維持され、オスマン朝の下に置かれたエジプトからアルジェリアに至る北アフリカ地域も現地の軍事エリートによって統治されたのであって、オスマン朝に従属していたわけではない。東アフリカ沿岸部でのオマーンの支配も同様であり、さらにはモザンビーク島やアンゴラのルアンダ、ベンゲラのポルトガルの拠点、ケープの入植地などもアフリカ人の政体・国家にとって大きな意味をもっていたとはいいがたい。アフリカからの奴隷の送り出しには、アフリカの王国がかかわっていたが、それは独立した主体としてかかわっていたのであって、ヨーロッパあるいはアラブに従属していたわけではない。むしろ、「中世」にアフリカでは人口が増大し、諸政体の規模は拡大した。奴隷貿易のアフリカ社会にとっての影響は限定的であった。

以上のようなオリヴァーの議論は、一八〇〇年まではアフリカの「自立性」が維持されており、それが「中世」という時代であり、それに続く「近代」がアフリカの従属の始まりだ、とするものである。もっとも、大区分の「赤道以南」の地域については「中世」の起点の時期に大きな意味を見出すのはむずかしい。議論は総じて国家の存在を中心としており、その点では前にみた「国家探し」とイスラーム中心のアフリカ史の系譜にあり、これが前出のフォヴェルにまで続く。

いうまでもなく、アフリカの国家にいかなる自立性があったのかと、その国家の支配層ではない一般のアフリカ人にいかなる自立性があったのかは別のことである。また、「中世」の終わり＝「近代」の起点を一八〇〇年に置くことは、アフリカにおける植民地主義の始まりを一八〇〇年に置くということでもある。「中世」と「近代」の問題は、奴隷貿易・奴隷制の評価や、それと植民地主義との関係などの問いと不可分である。

時期区分とジェンダー

時期区分のはらむ問題を考える上では、ジェンダーの視点も不可欠である。「植民地期」を中心とした三区分を取るとしても、まず植民地経験そのものがジェンダーによって大きく異なることは、本巻の杉山論文や網中論文が示すとおりである。植民地期には当時のヨーロッパの家庭観やジェンダー秩序が持ち込まれる半面、「伝統社会」の男性権力が植民地権力によって支持・強化されもした。世代間の相違と相まって、「近代」に参画しようとするアフリカ人男性が植民地権力の意を受けてふるまうこともあった。しかし同時に、「伝統社会」が家父長的であると前提すること自体、ヨーロッパ的なジェンダー秩序を無意識のうちに普遍的なものとしているためでもある。たとえば、牧畜社会にかんする最近の研究は、牧畜社会が家父長的なものであるというこれまで常識のように受け止められていた理解を根本的に見直さなくてはならず、その見直しによって、植民地期に継続するものと変化するものとが従来とは異なって見えることを示している(Hodgson 2000)。あるいは、「中世」を特徴づける要素とされがちな「イスラーム化」にしても、ある社会では男性はイスラームを受け入れ、女性は土着の宗教を維持し続けるというようなことがある。つまり、社会の中に複数の時間軸があるのである。表層の政治的変化と「長期的変化《ロング・デュレ》」とをジェンダーの観点を含めて複層的にとらえることは、とりわけ「コロニアル」なるものの位置を考えるときに必要かつ有効である。

バントゥの移動

アフリカ史の時代把握にかかわる別の大きなテーマは、「バントゥの移動」である。「バントゥ」とは元来、言語群の名称であるが、その言語群を話す人々をも指し、この人々はいまから五〇〇〇年ほど前に現在のナイジェリア・カメルーン方面を起点に南下を始め、数千年をかけて大陸南端にまで達したとされる。移動の時期や経路にかんして推量する主たる手段は、言語の変化から人の移動の足跡をたどる歴史言語学、考古学、さらに遺伝子研究であり、本巻では米田論文が歴史言語学の立場からこの問題を扱っている。移動する人々が大陸の南端に到達したのは紀元一〇〇〇年ごろとされるが、移動経路が単純に南下するものではないことから、南部アフリカの内陸部では、その時期は一五〇〇年ごろにまで下る。前述の用語を使うなら移動は「古代」「中世」の全体に及ぶ。大陸の南半分全体を覆うほど大規模で数千年という長期に及ぶ移動は、アフリカの歴史の中でも最も重要な出来事の一つといってよい。バントゥの人々は農耕と製鉄の技術を持ち、それゆえ、バントゥの移動は狩猟採集民の世界に農耕をもたらし、農耕民と狩猟採集民との間の交渉を生み出した(考古学的根拠から、製鉄については移動の最初期からではなく時代が下ってからと考えられている)。バントゥの移動が大陸の南半分の地域に長い時間をかけて農耕を広げたことは、農耕=定住、そしてそれを国家の起源とする歴史観に挑戦する、あるいは少なくともそれを修正する事実にほかならない。農耕民(より正確には、農耕と牧畜を組み合わせた農牧民)が移動することがアフリカ社会の変容をもたらし、しかし、農耕民が先住民の狩猟採集民や牧畜民と様々な関係(時には排除、時には交換に基づく共存や、混血も)を取り結びつつ、複合的な社会を形成してきたのである。現在でも、南部アフリカや中部アフリカには、狩猟採集民と農耕民との相補的な関係が社会を形作っている地域がある。また、大陸東海岸に到達したバントゥの人々は、そこでインド洋を介してアラブ世界と接し、スワヒリ文化を形作る担い手ともなっていった。これまでに触れてきたようなコンゴをはじめとする中部アフリカ、グレート・ジンバブウェやそれに先立つ諸国家も、バントゥ系の人々によって形成されたものと理解できる。

以上のような説は、今日広く受け入れられている(ただし、ユネスコのアフリカ史はこの説をほとんど重視していない)。本巻の冒頭で、「移動すること」をアフリカ人の歴史的な特性とする議論を紹介したが、まさにこの数千年単位の「常態」ともいってよい移動が、現在のアフリカを形作っている。移動してきた人々と先住の人々とが折り重なるようにして構成しているのがアフリカ社会の歴史だとすれば、それをある一つの尺度で「段階」づけるような時代区分の発想そのものを転換しなくてはならない。

五、近代日本とアフリカ

日本におけるアフリカ(史)認識はどうだろうか。歴史教育の問題を中心に考えてみたい。

近代日本の歴史学とりわけ「西洋史」学は、周知のとおり、ヨーロッパにおける普遍史から発展段階論に至る理念的歴史理解と、個別実証主義とを車の両輪として発展し、中国を中心とする「東洋史」と合体されて「世界史」の枠組みを作ってきた。その枠組みは形を変えつつ、戦後もとりわけ歴史教育の場で生き続けてきた。第二節で述べたような「アフリカを除外した世界史」(=「西洋史」)が日本に輸入されて「世界史」の土台となった以上、そのアフリカ観もまた踏襲されたことは容易に想像できる。

近代の最初期にアフリカに触れたものとしては、福澤諭吉の『世界國盡』(一八六九年刊)がある。(6) 全六巻(うち一巻は付録のため実質五巻)のうちの一巻(第二巻)が「阿非利加洲」にあてられており、当時としては珍しく詳しいアフリカの記述といえる。冒頭の「総論」とでもいうべき部分では、アフリカの面積(一二九四坪)と人口(六一〇〇万)が紹介された上で、「北の方には欧羅巴人の種もあり その余は大抵黒奴《くろんぼ》にて風俗甚だ陋《いや》し」とする。各地の紹介は「衛士府都」から始まり、「信野《のぶや》〔ヌビア＝スーダン〕ハ衛士府都の支配なり」とか「阿弥志仁屋《あびしにや》〔アビシニア＝エチオピア〕ハ独立国なり」といったことが正しく書かれ、「麻田糟軽《まだがすかる》」の一九世紀のメリナ王国での近代化政策とその挫折などについてもほぼ正確に紹介されている。一方で、「喜望峯の地」について、「南の方發天戸池屋《ほってんとちゃ》の邊に住居をる阿非利加人ハ實に愚かにして人間のうちの下等なりといふ」のように、当時のヨーロッパ人が南部アフリカのコイコイ人を「ホッテントット」としてアフリカ人の中でも特殊に「下等な人種」としていたのをそのまま踏襲している。西アフリカについても「古来阿非利加にはあしき風俗流行して人を賣買することあり これを『すれいぶ』といふ」として、アフリカの「悪しき風俗」として奴隷貿易が紹介される。このほかモロッコやアルジェリアなど、その叙述は各地に及ぶ。

福澤自身は、同書が翻訳ではないが欧米の「地理書歴史類」を抜粋したものであり「私の作意は毫も交へず」と断わっており(同書第一巻「凡例」)、源昌久の研究によれば、挿絵にかんしてはほとんど、アメリカの教科書“Mitchell's School Geography”(1872)や“Cornell's Primary Geography”(1854)が下敷きになっている(源 一九九七)。しかし本文にかんしてはそれらの教科書と対比してみると、諸地域を扱う順番も原著とは異なり、抜粋箇所に福澤の「作意」がないとはいえない(7)。明治維新直後の時期に、アフリカ諸地域についてこれだけ詳しく具体的に、歴史的事象も含めて紹介されていることは、その後の歴史教科書におけるアフリカの「不在」に比べて興味深い。それとともに、実体的な感触をほとんど持たないアフリカの人々に対して、まごうかたない侮蔑の視線を投げかけ、さらには蔑視の対象の中にもより細かく設けられた序列が示されている点が注目される。近代日本は、まだ見ぬ「アフリカ」について、こうした知識から出発した。もとより、近代以前の日本にも、対外貿易などを通じて触れる機会のあった「黒人」に関わる記述や表象は存在するが(藤田 二〇〇五年)、「アフリカ」がまとまって紹介されることになるのは、これ以降といえよう。

『世界國盡』に見られるそれなりに詳しく歴史にも言及したアフリカの存在感に対し、学校制度の発足とともにつくられる歴史教科書ではどうだろうか。以下、日本における世界史教育の歴史にかんする岡崎勝世の研究(岡崎 二〇一六―二〇二〇)に拠りながら概観すると、最初の歴史教科書である『史畧《しりゃく》』(一八七二(明治五)年)や『萬國史畧』(一八七四(明治七)年)では、冒頭の世界地理全般の説明を除きアフリカはまったく姿を現わさない。これらはアメリカで一八三七年に刊行され版を重ねた『パーレー萬國史』[8]を「種本」としているというが、原著では五六〇頁あまりに及ぶ大著の中のわずか五頁とはいえ、古代エジプトとエチオピア、北アフリカ(Barbary)と奴隷貿易が扱われていることを考えれば、アフリカが全く登場しないのは当時の教科書作成者の作為である。日清戦争期には「万国史」に代わって「国史・東洋史・西洋史」の三分科体制ができるが、そこでも古代エジプトを世界の文明の出発点として扱うのを除き、「東洋」でも「西洋」でもない「アフリカ」がそれ自体として出る幕はない。わずかに「西洋史」の中に植民地政策が登場するのみである。岡崎の紹介する文部省による中学校の教授要目の各年のものを見ると、「アフリカ」が明示的に出てくるのは一九〇二(明治三五)年の「西洋歴史」の「近世」のうち、「埃及《エジプト》問題」と「あふりか(ママ)南部の拓殖」、一九一一(明治四四)年の「阿弗利加及大洋州ニ於ケル欧米諸国ノ経営」のみである。一九三一(昭和六)年以降は列強の「世界政策」ないし「植民政策」があるが、その内容は、イギリスのインド支配やフランスのインドシナ支配であり、欧米の植民政策が戦時中に見習うべき手本から打倒すべきものになっていったことがうかがえる。その観点からすればアフリカはやはり関心外、ということだろう。こうして見ると、福澤にあった、文字どおりの「万国史」の中で淡々とアフリカにも触れるような態度は、学校教育と歴史学の制度が構築されていく過程で姿を消したといえよう。

　大学の「西洋史」の教科書ではもう少し詳しい紹介がある。今井登志喜『西洋歴史解説』(今井 一九三四)では、アフリカが登場するのは「最近世」部分の冒頭「列強の世界政策」である。この部分で主に扱われるのはイギリスのオーストラリア政策、ロシアの南下政策や東アジアでの動き、フランスのインドシナでの動き、ドイツの中国や太平洋での動き、アメリカの太平洋での動きで、最後に「列国のアフリカ政策」が出てくる。リヴィングストンやスタンレーの探検、イギリスのエジプト占領、イギリスの南アフリカ支配とセシル・ローズ、ファショダ事件、モロッコ事件などであり、こうしたトピックの選び方は、私たちの知る現在の高校世界史教科書にまで引き継がれている。「奴隷貿易」は全く登場せず、アメリカの南北戦争では、「奴隷」が使われていたことのみが触れられている。他の「西洋史」の教科書(たとえば大類 一九三四)もほぼ同じである。(古代エジプトを除く)「アフリカの不在」、あったとして「西洋の一部としてのアフリカ」という特徴は、近代日本の歴史教育・研究が始まって以来のものであったといえよう。

現在の世界史教科書中のアフリカにかんする代表的なトピックは、古代エジプト文明、イスラーム伝播後のサハラ周縁地域諸王国、大西洋奴隷貿易、植民地分割、そして「アフリカの年」、さらに最近では「紛争」や「難民」であるが、それは、三分科体制の中で作られた原型にいくつかの断片をつぎ足す形で出来上がったものとはいえまいか。

六、グローバル・ヒストリーの中のアフリカ

近年のグローバル・ヒストリーの隆盛は、アフリカと世界との関係に改めて光を当てるとともに、「世界史またはグローバル・ヒストリーの中でのアフリカの役割」を意識した「アフリカ史」を新たに生み出している(たとえば、Falola and Salau 2022)。

発展段階論的な世界史把握がアフリカそれ自体にほとんど関心を寄せなかったのに対し、グローバル・ヒストリーに先立って世界の構造を経済面から全体的にとらえようとした「低開発理論」では、ラテンアメリカが中心とはいえ、ウォルター・ロドネーの研究(ロドネー 一九七八)に代表されるようにアフリカも関心の重要な部分を占め、続く「世

界システム」論のイマヌエル・ウォーラーステインはアフリカ研究から出発した。さらにそれらの原点を探るなら、イギリス産業革命の原動力を大西洋奴隷貿易による蓄積に見たエリック・ウィリアムズにまで遡ることができよう(ウィリアムズ 一九八七)。ヨーロッパ資本主義と世界経済を説明する上での大西洋奴隷貿易と南北アメリカの奴隷制への注目に対し、アフリカ史の文脈からはどのようなことが論じられてきたのだろうか。

奴隷貿易・奴隷制研究からグローバル・ヒストリーへ

「アフリカ人のアフリカ史」が始まって以降の奴隷貿易研究の最大の関心は、実際にどのくらいの数の人が奴隷として南北アメリカに連れ出されたのかであった。その数は研究者自身の立場も反映して振れ幅が大きかったが、ハーヴァード大学デュボイス研究所などの資金援助を得てデイヴィド・エルティスらが取りまとめ一九九九年にCD-ROMの形で出版したデータベースにより、数にかんする論争にはほぼ決着がついた(9)。一五九五年から一八六六年までのアフリカから南北アメリカへの二万七〇〇〇回の航海(一六〇〇年以降の奴隷船の三分の二から四分の三にあたる)の記録から、アフリカを出発した数を約一一四〇万人、アメリカに到達した数を一〇〇〇万人と見積もるのが「学術的コンセンサス」であるという。また、データには単に数だけでなく、それぞれの奴隷船の航海、「積荷」＝奴隷、船員にかんする詳細な情報が含まれるため、奴隷貿易と奴隷制にかんする多彩な研究を触発することになった。

その間、大西洋奴隷貿易に関心が集中しがちであった奴隷貿易研究は、それとアフリカ内部の奴隷制との関係に重点を移していた。アフリカ内部の奴隷制はヘーゲル以来「アフリカの野蛮」を代表するもののようにいわれてきたため、そのテーマに取り組むことはアフリカ史家にとってデリケートな面をもったが、一九八三年のポール・ラヴジョイの『奴隷制の変容』が一つの大きな画期をつくった(Lovejoy 1983)。タイトルが示唆するように、奴隷制はアフリカにすでに存在していたものであり、それが奴隷貿易により性格や規模を変えた、というのである。一般に「奴隷」

という言葉から連想されるのとは異なる、端的にいえば「緩やかな」ものであったそれが、外部からの奴隷貿易により「商品」といわれるようなものへ姿を変えるとともに、社会が軍事化し、ダホメに代表されるような「奴隷王国」が生まれもするという。この研究の重要な点はまた、ヨーロッパ人によって大西洋を横断して南北アメリカへと送り出された奴隷ばかりでなく、アラブによる奴隷貿易にも目配りしている点である。これも、かつてヨーロッパが自らの植民地拡張の正当化のために持ち出した問題であったがゆえに、アフリカ史家たちが取り組むのに長らく躊躇《ちゅうちょ》していたものである。先に見たトランスサハラ交易とも重なる西アフリカのそれに加え、東アフリカとアラブ世界との間の奴隷の動きにかんする研究がその後飛躍的に進み、また、南部アフリカについても、アンゴラのような大西洋奴隷貿易にかかわるもののみでなく、東南アジアから奴隷を「輸入」した(輸出したのではない)南アフリカについての研究が進展している(代表的なものとしてWorden 1985; Shell 1995)。

ラヴジョイの研究と同じ時期に刊行されたクレア・ロバートソンらによる女性と奴隷制にかんする研究は、奴隷貿易・奴隷制研究のもう一つの画期をつくった(Robertson and Klein 1984)。奴隷狩りと奴隷の送り出しが何のために行われるのか、奴隷は何のために有用なのかを検討する中で、従来、無条件に「再生産」にあるとされてきた女性奴隷の役割が「生産」においても大きかった事実を示すなど、性別による奴隷の役割の違いをはじめて明らかにした。そこには、女性奴隷の方が男性奴隷より価格が高かったというような衝撃的な事実も含まれる。以来今日まで、ジェンダー分析は、奴隷制・奴隷貿易の社会史的研究をリードしている(たとえば、Campbell et al. 2008)。

アフリカという場からの奴隷研究は、アフリカ、アジア、南北アメリカにまたがる地球規模の人とモノの移動とアフリカの多様な地域の固有の社会変動とを結びつけ、まさに「グローバル・ヒストリー」として展開してきている。ここでは紙幅の関係で立ち入ることができないが、こうした研究のあり方は、植民地期にかんしても、従来のような植民地の領域を前提とした「支配と抵抗」の枠組み(たとえば、Ranger 1967)とは異なる研究を生み出している。しかしそのことが今日、植民地主義の遺産と向き合う上での困難を生み出していることもまた事実である。奴隷貿易や植民地支配の実態が、グローバルかつローカルな文脈で明らかにされる中で、ナショナルな枠組みと結びつけられた「支配と抵抗」の視点はを過去のものとして一蹴するのは早計にすぎるかもしれない。なぜなら、アフリカ諸国もまた、ナショナルヒストリーを必要としているからである。

七、「ヘレロ」の歴史の例から

以上に述べてきたアフリカ史を見るための諸論点について、最後に具体的な例から考えてみたい。取り上げるのは、最近、日本の新聞などでも目にすることのある「ヘレロ」である。

ヘレロはアフリカ大陸西南部のナミビア(一部ボツワナにも)の民族集団の一つである。この固有名詞が最近のニュースに時折登場するのは、二〇世紀初めこの地域がドイツ帝国の植民地(「西南アフリカ」)であったときのドイツ軍による殺害・迫害への補償を求め、被害者の子孫が現在のドイツ政府や後継企業を二〇〇一年に提訴したことによる。植民地支配下での暴力の責任を問う訴訟はこれが世界初で、各地での同種の訴訟の嚆矢となった。訴訟そのものは結果的に棄却されたものの、過去の植民地支配の責任を法的に問おうとしたことは、ヨーロッパの旧植民地領有国に大きな衝撃を与えた。提訴を恐れた政府とは対照的に、それを積極的に受け止めたのは、ナチの「過去の克服」に取り組んできたドイツ市民たちで、自分たちに克服すべき「もう一つの過去」があることに初めて気づいたのである。メディアを含め、「ヘレロ」は植民地の過去のシンボルのようになった。当時の軍の行動が「ジェノサイド」であるとする歴史家たちの研究はナチズムとのわかりやすいアナロジーとして広く受け入れられた。それを知るヘレロの人々の「ドイツはユダヤ人には補償しても我々には補償しないのか」という論法は、心ある市民の琴線に触れた。そのような動きが日本の一部メディアでも紹介された。政府も主要メディアも植民地支配の過去から目を背けようとしている日本から見れば、こうした状況は植民地主義に対する真摯な姿勢と見え、「慰安婦」問題や強制労働の問題に関心をもつ人々の間では、戦後補償の問題に続き、植民地支配の問題でも「ドイツとナミビアの関係を見習え」とする論調が高まった。

こうした一連の動きは、私たちの世界史認識やアフリカ認識をどれほど深めただろうか。前項までに述べてきた論点を念頭に置くと、ヘレロの歴史について、少なくとも以下のようなことがいえる。

まず、ヘレロはバントゥ系の牧畜民である。つまり大きな時間軸でみればこの土地の狭義の「先住民」ではない。ヘレロが暮らす現在のナミビア内陸東部からボツワナのカラハリ砂漠は極端な乾燥地で、その先住民は狩猟採集民のサン(「ブッシュマン」)である。この地域は「バントゥの移動」のおおよそ最終到達点であり、ヘレロや今日のナミビア北部からアンゴラ南部にあたる地域の農耕民「オヴァンボ」はその最終集団である。ウシの飼養を主とする牧畜民ヘレロにとっては狩猟採集民との交渉は不可欠で、それは今日もみられる関係である。農耕民オヴァンボとヘレロの間でも、穀物とウシの交換の関係があり、また、両者の言語は互いに理解可能なほど近い。この地域は奴隷貿易の直接の舞台とはならなかったが間接的にその影響は及んだ。ポルトガルが一六、七世紀に港を築いた大陸中部大西洋岸のベンゲラやルアンダは、コンゴやアンゴラからの奴隷の搬出地であった。ポルトガルの奴隷貿易に向けた奴隷調達は、火器を流通させアフリカ人同士の争いを誘発するという常套手段によるものであり、その中でナミビアに当たる地域で「奴隷」とされたのは「ダマラ」であった。ダマラはバントゥ系でありながらコイサン系の言語を話すという稀有な特徴をもつ。この人々はヘレロからも隷属的な扱いを受けた。一方、南に目をやると一七世紀半ばにケープにオランダ東インド会社が拠点を置き、アジアから奴隷を持ち込むとともに先住の牧畜民コイコイを隷属させたことで、その人々が玉突き的に北上し、現在のナミビア南・中部にあたる地域に入る。このコイコイ系の人々(「ナマ」)とヘレロとの対立的な関係はドイツ人支配者によって助長された。こうした周辺諸集団との複雑な関係の中にあったのがヘレロである。ヘレロもナマも移動性の高い生活をしており、アフリカの他の多くの地域と同様、土地は「所有」されるものではなかったが、そのことはドイツの土地占領にとって好都合だった。ドイツ植民地統治は、住民人口の半数以上を占める農耕定住民オヴァンボの地域には及ばなかった。この地域が植民地化されるのは、第一次世界大戦でのドイツの敗退後、この地を占領した南アフリカによってである。

ドイツによって「ジェノサイド」と呼ばれるほどの軍事的攻撃を受けたヘレロは、南アフリカによるアパルトヘイト体制下では、解放闘争の中心となったオヴァンボに対抗するアフリカ人勢力として利用された。その結果、解放闘争の主導勢力が政権をとった独立後のナミビアにおいて、ヘレロを代表する政党は野党の地位に置かれる。ドイツに対する「補償」要求は、そのようなナミビア内での政治的配置にもかかわっている。多数派のオヴァンボはドイツ領内にあったとはいえ実質的にドイツによる支配を受けなかったのであるから、そもそも植民地支配下の暴力をめぐる補償問題は、「ドイツ対ナミビア」の国家間の問題ではないのである。

このように、「ヘレロ」の歴史の中には、狩猟採集民、牧畜民、農耕民の織りなす重層的な社会関係、バントゥの移動、奴隷貿易の影響とアフリカ内部の奴隷、植民地主義とその中での民族集団の分断、独立後社会の国家と政治の問題など、アフリカ史の核心的なテーマが凝縮されている。そうした問題を見ることなしに、ドイツ植民地時代のジェノサイドとの関係のみで「ヘレロ」を語ることは、「プロクルステスの寝台」のようにヘレロの歴史の大部分を切り捨てることであり、それ自体がきわめて植民地主義的な態度といわなくてはならない。

最後に日本との関係についても触れておこう。ヘレロと日本とは、いかなる意味でも接点がなさそうに見える。しかし驚くべきことに、一九一二(大正元)年に「ヘレロ」について言及している人物がいる。軍医の馬《ま》杉《すぎ》篤彦である。京都で医学を修めた馬杉は一八九四年に眼科専門の軍医となり、日清・日露の戦争に遠征した。両戦争の間には、ドイツ帝国内のブレスラウおよびフライブルクに留学し、のちに学位をとっている。一九〇九年から翌年には一年半ほど北海道に赴任し、旭川の衛戍病院長を務めた。自身の言によれば、「エゾ在任中にアイヌを診察する機会が度々あった。また徴兵の際や夏季休暇中にアイヌの集落をいくつも回った」とのことで、一九一二年にドイツで刊行される医学誌に発表した論文「アイヌの結膜半月ヒダとくに軟骨プレートについて」では、アイヌの身体的特徴を他の諸民族との比較で論じている。その比較表には「黒人」「ヨーロッパ人」「エジプト人」「日本人」「ヘレロ」「ホッテントット」が挙げられている(Masugi 1912)。当時のヨーロッパとりわけドイツで盛んであった「人種研究」では、各地の「未開民族」の身体部位を計測し、その数字を「ヨーロッパ人」(白人)と比較し、明示的あるいは暗示的に後者の優位を示そうとするのが常套的手法であった。ドイツで学んだ馬杉はその手法を忠実に身につけ、「日本人」と「アイヌ」との関係に応用したのである。その際、ドイツの医学界で出回っていた「ヘレロ」や「ホッテントット」についてのデータを借用した。おそらくは見たことも会ったこともなく、地球上のどこに暮らすかも知らない人々のデータである。馬杉は「ヘレロ」や「ホッテントット」についてのデータを自らの研究に忍び込ませ、「科学」のスタイルをとって、当時のドイツの植民地主義的実践をそのまま自らの植民地主義的実践と重ね合わせたのだった。

私たちと「関係ない」と見える「アフリカ」は思わぬところにある。「アフリカ」を恣意的に切り取って自らの世界(史)像にあてはめるのではなく、その地域の固有の脈絡に即して、また世界の他の地域とのつながりに広く目を配って理解しようとすることこそ、世界史認識の脱植民地化(ヨーロッパ中心主義からの脱却)に通ずるだろう。

本巻は三次に及ぶ『岩波講座 世界歴史』で初めて、アフリカを独立の一冊として取り上げたものである。また、地域と時代を縦横に区切った構成をとる今回の講座で、第一九巻「太平洋海域世界」とともに例外的に、一つの地域を通時的に扱った巻でもある。しかし、これまで述べたことから明らかなとおり、本巻は「アフリカ」を本質主義的にとらえ、世界の他の部分から切り離して扱ったり、「アフリカの通史」を描くことを企図するものではない。実際、本講座の他の巻にもアフリカを専門とする著者によるいくつかの章が組み込まれている。それでも、本巻を設けることによって、私たちが自らの世界史理解における「欠落」や一面性を意識し、「常識」とされるものを疑い、「違った見方」を持つことができるなら、それが世界史認識を豊かにしていくことにつながるはずである。

注

(1) ヘーゲルのアフリカ史論とその継承については、(永原 二〇〇二)参照。

(2) 原文テクストは https://www.lemonde.fr/afrique/article/2007/11/09/le-discours-de-dakar_976786_3212.html (最終閲覧日二〇二二年八月二〇日)。ただし、文章を起草したのは大統領特別顧問。サルコジのダカールでのスピーチの文脈やそれに対する批判については、(加茂 二〇〇九)参照。

(3) 第一、四、七巻のみ、日本語翻訳版が同朋舎から出版された(それぞれ一九九〇、九二、八八年)。全巻の翻訳出版計画が実現をみなかったことは、日本の読者層の「アフリカ史」に対する関心の低さを反映している。

(4) 古代エジプト文明との共通性を示す「ブラックアフリカ」として論じられているのは具体的には「ヌビア」である。先に引用したエンゲルスの著作で「ヌビア」が登場することを想起されたい。

(5) ここで論じているのとは別に、個々の場で、植民者や海外からの移民などと区別して広義の「先住民」の意味で「アフリカ人」の語を使うことはあり、本巻の各論の中にもそのような使い方をしているものもある。現在のアフリカ研究で標準的な使い方である。かつて、この人々は植民地統括者から「原住民」と呼ばれた。

(6) 慶應義塾大学メディアセンターデジタルコレクションより。https://iiif.lib.keio.ac.jp/FKZ/F7-A13-02/pdf/F7-A13-02.pdf

(7) これらの教科書については、源が福澤の典拠として挙げているものとは版が異なるが、下記で見ることができる。Mitchell's School Geography: https://www.loc.gov/item/05025256/; Cornell's Primary Geography: https://digital.library.pitt.edu/islandora/object/pitt%3A00z41814 6m/viewer#page/1/mode/2up (いずれも最終閲覧日二〇二二年八月二〇日)。

（8） Peter Parley's Universal History, on the Basis of Geography: https://archive.org/details/peterparleysuni00goodgoog（最終閲覧日二〇二二年八月二〇日）。

（9） David Eltis, Stephen D. Behrendt, David Richardson, and Herbert S. Klein (1999), *The Trans-Atlantic Slave Trade: A Database on CD-ROM*, Cambridge University Press. このデータベースはその後、継続的に更新され、ウェブサイト"Slave Voyages"上で公開されている。https://www.slavevoyages.org/

参考文献

池谷和信編（二〇一七）『狩猟採集民からみた地球環境史――自然・隣人・文明との共生』東京大学出版会。

板垣雄三（一九六九）「世界分割と植民地支配」『岩波講座 世界歴史』第二二巻、岩波書店。

今井登志喜（一九三四）『西洋歴史解説』目黒書店。〔国会図書館デジタルコレクション 10.11501/1211964〕

ウィリアムズ、エリック（一九八七）『資本主義と奴隷制――ニグロ史とイギリス経済史』理論社。〔原著 一九四四〕

エンゲルス（一九五四）『家族、私有財産および国家の起源』村田康男・村田陽一訳、大月書店。〔原著 一八八四〕

大類伸（一九三四）『西洋史新講』冨山房。

岡崎勝世（二〇一六―二〇二〇）「日本における世界史教育の歴史」I-1―II-4『埼玉大学紀要（教養学部）』。

門脇誠二（二〇一六）「揺らぐ初期ホモ・サピエンス像――出アフリカ前後のアフリカと西アジアの考古記録から」『現代思想』四四―一〇。

加茂省三（二〇〇九年）「フランスからみたアフリカ――サルコジ大統領のダカールでの演説より」『地域研究』九―一。

川田順造（一九七六）『無文字社会の歴史――西アフリカ・モシ族の事例を中心に』岩波書店。

北川勝彦（二〇二〇）「アフリカ経済史研究の新展開をめぐる諸問題――アフリカ史研究の「アフリカ化」と「主流化」の動向に準拠して」『関西大学経済論集』七〇―一・二。

小林和夫（二〇二一）『奴隷貿易をこえて――西アフリカ・インド綿布・世界経済』名古屋大学出版会。

サイード、E・W（一九九八／二〇〇一）『文化と帝国主義』1・2、大橋洋一訳、みすず書房。〔原著 一九九三〕

スコット、ジェームズ・C（二〇一九）『反穀物の人類史――国家誕生のディープヒストリー』立木勝訳、みすず書房。〔原著 二〇一

七]

ダイアモンド、ジャレド(二〇〇〇)『銃・病原菌・鉄——一万三〇〇〇年にわたる人類史の謎』上・下、倉骨彰訳、草思社。[原著 一九九七]

竹沢尚一郎(二〇一四)『西アフリカの王国を掘る——文化人類学から考古学へ』臨川書店。

富永智津子(二〇〇二)「歴史認識の枠組としてのアフリカ地域——世界史との接点を探る」『地域研究論集』四—一。

中尾世治(二〇二〇)『西アフリカ内陸の近代——国家をもたない社会と国家の歴史人類学』風響社。

永原陽子(二〇〇一)「アフリカ史・世界史・比較史」平野克己編『アフリカ比較研究——諸学の挑戦』アジア経済研究所。

バーガー、アイリス/E・フランシス・ホワイト(二〇〇四)『アフリカ史再考——女性・ジェンダーの視点から』富永智津子訳、未來社。

ハラリ、ユヴァル・ノア(二〇一六)『サピエンス全史』上・下、柴田裕之訳、河出書房新社。[原著 二〇一一]

平野千果子(二〇二二)『人種主義の歴史』岩波書店。

藤田みどり(二〇〇五)『アフリカ「発見」——日本におけるアフリカ像の変遷』岩波書店。

ヘーゲル(一九九四)『歴史哲学講義』上・下、長谷川宏訳、岩波文庫。

ベルウッド、ピーター(二〇〇八)『農耕起源の人類史』長田俊樹・佐藤洋一郎監訳、京都大学学術出版会。[原著 二〇〇五]

源昌久(一九九七)「福沢諭吉著『世界国尽』に関する一研究——書誌学的調査」『空間・社会・地理思想』二—一八。

宮本正興・松田素二編(一九九七)『新書アフリカ史』講談社現代新書。[改訂新版 二〇一八]

森川純(一九八八)『南アフリカと日本——関係の歴史・構造・課題』同文舘出版。

吉國恒雄(一九九九)『グレートジンバブウェ——東南アフリカの歴史世界』講談社。

吉國恒雄(二〇〇一)「アフリカの歴史化・歴史のアフリカ化——20世紀アフリカ史学の歩み寸描」『アジ研ワールド・トレンド』七一。

吉國恒雄(二〇一一)「アフリカを史学する立場——「歴史(あるいは歴史学)の終わり」の奔流の中で」『アフリカ研究』、五八。

ロドネー、ウオルター(一九七八)『世界資本主義とアフリカ——ヨーロッパはいかにアフリカを低開発したか』北沢正雄訳、柘植書房。[原著 一九七二]

Alagoa, Ebiegberi Joe (1995), *The Practice of History in Africa: A History of African Historiography*, Port Harcourt, Onyoma Research Publications.

Asante, Molefi Kete (2007), *The History of Africa: The Quest for Eternal Harmony*, London, Routledge.

Beach, D. N. (1980), *The Shona & Zimbabwe 900-1850*, Gwelo, Mambo Press.

Berger, Iris (2009), *South Africa in World History*, Oxford, Oxford University Press.

Boahen, A. Adu (1987), *African Perspectives on Colonialism*, Baltimore, Johns Hopkins University Press.

Bonate, Liazzat J. K. (2008), "The use of the Arabic script in northern Mozambique", *Tydskrif vir Letterkunde*, 45-1.

Bonate, Liazzat J. K. (2016), "Islam and Literacy in Northern Mozambique: Historical Records on the Secular Uses of the Arabic Script", *Islamic Africa*, 7.

Campbell, Gwyn, et al. (2008), *Women and Slavery, Volume 1: Africa, the Indian Ocean World, and the Medieval North Atlantic*, Athens, Ohio University Press.

Cooper, Frederick (2014), *Africa in the World: Capitalism, Empire, Nation-State*, Cambridge MA, Harvard University Press.

Cooper, Frederick (2019), *Africa since 1940*, 3rd ed., Cambridge, Cambridge University Press. [1st ed.: 2002]

Coquery-Vidrovitch, Catherine (1975), "Research into an African Mode of Production", *Critique of Anthropology*, 2-4/5.

Coquery-Vidrovitch, Catherine (2013), "African Historiography in Africa", *Revue Tiers Monde*, 216-4.

Curtin, Philip, et al. (1978), *African History*, London, Longman.

Depelchin, Jacques (2005), *Silences in African History: Between the Syndromes of Discovery and Abolition*, Dar Es Salaam, Nkuki Na Nyota Publishers.

Derricourt, Robin (2011), *Inventing Africa: History, Archeology and Ideas*, London, Pluto Press.

Diop, Cheikh Anta (1974), *The African Origin of Civilization: Myth or Reality*, Mercer Cook (tr.), New York, L. Hill. [original: 1967]

Diop, Cheikh Anta (1981), "Origin of the ancient Egyptians", Gamal Mokhtar (ed.), *UNESCO General History of Africa, Volume II: Ancient Civilizations of Africa*, London, Heinemann.

Du Bois, W. E. B. (1965), *The World and Africa: An Inquity into the Part which Africa has Played in the World History*, New York, International Publishers. [original: 1946]

Eze, Michael Onyebuchi (2010), *The Politics of History in Contemporary Africa*, New York, Palgrave Macmillan.

Falola, Toyin (1993), *African Historiography: Essays in Honour of Jacob Ade Ajayi*, Essex, Longman.

Falola, Toyin, and Mohammed Bashir Salau (eds.) (2022), *Africa in Global History: A Handbook*, Oldenbourg, De Gruyter.

Fauvelle, François-Xavier (2018), *The Golden Rhinoceros*, Troy Tice (tr.), Princeton, Princeton University Press. [original: 2013]

Haron, Muhammed (2001), "The Making, Preservation and Study of South African *AJAMI* MSS and Text", *Sudanic Africa*, 12.

Hodgson, Dorothy L. (ed.) (2000), *Rethinking Pastoralism in Africa: Gender, Culture & the Myth of the Patriarchal Pastoralism in Africa*, Oxford, James Currey.

Iliffe, John (1995), *Africans: The History of a Continent*, Cambridge, Cambridge University Press.

Jewsiewicki, Bogumil, and David Newbury (eds.) (1986), *African Historiographies: What History for Which Africa?*, Beverly Hills, Sage Publications.

Lovejoy, Paul E. (2011), *Transformation in Slavery: A History of Slavery in Africa*, 3rd ed., Cambridge, Cambridge University Press. [1st ed.: 1983]

Lydon, Ghislaine (2009), *On Trans-Saharan Trails: Islamic Law, Trade Networks, and Cross-Cultural Exchange in Nineteenth-Century West Africa*, Cambridge, Cambridge University Press.

Lydon, Ghislaine (2019), "Paper Instruments in Early African Economics and the Debated Role of the *Suftaja*", *Cahiers d'études africaines*, 236.

MacCaskie, Tom C. (2019), "Exiled from History: Africa in Hegel's Academic Practice", *History in Africa*, 46.

Manning, Patrick (1990), *Slavery and African Life: Occidental, Oriental, and African Slave Trades*, Cambridge, Cambridge University Press.

Masugi, A. (1912), "Über die Plica semilunaris conjunctivae der Aino, insbesondere die Knorpelplatte in derselben", *Zeitschrift für Morphologie und Anthropologie*, 14.

Mazrui, Ali A. (2005), "The Re-Invention of Africa: Edward Said, V. Y. Mudimbe, and Beyond", *Research in African Literatures*, 36-3.

Mudimbe, V. Y. (1988), *The Invention of Africa: Gnosis, Philosophy, and the Order of Knowledge*, Bloomington, Indiana University Press.

Neale, Caroline (1985), *Writing "Independent" History: African Historiography, 1960-1980*, Westport, Greenwood Press.

Oliver, Roland (1981), *The African Middle Ages, 1400-1800*, Cambridge, Cambridge University Press.

Oliver, Roland, and Anthony Atmore (2001), *Medieval Africa, 1250-1800*, Cambridge, Cambridge University Press.

Parker, John, and Richard Rathbone (2007), *African History: A Very Short Introduction*, Oxford, Oxford University Press.

Ranger, Terence O. (1967), *Revolt in Southern Rhodesia 1896-97: A Study in African Resistance*, London, Heinemann.

Ranger, T. O. (ed.) (1968), *Emerging Themes of African History*, London, Heinemann Educational Books.

Reynolds, Jonathan T. (2007), "Africa and World History: From Antipathy to Synergy", *History Compass*, 5/6.

Robertson, Claire, and Martin A. Klein (eds.) (1984), *Women and Slavery in Africa*, Madison, University of Wisconsin Press.

Shanguhyia, Martin S., and Toyin Falola (eds.) (2018), *The Palgrave Handbook of African Colonial and Postcolonial History*, 2 vols., New York, Palgrave Macmillan.

Shell, Robert C.-H. (1995), *Children of Bondage: A Social History of the Slave Society at the Cape of Good Hope, 1652-1838*, Hannover NH, Wesleyan University Press of New England.

Shillington, Kevin (2018), *History of Africa*, 4th ed., New York, Red Globe Press. [1st ed.: 1989]

Shillington, Kevin (ed.) (2005), *Encyclopedia of African History*, 3 vols., New York, Fitzroy Dearborn.

Snowden, Jr., Frank M. (1983), *Before Color Prejudice: The Ancient View of Blacks*, Cambridge MA, Harvard University Press.

Spear, Thomas (2019), *The Oxford Encyclopedia of African Historiography: Methods and Sources*, 2 vols., Oxford, Oxford University Press.

Stilwell, Sean (2014), *Slavery and Slaving in African History*, Cambridge, Cambridge University Press.

UNESCO (1981-1993), *General History of Africa*, 8 vols., London, Heinemann.

Vansina, Jan (1965), *Oral Tradition: A Study in Historical Methodology*, H. M. Wright (tr.), London, Routledge & Kegan Paul. [original: 1961]

Worden, Nigel (1985), *Slavery in Dutch South Africa*, Cambridge, Cambridge University Press.

Worger, William H., et al. (eds.) (2019), *A Companion to African History*, Hoboken, Wiley-Blackwell.

アフリカ史の挑戦
――アフリカ社会の歴史を捉える立場と方法

松田素二

一、アフリカ史という知的格闘

「アフリカに歴史はない」テーゼとアフリカ人歴史家

「アフリカに歴史はない」という断定は、現在の視点からすると一見、無茶苦茶な言明に思われるかもしれない。確かに一八三〇年にゲオルク・ヘーゲルが、「アフリカを歴史の外に追いやったところで、今や世界史の現実がはじめて見えてくる」と述べ、「アフリカは世界史の一部ではない」とするアフリカ史に関する「ヘーゲル・テーゼ」を提起してから世界は大きく変わった。しかしイギリスの歴史家、ヒュー・トレヴァー＝ローパーが「おそらく将来、アフリカにも何らかの歴史が出現するだろう。しかしながら今日、アフリカに歴史はない。強いて挙げるならアフリカにはヨーロッパ人の歴史のみが出現している」と公然と主張したのは一九六〇年代のことであった。ヨーロッパと出会い、植民地支配され、独立後もその遺制を強く引きずっている近現代の歴史以外に、歴史学が「正しく」対象とするような歴史はアフリカにはない、とする認識は、二〇世紀後半から今日に至るまで形を変えて継続している。(1)「アフリカに歴史はない」という欧米の歴史学界を支配していた認識と、最も激しく衝突したのは、一九六〇年代に、イギリスで歴史学を本格的に学び、独立後の母国に戻ってアフリカ史を志そうとした、アフリカ人歴史家の第一世代だった。そのなかからケニアの二人の歴史家の立場を見ていこう。独立後のケニアにおけるアフリカ史研究を牽引するベスウェル・オゴットとギデオン・ウェレである。彼らはまず素朴にヘーゲル・テーゼを批判する。例えばウェレは「人々が生きているところにはどこでも歴史はある」のであり、「『自分は誰なのか、そしてどこから来て、どこに向かっているのか』を指し示す歴史の役割は、どの社会にも備わっている」とアフリカ史の必然性を主張する（Were 1967: 13-14）。彼らは次の段階で憤りを明らかにする。オゴットは、ヘーゲル・テーゼを受け入れている欧米の学者たちが、一方で、アフリカの宗教、政治体系、慣習法、芸術などについて夥しい数の著書や論文を刊行し、そこに美しいモデルを構築した上で、誰も理解できないような難解な概念（敵対的文化変容、自己充足型権威、多極共存型統治システムなど）を発明して悦に入っていると皮肉る。[2]「それらの制度自体が歴史的産物であることを無視」し、「歴史的次元への注目なしにそれらが理解できないこと」に気づこうとしない、と非難しているのである（Ogot 1967: 11-12）。

アフリカ史の方法的困難

たしかに「アフリカに歴史はない」というヘーゲル・テーゼを否定・批判するためには——「アフリカに歴史は存在する」ことを主張するためには、厄介な問題がつきまとっていた。ヘーゲル・テーゼは、実にもっともらしい根拠から導き出されたものだからだ。それはシンプルに、過去（歴史）を記録するもっとも重要な媒体である文字をアフリカ社会は持っていなかったことにつきる。それに加えて、アフリカにおける「理性の欠如」も指摘できる。なぜならヘーゲルにとって歴史は、「世界に対する理性の介入によって引き起こされる変化の過程」であり、アフリカのように理性の欠如した社会にはそもそも歴史が存在しないというのである。

文字資料の徹底したクリティークに基づく過去の厳密な再構成こそが、近代歴史学を科学として成立させたものであるとすると、文字資料の欠如した時代を歴史学の対象とすることには大きな困難が生じるだろう。ウェレは、西ケニアの主要部分に現在居住している諸民族が、その地に移住してきた時代を一六世紀から一七世紀にかけてと推定する。しかし文字資料があるのは、ヨーロッパやアラブと接触し始めた一九世紀後半以降であり、それ以前の文字資料は存在しない。ウェレは言語学、考古学、民族学の資料を駆使し、とりわけ口頭伝承を広範に収集・分析することで西ケニア史の再構築を試みた。

「文字不在の社会」のアフリカの歴史を検討するとき、口頭伝承だけでなく、歌謡、舞踊などの身体動作、さらにはトーキングドラムのような太鼓の音による過去の記録や記憶が主張される。こうした文字による意味の伝達以外の、人間の持つ多様なコミュニケーション回路を通じた過去の記録・記憶への注目は、歴史自体を捉える見方やその基盤となる思想への、根源的再検討を要請するものだ。つまり文字記録のないところに歴史を捉えるという作業には、たんにいくつかの資料ソースを併用すればよいという技術的な問題以上の、根深い世界認識と価値観の問題が含まれているのである。(3)

アフリカ未開イメージ　停滞的反復的社会観

アフリカ史が歴史学の中で「承認」されるための障壁は、「無文字」だけではなかった。その障壁は、そもそも近代ヨーロッパがアフリカ社会を眼差す視点自体と密接に関係している。アフリカ社会とアフリカ人を、自分たちとは対極な存在として貶めてきたヨーロッパ社会の深層にある心性についてはまず指摘しておく必要があるだろう。自分たちを、神や呪術から解放された、理性に依拠した自由で自立した市民と位置づけ、それと正反対のものとしてアフリカ人を眼差すのである。理性、合理、知性を備えた自分たちと、反理性(情動)、反合理(迷信)、反知性(肉体)に支配された彼らという二分法に基づくアフリカの絶対的他者化は、ヘーゲルはじめ一八世紀から一九世紀にかけての偉大な近代ヨーロッパの知性によって科学的・哲学的に完成させられていった。アフリカ人は自己の抽象化、普遍化ができず、「自然なままの全く野蛮で奔放な人間である」というヘーゲルの断言は広く受容され、それがアフリカに歴史を想像することを妨げてきたのである。

植民地支配以前の歴史へのアプローチ

それでは一九六〇年代、イギリスで歴史学を学んだアフリカ人歴史家第一世代は、どのようにしてこの障壁に立ち向かっていったのだろうか？

オゴットもウェレも、植民地支配(ケニアの場合は一九世紀末からのイギリスによる支配)以前のアフリカ社会の歴史に対して、同一の方法でアプローチをしている。二人が歴史分析の対象としたのは、西ケニアの大民族集団であるナイロート系の言語を話すルオ人と、その北方に隣り合うバントゥ系のルィア人の社会であった。両者とも一六世紀後半から一七世紀前半にかけて西ケニア全域に移住してきた。したがってまずその歴史は、移住史として再構成されることになった。

オゴットは、ルオ人の移住の歴史を解明したいという希望を、ロンドン大学東洋アフリカ研究学院(SOAS)の教員や院生仲間に伝えたところ、当初は「存在しないものを研究することなんて無理だよ」とひどく嘲笑されたという(Ogot 1967: 13-14)。移住の過程を記録した史料なしに、歴史を研究することは不可能であるというわけである。それに対して、オゴットは、ルオ社会に豊富に継承されている口頭伝承によって、その移動の様子は相当明確に再構成できると考えた。彼らはルオ人やルィア人の村々を訪問してクランやリネージ(後述)の長老たちから父系の系譜を聞き取り、それぞれの先祖の出生地と埋葬地を確認し、さらにその土地に行って、その情報を再確認するという作業を、数多くの小さな出自集団ごとに積み重ねていった。それはたんに移住の経路を確定する作業にとどまらなかった。なぜなら移動の語りの中には、家族、親族、宗教、紛争、生業、干ばつ・飢餓といった日常や破局の出来事の記憶がちりばめられているからである。オゴットは、こうした移住史の口頭伝承を通して、その社会の価値や観念を抽出し、それを歴史的深度に位置づけ直すことでその意味を分析することができると考えた。

オゴットにとって、口頭伝承による過去の言明と文字記録による過去の記述に決定的な違いはなかった。文字記録も「書かれた言葉」である限りは、同じ口頭の記録の別表現であること、さらには、その社会の複雑なコンテクストを知らず、すでに構築された認識図式にしたがって見たものの文字記録化は、その認識図式を再現したものに他ならないこと、などを考慮するなら、文字と口承を絶対的に区分することは意味がないというのである。

さらにこれまでの歴史研究にとっては必須の年代確定も、口頭伝承の場合は、独特なスタイルをとる。例えば口頭伝承によって、あるクランの系譜を一五世代確認できたとして、八世代目に現在居住している地域に移動したとすると、地域の歴史を再構成する場合、それがだいたいいつ頃のことだったかを確定する必要がある。オゴットやウェレたちは、ある人が出生して、子供達の中で最初に無事成人まで生き延びて第一子を得るまでの時間を、一つの世代と捉えて、年代が西暦で確定できる一九世紀末から一九六〇年代までの長老数十人をサンプルにして、一世代の期間の算定を試みた。幅はあるものの、平均すると二七年というのが一つの世代の期間と推定されている。例えば一九六五年を起点にそこから一五世代目が始まっているとすると、現在地に移住してきた八世代目は、一七七六年ということになるのである。

もちろん、アフリカ社会の歴史にとって重要なのは、西暦の一年ごとの移り変わりにあるのではなく、社会の規範や制度を律してきた系譜集団の世代による変化であり、その意味で八世代目に移住してきたことの意味や背景が歴史分析の対象となるのであり、一七七六年か一七七七年かという問題は重要ではない。

アフリカ人歴史家第一世代が一九六〇年代に直面したもう一つの難題は、希求すべきアフリカ史の性格に関わるものであった。ヘーゲル・テーゼによって「歴史はない」とされたアフリカに歴史を求め、それを世界に承認させるための、もっとも近道は、西洋が認める文明や理性が、実は植民地以前の文字記録の少ないアフリカ社会にも存在したことを証明しようという立場だった。こうした立場にいる歴史家が、もっとも注目し、「発見」に躍起になったのは、アフリカ社会の国家形成力であり、文明の諸要素であった。彼らは、アフリカ各地の王国の統治システムや宮廷文化を見出してきては、アフリカ社会が世界の他地域の歴史的展開過程と同じ経路をたどって発展してきたことをアピールしてきた。これに対して、ヨーロッパによる文明と歴史の基準を必ずしも適用する必要性はなく、アフリカ社会にはアフリカ社会独自の歴史の在り方と捉え方があると主張する立場も出現した。オゴットやウェレは、歴史を認識するための地域を超えた同一の視座を認めながらも、アフリカが被ってきた歪み(アフリカに歴史はない、という見方のような)を踏まえてアフリカ史独自の方法と思想の必要性を主張した。それがのちに、例えばオゴットの場合、『ユネスコ アフリカの歴史』プロジェクトにおける主導的役割へと繋がっていったのである。

二、アフリカ史の基盤としての民族・氏族・親族

民族社会

アフリカ史にアプローチするためには、次節で述べるように、口頭伝承の位置付けと活用法など、独特な方法論的特徴があるのだが、こうした方法の基盤となっている集団編成の在り方について、本節では説明することにしよう。それぞれの社会には、その社会の歴史の基盤となる集団編成の特徴がある。地縁に基づく集団、生業、職業・身分に基づく集団、経済的階層に基づく集団、あるいは、文化的慣習や思想・理念によって構成される集団など、多種多様

な集団が、それぞれ歴史的に独自の編成・変容過程を示し、歴史の表舞台や裏舞台で活躍してきた。(4)

アフリカ社会の歴史を考える場合、神話的始祖を共有する、ゆるやかな地縁的政治的な集団としての「民族」と、系譜関係で結ばれた先祖を共にする出自集団である「氏族」と呼ばれる集団がそれにあたる。前節で述べたアフリカ＝未開観によって生み出された民族に対する呼び名が、「部族」である。どんなに大規模な人口を持ち、国家を形成してきた民族集団も、それがアフリカであれば「部族」と呼称されてきた。そして「部族」社会は、過去数百年同じような生活を営む停滞的なものであり、人々には、自我も個性もなく、「部族」の一員として迷信と呪術のなかで集団に溶け込んで生きている。こうした「部族」が、アフリカ社会の未開さを象徴しており、全ての対立や合理的思考を阻んでいる。したがって、今日アフリカにおいて生起している紛争や対立も、基本的には「部族」間の対立抗争であり、それがアフリカに近代国家や近代制度が根付かない決定的な原因である。このように「部族」は、アフリカ社会を認識・理解するための万能の道具として流通・消費されてきたのである。

こうした「部族」イメージは、「文明／未開」二分法の単純な当てはめの産物だが、現実のアフリカ社会の編成はそれとは大きくかけ離れている。まずアフリカにおける「部族」(以下、民族と記述)は、静態的でも停滞的でもない。アフリカの民族の特徴は、その高い流動性と他者に対する大きな寛容性と開放性にある。アフリカ社会で暮らす人々は熱帯雨林や乾燥サバンナ、あるいは砂漠などの生態環境を利用して、頻繁かつ長距離の移動と移住を大陸内部で自在に繰り返してきた。今、ある地域に定着している人々の例えば五世代前の先祖が、同じ土地にすでに住んでいたと記憶しているケースはそれほど多くはない。その先祖が一体何語を母語としていたのかも不明(したがって何民族、何人であったかも不明)ということは、全く珍しいことではない。民族を単位にとっても、五〇〇年前に現在住み着いている領域に到着していたという口頭伝承をもつ民族は多くはない。彼らは、小さな単位であれ、大きな単位であれ、常に漂泊と定着を繰り返してきた人々なのである。

移動・移住の基本的な単位となっているのが、具体的な先祖を共有する三世代から五世代の共住系譜集団(最小リネージ)であった。西ケニアの場合、六〇人から八〇人ほどの老若男女が一つのまとまりとなって、移動、開墾、耕作、戦闘、そして社会生活を営んできた。これが多くのアフリカ社会の基礎単位であり、相互に合従連衡を繰り返しながら、それぞれより良い生活と生存を求めてきた。民族とは、こうした小集団(最小リネージ)が糾合した最大リネージ、その上位にあるクランが緩やかな連携体として生成された社会的・政治的なまとまりなのである。

このアフリカ社会の生活共同集団である最小リネージには、全く血縁関係のない他のクランや民族に属する他所者が自由に加入し、また離脱する。こうした開放性や他者(異文化)への寛容性は、アフリカ社会の大きな特徴であった。したがって民族に対する排他的アイデンティティや忠誠心はそもそも存在しておらず、ある時点で隣接する他民族の領域に移住して、その民族の言語・風俗慣習を受け入れて、新たにその民族になるという「民族変更」は、頻繁に起きていた。こうした民族社会が、アフリカ史の基本的方法となる、口頭伝承の背景にある。

この最小リネージの構成員は、相互に生活史(誰の孫、子供で、これまでどのような生を営んできたのかという情報)を共有している。これは最小リネージが、クロード・レヴィ＝ストロースが社会関係(人間関係)における真正性の水準と述べた人々の集合体と重なっていることを示している。移住、紛争と和解、生業、疾病、災害といった、アフリカ史の具体的な重要な構成要素は、この生活共同集団(最小リネージ)が担っており、相互に生活史を熟知する関係性の中で、口頭伝承が継承されてきた。アフリカ史のもっとも核心的な方法論であるオーラルな歴史資料は、職業的な語り部集団だけでなく、この生活共同集団によって保管され、アップデートされてきたのである。

この最小リネージが集合してクランになり、いくつかのクランが連合して緩やかな民族の外延を形成してきたのが、植民地支配以前のアフリカ社会の実態であった。それは、流動性、開放性、複数性、柔軟性などを特徴とする社会編成であった。しかしヨーロッパによる植民地統治は、こうした特徴を嫌悪し破壊しようとした。人々が絶えず移動し、アイデンティティや言語・文化まで自在に変更し続ける社会は、効率的統治ともっとも相容れないものだからだ。植民地統治の要諦は、支配対象とする人々から賦役(労働)と税金を効率的に徴収し、植民地経営を発展させることで本国を富ませることにある。それに適合的な人々の在り方は、定着的、閉鎖的、単一的、固定的な帰属であり、それらに向けてアフリカの人々がそれまで築いてきた社会編成を上から暴力的に歪めていった。こうして出来上がったのが、現在アフリカ社会に見られる民族(「部族」)集団なのである。

民族の漂泊と移動の歴史

ヨーロッパ列強による植民地支配以前のアフリカ社会は、夥しい数の人々が(民族集団ではなく最小リネージを単位として)移動と漂泊を続ける流動的な社会であった。こうした社会にとって、ある土地への先住性は重要な意味を持たない。近年、国連による二度の、二〇年にわたる「世界の先住民の国際年」の実施(一九九五―二〇一四年)や二〇〇七年国連総会の「先住民族の権利に関する国際連合宣言」採択など、世界的な先住民の権利回復の動きは大きな高まりを見せている。しかしアフリカ諸国は、こうした流れに当初から消極的で時には反対の申し入れまでしている。アフリカのように極めて流動性の高い社会では、誰が先住民であるのかを、国連の基準で決定するのは困難だからだ。

移住史の解明は簡単な作業ではない。私自身の調査からこのことを示しておこう(松田 一九八八:二一―四九頁)。私の調査対象だった最小リネージは、西ケニアのルィア系民族の一つ、マラゴリ民族の南西部に位置するムンゴマ郡K村に現在居住している。二〇二〇年代に二〇代から三〇代の若い世帯の世帯主の曾祖父がこの地に移住してきた。正確には、彼が子供の時、クラン間紛争で夫を亡くした母に連れられて一族でこの地に移住したのであった。[5] 私は、曾祖父が生まれたヴィクトリア湖畔の村を訪問して、まだその地に残っている曾祖父の親族の話を聞き、その後彼らの父祖の移住史を尋ねた。彼らの現在の民族的アイデンティティはマラゴリではなく、ルオであり、母語もルオ語だった。バントゥ系のマラゴリ語とは全く系統の異なるナイロート系の言語である。しかもルオ人は、マラゴリ人の成人儀礼である男子割礼文化を持っておらず、話を聞いた彼らも割礼はしていない。つまり、曽祖父は全く異なる言語、文化を持つ別の民族の領域に移住して、そこで自分たちのクランを開き、マラゴリの言語、文化を受け入れてマラゴリ人となったのであった。

曽祖父からさらに三代遡る先祖たちは、ヴィクトリア湖に浮かぶムファンガーノ島に住んでいた。彼らがどのような言語を話し、どのような文化を受容していたのかは不明である。しかしルオ人の移住史を研究したルオ人のヘンリー・アヨットによると、その島に住んでいたのはバントゥ系の言語を話すいくつかの小集団(大きな集団から分裂して逃亡してきた集団)の可能性が高いという(Ayot 1979)。彼らはその島に二世代定住した。その前の世代は、ヴィクトリア湖の対岸、曽祖父が生まれた湖畔の村から西に数十キロ離れた土地に、現在のウガンダから流れ着いていた。彼らは当時強大な勢力を誇ったガンダ王国の政変によって追われた人々だった(何語を母語とする集団だったのか、不明である)。こうした出来事は、世代換算で辿っていくと一八世紀の半ば頃と推定される。

というように、一世代ずつ遡って、名前と出生地、没地を聞きながら、残されている人々の伝承を収集していくのである。こうして、最小リネージの移住史の一部が浮かび上がる。先述のオゴットやウェレは、こうした移住史料の収集を百以上の最小リネージを対象に実施し、ルオやルイアの民族移住(それはいくつもの複雑な経路の総体となる)の歴史を解明した。それが一九六〇年代に誕生したアフリカの大学におけるアフリカ史研究の一つのモデルとなったのである。

三、アフリカ史の方法としてのオラリティ

オラリティとは何か

アフリカ史の基盤となる諸民族社会の実態は、父方の系譜で繋がる小規模な出自集団であり生活共同集団(最小リネージ)であった。それを踏まえて、真正性の水準を備えたこうした集団で継承されてきた、集合的記憶の蓄積がアフリカにおける歴史の基礎を構成する。その中心に位置するのが口頭伝承(オラリティによる伝承)である。文字によらず口頭で表現され、記憶・記録され、継承される事柄を歴史的事実と捉えることには、これまでの歴史学から、その信ぴょう性や安定性について強い疑義と反発が起きていた。

それについては後で検討するが、その前に、口頭性(オラリティ)の持つ可能性について見ておこう。アメリカの哲学・文化史研究者ウォルター・オングは、元来、口頭性(オラリティ)と文字性(リテラシー)は切断されることなく連続していたが、社会制度や法制度による排除と正当化のプロセスを経て(例えば法廷などによる文書主義——当事者の口頭の記憶より文書に記載された事柄に真実性を認めるというような)、リテラシーに圧倒的な権威と正統性が与えられ、両者は優劣・上下の関係性によって切断された、と主張する(オング 一九九一)。その結果、「声の文化に特有な記憶の継承」(口頭伝承)は周縁化されてしまったものの、声の文化(口頭伝承)の持つ原初的な力は、同じく中心の力によって周縁化された諸社会の基層に沈潜しているという。こうした指摘はアフリカ社会によくあてはまる。

こうした口承性の持つ豊穣性と、リテラシーとオラリティの連続性に注目したのが文化人類学者の川田順造である。川田は、西アフリカ、ブルキナファソの南部モシ社会(旧テンコドゴ王国)を対象に、文字社会が否定的に捉えてきた音声言語による総合的コミュニケーションによって、当時の学界の定説であった一一世紀ではなく、一五世紀後半ごろに最初の王国が成立したことを明らかにした(川田 一九七六)。川田は、歌謡や詠唱だけでなく夜に火を囲んで行われるおしゃべり、太鼓などの楽器音、踊りや儀礼などの身体表現など、文字文化を相対化する音と声の文化を「口頭伝承」として広く位置づけて評価した。

さらに口頭伝承によって、歴史叙述を支える二つの方向性を明確に意識化し、支配者の側からの歴史解釈と被支配者の側からの歴史解釈を区別した上で、口頭伝承を後者の視点を組み上げる最適の方法として活用した(川田 一九九二)。口頭伝承は、文字記録のない社会の歴史解明の「やむを得ない」手段ではなく、歴史を総体的に把握するための必要で必然的な方法だったのである。

オラリティとアフリカ史

オラリティに基づくアフリカの歴史への接近は、アフリカ人の歴史家にとっては基本的かつ必然的な方法であった。『ユネスコ アフリカの歴史』プロジェクトを実現させた当時のユネスコ事務局長アマドゥ・ムボウは、全八巻の序文の中で、アフリカの過去に関する研究のためには、「多面的なアプローチと広範な資料に基づいた学際的方法」が必要だとした上で、具体的には、文書資料を主として取り扱ってきた従来の歴史科学に加えて、遺物遺跡から過去の社会と生活を解明する考古学、流動性の極めて高いアフリカ社会の移動過程を解明するための言語学、諸民族が保持する神話、伝承、慣習、儀礼、社会組織などの文化を分析する民族学との協働と連携による学際的研究を推奨した。とりわけムボウが強調したのが、口頭伝承の重要性だった。なぜなら「口頭伝承は長い間、蔑まれてきたが(中略)諸民族の内側からアフリカの人々の世界観を理解して、アフリカの文化と制度の基礎となっている諸価値の本来の特徴を把握」することを可能にするからだ(ムボウ 一九九〇:三一頁)。

口頭伝承に対してアフリカ史を肯定的に立ち上げようとした歴史家は、前述したように、口頭伝承をより積極的に位置付けることで、これまでの歴史学の視点と認識自体の再検討を要請したのであった。ブルキナファソ人の歴史家、ジョセフ・キ＝ゼルボは、口頭伝承こそが、アフリカの諸民族・諸社会が蓄えてきた社会的、文化的創造物であり、それは「生きた博物館」として位置付けられると主張した。口頭伝承が、対象を肉付けし色彩を与え、二次元の紙の表面に押し込められていたものを三次元で表現するのに対して、文字記録は、対象を無味乾燥なものとし、あるべき元のコンテクストから移し替えて、解剖し、タブロー化し、石化してしまい、結局「文字は対象を殺す」ことすらあるとまで述べる(キーゼルボ 一九九〇:九—一六頁)。

これまでのアフリカ史に対するヨーロッパ歴史学の見方を批判してきたベルギー人の歴史家、ヤン・バンシナ(ファンシーナとも)もまた、口頭伝承の方法論的革新性を強調する。文字記録を有する社会では、社会の支配者にとって重要である事象と事案が、文字によって記録され、取り立てて重要でないものは排除されてきた。口頭伝承は、この排除されたものを保管し継承することで、もう一つの歴史を可視化するというのである。さらにバンシナは、有文字社会の歴史家が、口頭伝承を、寓話や子守唄など「子供の遊戯」のようにみなし、口頭伝承の持つもう一つの歴史を示す力を見逃してきたことを厳しく批判した(バンシナ 一九九〇:二二二—二五七頁)。

オラリティの条件と類型

こうした口頭伝承という方法の持つ革新的で創造的な意義を踏まえて、では口頭伝承を活用して具体的にどのようにして歴史にアプローチするのだろうか。これについては、西ケニアのルオ人とルィア人の移住史を口頭伝承を駆使して解明したオゴットとウェレに再度登場してもらうことにしよう。

オゴットによれば、口頭伝承は、一般的なヒストリオグラフィの一部であり、すべてのヒストリオグラフィがそうであるように、複雑で多様なデータを学際的に読み解く必要がある。アフリカの場合は、その要請度がかなり高く、歴史家は社会学や言語学、考古学の知見を解析する技術と能力を身につけなくてはならない。その意味で、口頭伝承から歴史を再構成する歴史家は「スーパーマンのように」(Ogot 1967: 19)振る舞う必要があるという。彼はまた、口頭伝承は語られた環境とセットで解釈することが重要であり、植民地の行政官や宣教師、時には人類学者が、その語りが採集された状況や環境への記述なしに、語りの内容を分析することを厳しく批判した。

一方ウェレは、より技術的で実践的な注意事項を提起している(Were 1967: 16-25)。まず口頭伝承の聞き取り方について、ウェレは二つの方法を考案している。第一はインフォーマルで個別守秘的な方法であり、もう一つは、フォーマルで集団的公共的な方法である。前者は、語り手と聞き手が基本的に一対一で実施され、語りの内容は、共同体の他のメンバーには守秘されるのに対して、後者の場合、チーフやサブチーフを通してクランの古老たちが集められ、公共の場でチームによって集団的に情報を聞きとる。もちろんそれぞれ一長一短があり、後者の場合は、支配的なクランの長老の発言機会が多くなり自由な議論ができなくなることがあるし、前者の場合、同じ語りを共有している第三者の介入がないため、そこでの相互チェックが効かないことが起こりうる。

第二のインフォーマルで公共的方法について、ウェレはこれもまた二つの場の設定の仕方があるという。一つは、若者たちを集めて夜、火を囲みながら年長者たちが昔話を語る一種の娯楽の場を設定して、そこで語られる内容を収集するというものだ。もう一つは、クランやリネージの長老を公共の場に集めて、人々が自由に参加し傍聴する中で、質疑応答しながら語りを収集するやり方である。両者いずれも、フォーマル(役人が出席し記録を取る)というものでも、体系的(あらかじめ仮説を立てて質問内容を準備し、その順番に回答を集める)なものでもない。極めてインフォーマルで行き当たりばったりな形で実施する点では共通している。

さらにウェレは、より細やかな注意事項も付記している。例えば、口頭伝承を聞きとる言語能力、あるいは翻訳能力についてだ。口頭伝承は、単なる語の羅列ではなく、その背後にある含意やエピソードなどの知識なしに理解することはできない。したがって聞き手自体にその能力があるか、翻訳者がその能力を備えているかが重要になる。他にも、植民地支配による社会や集団の再編成を考慮しているかどうかについても記している。イギリスは植民地支配の過程で、民族(「部族」)の境界を固定し、「部族の伝統」を確定して記録に残し、慣習法などの文化習慣も統治の必要に沿って編集した。今、語られている伝統が、こうして上からの統治の必要によって「発明」されたものであることへの注意は常に必要である。このようなきめ細かい対応と、大きな問題意識をもって、アフリカ人第一世代の歴史家たちは一九六〇年代以降、口頭伝承の採集と解釈に大々的に乗り出したのである。

オラリティ批判

このようにしてアフリカ史研究の表舞台に躍り出た口頭伝承だったが、この方法に対しては厳しい批判や疑問が投げかけられた。とりわけ口頭伝承の持つ不安定性については、その曖昧で不安定な「事実」をもとに歴史を再構成することの危うさが批判された。文書記録の場合、歴史家が一つのテキストに書かれた内容をそのまま受け入れることはない。そのテキストを徹底してクリティークするために、夥しい文献資料や先行研究を参照しながら、歴史的事実に迫ることは科学としての歴史学の大前提である。しかしながら口頭伝承に基づく歴史分析はこのテキスト・クリティークを決定的に欠いている。まず口頭伝承が不安定で曖昧であるという点、すなわち口頭伝承で表現される全てを歴史の真実と見做すことはできない点は、口頭伝承につきまとう深刻な問題だが、例えば川田は『口頭伝承論』において、それを認めた上で、その問題は、文字資料にも共通するものであり、この不安定な極限状態を通して歴史資料の性質を再考する必要性を指摘する。

続いて川田は、テキスト・クリティークの不在について、その認識自体が間違っており、口頭伝承であっても、文書資料と同じように多様なソースを活用したクリティークは可能であると述べ、川田自身のモシ王国の歴史再構成を事例に、モシだけでなく、それと関連しているマンプルシ、ダゴレンバの王朝の系譜伝承と政治組織を考察し、それをモシの口頭伝承と重ね合わせ、クリティークすることで、王朝の形成過程を明らかにした。川田は「伝承の内容が詳しいことが、その伝承の信ぴょう性の高さを意味しない」(川田 一九九二：一〇二頁)と述べ、口頭伝承におけるテキ

スト・クリティークの重要性を強調している。(6)

オラリティの現場

オラリティ(口頭伝承)とリテラシー(文字記録)の関係性について、それらの長所をつなぎ短所を補い合うことで、相互補完的に協力することの必要性が指摘されることがある。語りで得られた曖昧な事実を、文書記録によって裏どりすることで歴史的事実の重層性を記述するというわけだ。こうした調和的な関係性が成立する場面や事案ももちろんあるのだが、多くの場合、こうした調和的住み分けは成立しない。バンシナが指摘するように、両者が語る事柄は明らかに異質で、たとえ二つの資料が同じ時期・同じ時代の同じ事件のことを述べていても「共通するところが全くない」ということは起こりうるのである。支配者の側から解釈された文字記録の世界と、被支配者の側が実感した口頭伝承の世界は、相互に補完するどころか、激しく対立する異質なものだからだ。

文書資料と口頭伝承の世界の乖離について、私がマラゴリ民族のメンゲクラン長老たちから聞き取った語りと、植民地文書や当時の植民地行政官の日記といった文書資料を事例に確認することにしよう(松田 一九九七、同 一九九九)。対象となる事件・出来事は一九世紀末の西ケニアで行われたイギリス植民地政府軍とマラゴリの民との間の衝突である。

イギリスは一八九四年にウガンダ保護領、一八九五年には東アフリカ保護領(後のケニア植民地)の樹立を宣言して東アフリカの植民地統治に乗り出した。植民地政府の記録によると、一八九五年当時、ウガンダ保護領に属していた現在の西ケニアには、マラゴリの北方にあるワンガ王国の都、ムミアスにイギリス人行政官一名とヌビア(スーダン)人一五〇名とガンダ人九〇〇人の傭兵からなる植民地支配の拠点が設けられていた。彼らは西ケニア一帯のキャラバン隊の自由通行と食料への提供、逃亡者の引き渡しなどを求める夥しい数の条約を土地のクランの長老たちと結び、支配を強化していった。これに背く民族、氏族に対しては「懲罰」出兵がなされ、徹底した武力行使がなされた。

当時の植民地行政官の年次報告書と行政官チャールズ・ホブリーの個人日記から推測すると、私が調査していた南マラゴリの村にはホブリーが指揮した懲罰隊が一八九六年、九月半ばにやってきている。[7] 懲罰の理由は、キャラバン・ルートの妨害である。日記によると、それは、九月一五日のようだ。その記述は左記のようなものだった。

> 一五日に調査地の村を含む近隣の南マラゴリの村々を機関銃で襲撃、通行の妨害をしたマラゴリ人を追い払ってウシ五頭を捕獲した。作戦終了後、村に戻ってニワトリを盗もうとした兵士がマラゴリ人に槍で刺し殺された。

この同じ襲撃について、マラゴリ人の長老たちからは次のような語りを聞きとった。

> 白人がこの地に初めてやってきたとき、数多くのマサイやワンガ人のアスカリ〔兵隊〕を連れてきた。奴らがなんできたのかはわからない。奴らはみんな銃を手にしてわしらの村に襲いかかった。わしらは槍と弓で武装してアスカリ二人を倒して銃を奪った。白人は大変怒って山を登ってきて、わしらの一族の戦士、エリルを撃ち殺した。
> 白人はただ怒ってわしらの一族を殺した。奴らが何をしにきたのか誰もわからなかった。

この内容の違いは、そのまま支配する側から見た世界と、支配される側から見た世界の異質性をよく表している。文書記録と口頭伝承は相互に補い合って歴史的事実を確定するというより、別の世界から見た過去の再構成であり、その際、どの視点、どの立場から過去を捉えようとするのかが根源的に問われているのである。一九六〇年代まで圧倒的に支配的であった「アフリカに歴史はない」とする視点や、今日も根強い「口頭伝承は不安定で信ぴょう性がない」という立場とは異なる立場、言い換えれば、アフリカ社会の生の営みの蓄積を歴史のダイナミズムの中で下から内から捉え直す立場が求められるようになったのである。

四、『ユネスコ　アフリカの歴史』の実験

『ユネスコ　アフリカの歴史』

口頭伝承を核とする方法論を正面から打ち出し、文字資料のないアフリカの諸民族の生の軌跡を十全たる歴史として捉え直す試みとして登場したのが、『ユネスコ　アフリカの歴史』プロジェクトであった。アフリカを植民地支配し、アフリカの歴史を否定してきたヨーロッパの歴史学ではなく、別の視点と方法で、アフリカの通史を作成するという構想は、一九六二年にアクラで開催された第一回国際アフリカニスト会議において初めて組織的に提示された。翌六三年のアフリカ統一機構（OAU）の設立総会（アジスアベバ）において、この構想が再度提案され、承認される。そして六四年のユネスコ第一三回総会において、国際科学協力プロジェクトの一つとして承認された。こうして「二〇世紀最大の学術プロジェクト」と言われる『ユネスコ　アフリカの歴史』プロジェクトが開始されたのである。

このプロジェクトは「新しいアフリカ史の構築」を目的として、歴史の脱植民地化を目指すものであった。それは、このプロジェクトの中心メンバーとなるオゴットの次のような言葉に象徴されるだろう。「政治的独立は自分たちの歴史が書き上げられてようやく達成される」。そのためにもアフリカが植民地の軛《くびき》から解放されるこの時代に、このプロジェクトが必要とされたのである。

当時の事務局長、ルネ・マウからプロジェクトの統括を委嘱されたのは、イバダン大学の副学長だったナイジェリア人のケネス・ディケである。ディケは一九五〇年代にイバダン大学で誕生した歴史学におけるイバダン学派の創始者でもあった(8)。イバダン学派は、思想的にはナショナリズムとパン・アフリカニズムを基盤としていた。当時、この二つの思潮は、共通の敵である植民地主義や帝国主義と闘う思想的武器であり、彼らは歴史研究にオーラルヒストリ

ーを多用し、学際的なアプローチを重視した。イバダン学派は、ヨーロッパ列強による植民地支配以前のアフリカ社会の栄光に焦点をあて、それを通してアフリカ人のこれからのアイデンティティを形成しようとした。こうした歴史学派は、当然のことながら、欧米のアフリカ研究者、とりわけ歴史学者から敬遠されたり非難されたりした。ディケたちは、「歴史の脱植民地化」を掲げて、同じ時期に刊行が計画されていた、ケンブリッジ大学の歴史研究者（大半が白人）を中心とする「ケンブリッジ・アフリカ史」との理念、方法、目的の違いを明確に打ち出していった。(9)

プロジェクトの構成

『ユネスコ アフリカの歴史』プロジェクトは、二つの組織によって、内容、構成や編者、執筆者が決められた。一つは三九人からなる国際科学者委員会（ISC）で、もう一つは四人からなる執行委員会（EC）である。それぞれの組織はISCが三分の二、ECが二分の一以上のアフリカ人研究者で占められることが定められた。また全八巻の編者は全員アフリカ人であることも決定した。内容についてはまずISCが草稿を検討し、場合によっては、執筆者の変更が行えることも合意された。アフリカ人の研究者のイニシアティヴで、全体が一つのチームとして、定められた方向に向かって全八巻の刊行を進めていく体制が作られたのである。

プロジェクトは大きく二つの時期に区分された。第一期は一九六四年から九九年までであり、その主要なミッションは三五〇人の執筆者（その八割がアフリカ人）による全八巻の『ユネスコ アフリカの歴史』の刊行である。第一期には、三つの段階が導入された。一九六五年から六九年までの第一段階は、資料の収集である。まずアラビア語やアジャミ（アラビア文字で表記されたアフリカ諸言語の写本）で記された社会記述を網羅的に集めた。そして何より力を注いだのが口頭伝承の収集だった。口頭伝承を収集し整理するためにアフリカを五つの地域に分けて地域ごとに記録センター（Regional Documentation Center）が設置された。後年、収集された史料は、全一二巻の「ユネスコ・アフリカ史のための研究と記録化」シリーズとして刊行されている。つづく一九六九年から七一年までの第二段階は、編集の過程で出てきた方法論的問題など複雑で実質的な課題を審議し解決をはかる時期だった。この時期、刊行はまず英語、仏語、アラビア語、そしてスワヒリ語、ハウサ語、フルベ語などのアフリカ諸語で行われることも決定された。第三段階は、一九七一年から九九年までで、草稿の提出とISCによる内容の審議と決定を踏まえて刊行された(10)。

プロジェクトの第二期は二〇〇九年から開始された。その中核的ミッションは、『ユネスコ アフリカの歴史』全八巻の内容を初等・中等学校の教育カリキュラムに入れることであり、そのために廉価で簡易な普及版を作成することであった。この事業は、ユネスコとアフリカ連合(AU)の連携と協力によって実施された。

『ユネスコ アフリカの歴史』の方法論的枠組(一) 内側からの視点

「歴史の脱植民地化」を掲げて、アフリカに歴史を取り戻す。この『ユネスコ アフリカの歴史』の意義は、今日も多くの論争を生みだしながらも減じてはいない。次に、このプロジェクトの方法論的枠組について述べておこう。それこそが当時の「ケンブリッジ・アフリカ史」をはじめ、今日に至るまで多くの批判や反発、時には嘲笑をあびながらも作り出された、「アフリカ史」と正面から向き合うための重要な手がかりだからである。

『ユネスコ アフリカの歴史』の方法論的枠組について、プロジェクトのプロデューサーでもあった事務局長ムボウは以下の三点を強調した。それは、第一に「内側からの視点」(「'internalist' vision of Africa」)を採用すること、第二にアフリカを分断せずに全一的に捉えること、そして第三にアフリカ社会とアフリカの人々の主体性に着目すること、という三点であった。

第一の「内側からの視点」は、委員会の中心メンバーであるキーゼルボが理論化したものだが、それは、口頭伝承を思想史の中に位置付けた川田順造が指摘した「文化内的検討」という見方と重なる(11)。それは、ある文化体系の中で生起する事象については、その文化自身が持っている概念や論理を参照することで明らかにしていくという姿勢のことだ。キーゼルボは、この視点は、アイデンティティ、真正性、自己認識についての内面的視点であり、一方で近代科学の普遍主義を否定せず、同時にアフリカ大陸の精神史を捉え、そのエッセンスを回復するものであると主張した。「内側からの視点」については、以降、次々に提出される草稿について内容を検討し審議する(編集委員会に当たる)「ISC」によって、「アフリカ的視点」(African Perspective)として定式化され、多くの議論や反発を招くことになる。

容易に想像できることだが、「何が真にアフリカ的なのか」「そもそものようなものが存在するのか」という疑問が「アフリカ的視点」には常につきまとう。とりわけ、提出された原稿を却下したり改稿を要請する根拠が、「アフリカ的視点が足りない」というものであれば、議論は紛糾する。かりに委員会から「アフリカ的視点の歴史とは、アフリカの歴史を説明する際、外部の力学に対抗して内部の動態を重視するということだ」と説明されたとしても、その曖昧さは変わらないだろう。

ブラジル人のアフリカ歴史研究者ムルヤタン・バルボサは、「内側からの視点」の意味するものが時代とともに変化していることを指摘している(Barbosa 2018)。元々は、アフリカ人の研究者・知識人が、自分たちの文明を(西洋的バイアスから離れて)どのように認識しているのかを、それがたとえ多様で一枚岩でなくとも忠実に反映させるというのが「内側からの視点」の含意だったという。そうした異質性を包含しながらアフリカの知性による自己認識を希求しようとした姿勢が、徐々に変化し、単一の規範(思想)として完成されていき、最後は「内側からの視点」にとどまらず「内側から全体化する視点」('internalist' and 'totalizing' vision)となっていく過程を明らかにしている(Barbosa 2018: 413)。

この点については、植民地支配から独立を経て現代につながる第八巻(一九三五年以降)において、「アフリカ的視点」あるいは「よりアフリカ的な視点」を求める激しい議論が編集委員会(EC、ISC)において行われた。そこでは編者のひとりアリ・マズルイの姿勢が問題とされた。ケニア生まれのスワヒリ出自の歴史家で一九七〇年代以降はアメリカの大学でアフリカ史の教鞭をとっていたマズルイは、二〇世紀のアフリカ現代史をコロニアリティとポストコロニアリティの交錯という視点で批判的に捉えて第八巻を編集した。これに対して、刊行内容の最終権限を持っているECとISCは、編者の追加や執筆者の差し替えも検討しながら、植民地統治勢力と内部の矛盾が織りなす複雑な力学に焦点をあてる、ポストコロニアリズム(批判)のような一般的思想史によらず、植民地主義批判にターゲットをしぼった「よりアフリカ的」「より大陸的」な視点を採用するように求めたのである。

『ユネスコ　アフリカの歴史』の方法論的枠組(二)　全一性の視点

『ユネスコ　アフリカの歴史』の第二の方法的枠組は、「全一性の視点」の採用、すなわちアフリカをサハラ以南のブラックアフリカと北アフリカのアラブ世界に切断するのではなく、密接不可分な全体として捉えるという視点である。アフリカをアラブ/黒人世界などで区分する見方は、社会的にも浸透している。例えば日本の外務省も西サハラを含む北アフリカ六カ国を管轄するのは中東第一課であり、西・中央アフリカ諸国はアフリカ第一課、東・南部アフリカは第二課が担当する。地域研究学会も、日本アフリカ学会はアフリカ大陸全体を対象とするとしながらも、ほとんどのメンバーはサハラ以南アフリカの研究者であり、北アフリカ社会の研究者は、日本中東学会に所属して活動することが多い。こうした実態は、国際的にも確認できる。それにもかかわらず全一的視点が採用されたのは、『ユネスコ　アフリカの歴史』の編集を主導するEC、ISCにおけるパン・アフリカニズムの強い影響力のせいである。事務局長のムボウをはじめ、各巻の編者となるキーゼルボ、ボアヘン、マズルイ、オゴットなどはこの影響を直接表明している。しかしながらアフリカ合衆国を目指す政治運動としても、欧米の社会・文化理論を相対化する思想運動としても、パン・アフリカニズムは、多くの困難に直面していた。それは、『ユネスコ　アフリカの歴史』の第三の方法的枠組であるアフリカ人の主体性視点の困難とも密接に連動するものであった。

『ユネスコ アフリカの歴史』の方法論的枠組(三) 主体性と抵抗の視点

アフリカの歴史において、とりわけヨーロッパやアラブとの接触後は、アフリカの人々や社会を外部勢力の支配や搾取の犠牲者として記述することが定番となった。軍事的、経済的、政治的、それに文化的にも圧倒的に強力な外部諸力の前では、アフリカ人は常に劣位に置かれた受動的な存在であったという認識こそは、『ユネスコ アフリカの歴史』の掲げる「歴史の脱植民地化」という方針が批判し否定すべきターゲットであった。そう考えた編集委員会は、外部からの圧力や影響に対するアフリカ人の主体性に着目して、編集を進めた。主体性がストレートに表出するのは、外部勢力の侵入や支配に対するアフリカ人側の抵抗である。こうした課題や出来事が集中しているのは、ヨーロッパ列強がアフリカを分割し、勢力圏を確立して植民地支配に着手した、一九世紀後半から二〇世紀初頭にかけての時代であり、『ユネスコ アフリカの歴史』では、ガーナ人の歴史家アドゥ・ボアヘンが編者となってまとめた第七巻がこの時代を担当している。第七巻は全部で三〇章から構成されているが、そのうち八つの章に「アフリカ人の主体性と抵抗」(African initiatives and resistance)の文言がタイトルに含まれ、各地の「主体性と抵抗」(マダガスカルのみ「反応 reaction」)の歴史が口頭伝承などを駆使して提示された。

しかし「主体性と抵抗」というテーマは、『ユネスコ アフリカの歴史』の基本的な方法枠組でありながら、多くの議論を巻き起こし様々な立場や見解の分岐を生み出していった。そのなかでもより根源的な歴史の認識につながるものが二つあった。その一つが、アフリカ人の初期抵抗に対する評価である。(12) 初期抵抗とは、ヨーロッパ列強が本格的にアフリカ争奪を開始した一九世紀の半ばから二〇世紀初頭にかけての時期にアフリカ人が示した「非理性的(反理性的)で無意味な」抵抗を指す。ヨーロッパ列強から最初の接触と支配受け入れの強要に対して多くのアフリカ諸民族はまず戦いを挑んだ。しかし機関銃と槍との戦闘の結末は容易に想像できる。アフリカ人の戦士たちは文字通り大量に殺戮された。また植民地のアフリカ人統治政策に対して、「非理性的」で反抗的な態度を取り、次々と命を失っていくアフリカ人はヨーロッパ人にとっては理解不能であり、それ自体が未開と野蛮の証明とされた。

例えば一八五四年に起きた、南アフリカの「コーサ人牛殺し事件」もそうだ。これは、一八世紀末からのケープ植民地の拡大で東へ追われたコーサ人が預言者の指示(全ての牛を殺し、穀物の蓄えを焼き尽くせば死者が蘇って白人を海に追い落とす)にしたがって、大量に餓死したものだ。あるいはドイツ軍によって一〇万人近い犠牲者を出したナミビアの「ヘレロ・ナマ虐殺」(一九〇四年から〇八年)、ドイツ植民地政府の輸出用綿花強制栽培に反抗して蜂起し、「魔法の水を塗ればドイツ軍の銃弾にはあたらず液体に変えてしまう」という預言者の言葉を受け入れ、数十万人の犠牲者を出した「マジマジの反乱」(一九〇五年から〇七年)も、こうした「非理性的」な初期抵抗に数えられる。

このような理性的な判断から程遠い、明確な自殺行為のような抵抗を、どのように評価するのかという点が、「主体性と抵抗」論の大きな課題であった。植民地支配に対する政治的な批判の思想を持ち、戦術と戦略を検討しながら、体制を打倒するための運動については、例えば一九二〇年代以降出現する近代的な政党や労働組合、さらにはナショナリズムやその後のパン・アフリカニズムのような近代的な抵抗形態は、そのまま「主体性と抵抗」モデルに適合するが、自ら銃弾の前に体を投げ出したり、銃弾にあたらない魔法をかけてもらったり、あるいは預言者のお告げを信じて餓死するといった初期抵抗の状態の中にどのような「主体性と抵抗」を見出し評価するのか、という点はアフリカ史を定位する視点と深く関わっている。第七巻においても、「主体性と抵抗」として最終的に評価されるのは、様々な形態、とりわけ伝統的知識・慣習と融合するものも含めたナショナリズムの運動だった。

「主体性と抵抗」の視点が作り出した主要な議論の分岐の中で、初期抵抗の評価と並んで問題化したのがアフリカ社会内部の亀裂と対立の評価であった。すなわち、アフリカ社会内部に見られる支配・抑圧と被支配・非抑圧構造、そこに見られる敵対的関係を、「主体性と抵抗」論はどのように対処するのかという難問である。ECは「全ての批判精神を捨てたり、アフリカ社会や人々を無条件に賞賛することを要求するものではないが、アフリカに関する歴史記述の質を大きく歪め中傷するような視点は間違いであり避けるべき」と述べ、内部の矛盾や敵対関係の記述には細心の注意が必要であると警告している。こうした助言（警告）とあわせて、ECはアフリカ=未開像を西洋視点で増幅させる用語として、ペイガニズム、フェティシズム、アニミズムなどの使用を認めなくなった。こうした修正や変更に応じない執筆者に対しては、「よりアフリカ的視点」を持った著者に交代させることも提案された。

『ユネスコ アフリカの歴史』の方法論的枠組の確立と遵守の要請は、EC自身が認めているようにある種の「精神の変更」(change of spirit) の証明であった(Barbosa 2018: 410)。

五、アフリカ史という知的挑戦

『ユネスコ アフリカの歴史』への批判

一九九三年の第八巻をもって、『ユネスコ アフリカの歴史』全巻の刊行は終了した。一九八一年に第一巻が出て以降、数多くの歴史研究者（とりわけアフリカ史研究者）からこのシリーズの肯定的、否定的なレビューがなされた。特に目立つのは批判的・否定的なコメントである。書評が集中したのは、方法論や古代アフリカ文明を扱った第一巻と第二巻だったが、その中からイギリス人のガーナ（アシャンティ）史研究者、イヴォール・ウィルクスが *International Journal of African Historical Studies* に掲載した書評から見ておこう(Wilks 1982: 283-285)。まずユネスコがこの事業に数百万ドルを投入していることを強い言葉で非難する。通常の歴史書の出版とは異なる特別な扱いをされていることへの憤りや、ISCが原稿の大幅修正を要求したり、執筆者を交代させたりする権限を持っていることによる、歴史家の自由な思考や成果を検閲したり介入したりすることへの嫌悪感も表明されている。しかしながらウィルクスがもっとも批判したのは以下の三点であった。第一に、学術的価値がほとんどないという点、各章を短く紹介しながら、「これまで知られていないことはほとんど語られていない」「興味はそそられるが満足すべき水準ではない」「通常の学術誌で掲載されるような水準ではない」といった具合である。第二にデータが古くなっている点。一九七〇年と八〇年代の歴史研究の状況を示す点で意味があるが、「継続的な改訂が必要である」と断定している。そして第三には、ムボウの序文や第二巻のシェイク・アンタ・ジョップの巻頭論文などに代表される偏向した視点の存在だ。ムボウの「アフリカ大陸の過去についてより真実に近い姿を描く」という歴史の脱植民地化を目指すこのプロジェクトの目的については、「何が真実で何が正しいのか」と疑問を投げかけ、ジョップが解き明かす古代エジプト文明の基盤については「特異な考えで、章自体を台無しにしている」とまで非難している。

ウィルクスのような否定的レビューは、決して少数派ではなかった。オランダ人の歴史研究者シュルティ・ノルドホルトは二〇二一年にライデン大学に提出した博士論文の第八章で、『ユネスコ アフリカの歴史』について学術誌に掲載されたレビューの整理分析を試みている(Nordholt 2021)。彼は、歴史学の学術専門誌に掲載された三五本の『ユネスコ アフリカの歴史』に関する書評を取り上げたが、そのうち二九本はイギリス人とアメリカ人によるものであり、ほとんどの書評者が白人だった。

ノルドホルトによると、『ユネスコ アフリカの歴史』への評価は、個々の執筆章に対する高い評価(彼によると高評価されたのは欧米のアフリカ史学界ですでに著名である白人歴史家、例えばバンシナやテランス・レインジャーなど)や刊行の意義自体を賞賛する言葉はあるものの、巻全体、プロジェクト全体の内容について厳しい指摘が目立つという(Nordholt 2021: 260-267)。最新の歴史学の議論とデータ分析の観点からすると「いかに立ち遅れているかに焦点」をあてて批判するスタイルは少なくなかった。保守的な従来の歴史学の手法や価値を重視する立場からの批判だけでなく、よりラディカルな視点からの批判も寄せられた。例えば、ケネス・ディケのイバダン学派に代表される、一九六〇年代に誕生した独立国家に貢献しようとするナショナリズムの歴史学への介入を拒絶する立場から、このプロジェクトがアフリカの庶民、人民にとって意味あるものになっておらず、国家権力の僕となっていることが非難されたのである。さらにパン・アフリカニズムの旗印の下で、アフリカ社会内部の矛盾を隠蔽する点についても、厳しい目が向けられた。例えばリトアニア生まれのコンゴ文化史研究者ボグミル・ジェウシェヴィツキは、このプロジェクトではヨーロッパの抑圧やアフリカの専制独裁を批判したり乗り越えたりすることはできないと主張する(Shinnie and Jewsiewicki 1981: 539-541)。

しかしながら、『ユネスコ アフリカの歴史』に対して批判的なコメントをしたアフリカ史研究者が口を揃えて最も辛辣に非難したのは、このプロジェクトが科学的立場ではなく政治的な立場と意図をもって歴史を編集している点にあった。科学者としての中立性と客観性、学術的基準の厳密性と専門性という点からあまりにもかけ離れた「アフリカの過去の栄光への評価(賛美)」やパン・アフリカニズムやナショナリズムに奉仕する姿勢は、歴史研究としては認められないという主張である。とりわけジョップの執筆した第二巻第一章は「ほとんど政治的プロジェクト」だとして批判された。

ジョップは、古代エジプト文明がアフリカ全土に伝播・拡散して地域社会形成に影響を与えたこと、古代エジプト人はサハラ以南のアフリカ諸民族と密接な身体的親和性を持っており、古代エジプト文明の担い手がそうした黒人だった可能性があること、などに関する自説を展開した(Diop 1974; 1981)。これは今日、「ハムの神話」として批判・否定されている内容と重なるものでもあった。「ハムの神話」とは、例えばジンバブウェ高原南端の石造建築遺跡など高度な技術と権力の痕跡などについて、「黒人にはこの建築は不可能で古代エジプト人の末裔が作ったはず」とみなす主張のことで、のちに否定されている。ジョップの説は、この「ハムの神話」と類似の妄説だと批判されたのである。

イデオロギー的歴史批判とアフロセントリズム

こうした欧米のアフリカ研究者からの『ユネスコ　アフリカの歴史』へのハードな(学術的レベルが低く、イデオロギーが前面に出ている)、あるいはソフトな(企図は素晴らしいが「課題」も多く残されているという論調の)批判から、私たちは何を学ぶことができるだろうか。

ジョップの仮説に対しては、一部の支持者と圧倒的な反対者という構図の中で学術的には葬り去られたように思われる。しかしこうした思考は、形を変えてレイシズムによる支配と排除が世界の隅々にまで浸透してきた二〇世紀の社会には度々提起されてきたことを見逃してはならない。ジョップの思想については、人種問題が最大の社会・政治問題化する一九六〇年代のアメリカで誕生したアフロセントリズムに大きな影響を与えたことが知られている。アフロセントリズムとは、「アフリカ人の卓越性」(African primacy)を主張して、知的世界のヘゲモニーを握ってきた西洋的知の体系を反転させようとする壮大な思想運動であり、社会運動だった。具体的には、西洋的知の基盤となっているギリシア・ローマの知の体系と世界観は、エジプトの影響の下でアフリカ人(黒いエジプト人)によって創造されたものであり、したがって以降ヨーロッパで生まれる知の系譜は、このアフリカ人が創り出した知識と思想の変形であると主張した。アフロセントリズム運動の理論的指導者モレフィ・アサンテは、ジョップやマーティン・バーバルの『黒いアテナイ』から多くを学びながらこの運動を発展させていった(13)。

このようにしてアフロセントリズムは、グレコ・ローマン的知によって基礎付けられた西洋の知的世界を、アフリカ的知の世界(の下部)へと接続させることで、アメリカ社会の現実である抑圧と不平等の体制を知的に反転させ、ひっくり返したのである。こうした反転は、一九三〇年代半ばにパリに出現した黒人留学生たちの思想運動ネグリチュードにおいても確認できる。エメ・セゼールやレオポール・サンゴールたちによって言語化されたこの概念は、黒人世界の文化的価値の復権を目指して、これまで西洋的理性から嫌悪され否定されてきたものの中に価値を見出した。すなわち西洋的知の世界の中枢に位置していた理性と合理性を全否定し、代わってそれらが否定してきた狂気、感情、非合理を全面的に肯定し賛美したのである。一九二〇年代にニューヨークで開花したハーレム・ルネサンスにおいて主張された「ニューニグロ」も同じような価値の反転を推進した思想・実践運動であった。当時のアメリカ社会に根深く浸透していた粗野、感情、肉体労働に象徴される黒人イメージを、洗練された都市生活を送るアーティストが代表するイメージに反転させることで、知識、頭脳、審美と黒人性を結合させて、新しい人種共同体を想像したのであった(14)。

たしかにこうした反転は、あまりにも単純で非論理的に見えるかもしれない。事実、いずれの反転に対しても、ジョップに投げかけられた以上の嘲笑と軽蔑が知的世界から(主に欧米の白人知識人から)投げつけられた。これまで差別され支配されてきた側が、差別し支配する側に「反転」したところで、差別し支配する構造自体は何も揺るがず、抑圧の再生産と新たな抑圧の開始を導くだけだというわけである。

しかしながら、ネグリチュード運動に浴びせられた批判と非難に激しく逆襲し、その反転を擁護したのがジャン＝ポール・サルトルであった。サルトルは、「反転」こそは、分断され抑圧されてきた黒人が互いに連帯してレイシズムからの攻撃に対抗する「唯一の道」であると主張したのである。サルトルはそれを「弁証法的進行の弱拍」と位置づけた(サルトル 一九七七:一〇〇頁)。彼はヨーロッパの暴力的な抑圧に対して、ある時期のアフリカ人が止むを得ず採用した、否定的で消極的だが必然的な選択として「反転」を正当化したのである。そしてネグリチュードは、歴史的使命を果たした日には自己解体して消滅する運命を内包していると断定する。それは「経過であって到達点ではなく、手段であって最終目標ではない」からだ。これとまったく同じことが、『ユネスコ アフリカの歴史』におけるジョップをはじめとする執筆者や編者の「政治的偏向批判」にもあてはまるかもしれない。

誰にとっての誰のための歴史か

なぜ二〇世紀にこうした一見「無茶な」「反転」が次々に起こったのだろうか？　それは現代世界におけるレイシズムの新たな隆盛状況と無関係ではない。例えば一六世紀から一九世紀にかけて、数百年間、アフリカを舞台に行われた組織的な人身売買である奴隷貿易は、世界史においてどのように取り扱われてきたのだろうか。四〇〇年の間に、アフリカ各地から暴力的に「捕獲」され「積み出された」奴隷の数は、一二〇〇万から二〇〇〇万人、そのうちの一割は「輸送」中に命を失い海中に投棄されたと推定されている。(15)こうした事態を世界史の単なる一つの出来事、あるいは悲劇的一コマとして捉えてしまい、そうした捉え方に何の疑問も持たないこれまでの歴史研究者の立場や思想そのものが問われるようになったのである。このような捉え方に代表される、世界史における破局的断絶を見逃し、正面から向き合わない(ただ人道的に倫理的に批判するだけの)意識と認識が、今日に至るレイシズムの温床となってきたとすると、それと格闘するには、これまでとは異質で、調和的でない歴史観とそのための用語と道具立てが必要となる。

アフリカ・ディアスポラ研究者であるシルヴィアンヌ・ディウフらアフリカ系の歴史研究者を中心に、「奴隷貿易」という中立的なタームそのものの不適切性が強く指摘されたこともある(Diouf 2003)。奴隷貿易に代わって、人類史上最悪のホロコーストとして「アフリカン・ホロコースト」という表現も使用されてきたが、アフリカ系アメリカ人で人類学者のマリンバ・アニは、欧米の歴史的タームをやめて、スワヒリ語の「巨大災害」を意味する「マアファ」(maafa)を提唱している(Ani 1980)。マアファの持つ世界史的衝撃と、現代まで継続・再生産されるそれを極小化しようとする態度こそが、アフリカ史、とりわけ『ユネスコ　アフリカの歴史』が格闘してきた知的体系であり、現実世界であった。その継続・再生産については、二〇〇一年の「ダーバン会議」(人種差別撤廃世界会議)に世界各国から代表団が集まって、奴隷制と植民地支配の責任、謝罪、補償についての議論がされたものの、かつての「奴隷貿易」が「人道に反する」ことは認めても、その責任が現代に及ぶ(それが謝罪と補償につながる)ことは明確に拒絶されたことによく象徴されている。これこそはマアファの加害性が今日も継続している証に他ならない。二〇〇九年の「ダーバン・レビュー会議」、二〇二一年の「ダーバン宣言二〇周年記念国連総会」と、この問題への欧米諸国の関心は著しく低下しているのである。

このような現代世界においてアフリカを周縁化する状況は、多くのアフリカ諸国が政治的独立を果たした一九六〇年代以降も変わることなく継続され、むしろ拡大再生産されている。二一世紀に入ってからのグローバルな大量移民現象、アメリカにおけるBLM(Black Lives Matter)運動に象徴されるアフリカ系の人びとへの差別と排除の深刻化などは、グローバルな視点でアフリカを捉え直すこと、とりわけ世界史の中に位置づけ直すことを改めて要請している。こうした事態を踏まえて、ユネスコは二〇一三年に『ユネスコ アフリカの歴史』第九巻の刊行準備に着手し、多面的なグローバル・アフリカとマアファを踏まえてアフリカ・ディアスポラの歴史を書き換えることを目標に掲げている。

こうしたアフリカがかつて経験した世界史的大災害と、今もなお続くその強い後遺症こそは、アフリカ史が正面から取り組み、それを乗り越えるために歴史のみならず、社会と人間の見方自体の組み替えを行うための大前提なのである。『ユネスコ アフリカの歴史』への批判と疑問の中で明らかになったのは、こうした歴史学が果たす役割に対する眼差しと立場の違いであった。『ユネスコ アフリカの歴史』に関わったアフリカ人歴史家たちにとって、歴史学という学問は、歴史的・社会的不正義(理不尽さ)を正す運動や政治的活動と別次元に位置するものではなかった。現実社会の矛盾への学術的な洞察とそれへのコミットメント(それが政治的アクティヴィズムであれ知的次元であれ)は、密接不可分なものであった。それゆえに彼らのなかには様々なレベルで政治や社会活動を領導する立場に転身する歴史家も少なくなかった。彼らにとって歴史学は、常に「誰にとっての歴史なのか」「誰にとっての学問なのか」という問いかけに対する応答として構築されるものであった。

それゆえ、アフリカの歴史家にとってのアフリカ史は、「アフリカという地域の歴史」ではなく、アフリカを世界史から排除し、今なお周縁化している巨大な諸力との知的格闘の戦場なのである。

注

（1）ヘーゲルのアフリカ歴史テーゼについては『歴史哲学講義』上巻、参照（ヘーゲル 一九九四）。トレヴァー＝ローパーは、一九六三年、サセックス大学で連続講義を行い、そこでアフリカ史について「at present there is none」と断言した（Trevor-Roper 1966）。

（2）アフリカ研究の大御所、メイヤー・フォーテスとエヴァンス＝プリチャード編の『アフリカの政治体系』は一九四〇年、エヴァンス＝プリチャードの『ヌエル族の宗教』は一九五六年に刊行され、欧米の学界では高い評価を得ていた。

（3）アフリカ史における文字問題については、（松田 二〇〇七：一一八―一四五頁）、（松田 二〇一五：一七五―二〇二頁）を参照。

（4）アフリカにおける民族生成のメカニズムと実例の検証については、（松田 一九九八ａ：一五―四一頁）、（松田 一九九八ｂ：二三一―二五三頁）、（松田 二〇〇九：二二九―二九二頁）に詳しい。

（5）この移住の経緯については『呪医の末裔』に詳しい（松田 二〇〇三）。

（6）口頭伝承を承認しない精神の背景としてバンシナは、識字能力のある者が、その能力のない者に対して抱く根強い蔑視の感情の存在を指摘している（バンシナ 一九九〇：二二二頁）。

（7）一八九五年から九九年まで、ホブリーはマラゴリに対して四度の懲罰作戦を発動した。そのうち三度は南マラゴリの村々に部隊が侵入している。一回目の懲罰は、南廻りのキャラバンルートをマラゴリ人が遮断したことを口実として行われた。初めての白人との戦いの結果、マラゴリ側は、チーフの二人の息子が捕らえられ人質としてムミアスに送られたうえに牛五〇頭も略奪されてしまった。彼の日記は遺族によってオックスフォード大学の Rhodes House Library に寄贈されている（松田 一九九七：二八四―二八八頁）。

(8) ディケとイバダン学派については、(Chuku 2013)を参照。

(9) 刊行時期は、『ユネスコ アフリカの歴史』の方は一九八一年から九三年、「ケンブリッジ」は一九七五年から八六年とほぼ同時期だったが、「ケンブリッジ」の編者は全員白人の著名な歴史学者で執筆者にもアフリカ人研究者はごく少数しか含まれていなかった。さらに、アフリカ史に特有な方法論やその意義を取り扱う独立した巻や章もなかった。

(10) 現在、本体の全訳があるのは中国語、ロシア語、イタリア語、ポルトガル語、スペイン語であり一部巻の日本語版である。簡訳版で刊行されているのは、英語、フランス語、韓国語、スワヒリ語、ハウサ語、フラニ語である。ただし日本語版は、一巻を上下二冊に分けて刊行していたが一九八八年に第七巻、一九九〇年に第一巻、九二年に第四巻を刊行し、残りの翻訳もほぼ完了していた時点で出版社が刊行を中断し、実質的に以後の刊行計画は消滅している。

(11) (キーゼルボ 一九九〇:二七—二八頁)、(川田 一九九一:一〇—一一頁)を参照。

(12) この点については、(松田 二〇一八:四三二—四四八頁)を参照。

(13) アフロセントリズムについては、(Asante 1987; Bernal 1991)、レイシズムとの闘いにおける評価については、(松田 二〇〇五)を参照。

(14) ネグリチュードについては、(サンゴール 一九七九)、(セゼール 一九九七)、そのレイシズムとの闘いにおける評価については、(松田 一九九八c)を参照。ニューニグロ運動については、(Locke and Stewart 1992; 松田 二〇〇五)を参照。

(15) この世界史上最悪の大災害については、(ウィリアムズ 一九七八a、b)を参照。

参考文献

ウィリアムズ、エリック(一九七八a)『資本主義と奴隷制——ニグロ史とイギリス経済史』中山毅訳、理論社(ちくま学芸文庫、二〇二〇年)。

ウィリアムズ、エリック(一九七八b)『コロンブスからカストロまで——カリブ海域史、一四九二—一九六九』全二巻、川北稔訳、岩波書店(岩波現代文庫、二〇二〇年)。

オゴット、ベスウェル・A(一九九〇)「プロジェクトの説明」ジョセフ・キーゼルボ編、宮本正興・市川光雄責任編集『ユネスコ アフリカの歴史——方法論とアフリカの先史時代』第一巻上巻、同朋舎。

オング、ウォルター・J(一九九一)『声の文化と文字の文化』林正寛・糟谷啓介・桜井直文訳、藤原書店。

川田順造(一九七六)『無文字社会の歴史――西アフリカ・モシ族の事例を中心に』岩波書店。

川田順造(一九九二)『口頭伝承論』河出書房新社(平凡社ライブラリー、上下巻、二〇〇一年)。

キーゼルボ、ジョセフ(一九九〇)「総序」宮本正直・森恭子訳『ユネスコ アフリカの歴史――方法論とアフリカの先史時代』第一巻上巻、ジョセフ・キーゼルボ編、宮本正興・市川光雄責任編集、同朋舎。

サルトル、ジャン=ポール(一九七七)「黒いオルフェ」『サルトル全集 シチュアシオン』第一〇巻、鈴木道彦・海老坂武他訳、人文書院。

サンゴール、レオポール(一九七九)「ネグリチュードとヒューマニズム」高田勇・土屋哲訳、『世界』四〇四号、岩波書店。

バンシナ、ヤン(一九九〇)「口頭伝承とその方法論」楠瀬佳子訳『ユネスコ アフリカの歴史――方法論とアフリカの先史時代』第一巻上巻、ジョセフ・キーゼルボ編、宮本正興・市川光雄責任編集、同朋舎。

ヘーゲル(一九九四)『歴史哲学講義』上巻、長谷川宏訳、岩波文庫。

ボアヘン、アドゥ編(一九八八)『ユネスコ アフリカの歴史――植民地支配下のアフリカ 一八八〇年から一九三五年まで』第七巻上・下、宮本正興責任編集、同朋舎。

松田素二(一九八八)「ある一族の移住史――アフリカにおける民族生成の多元的メカニズム」『人文研究』四〇巻九号、大阪市立大学文学部。

松田素二(一九九七)「植民地文化における主体性と暴力――西ケニア、マラゴリ社会の経験から」『植民地主義と文化――人類学のパースペクティヴ』山下晋司・山本真鳥編、新曜社。

松田素二(一九九八a)「民族対立の社会理論――アフリカ的民族形成の可能性」『現代アフリカの紛争を理解するために』武内進一編、アジア経済研究所。

松田素二(一九九八b)「民族紛争の深層――アフリカの場合」『世界の民族「民族」形成と近代』原尻英樹編、放送大学教育振興会。

松田素二(一九九八c)「文化・歴史・ナラティブ-ネグリチュードの彼方の人類学」『現代思想』六月号、青土社。

松田素二(一九九九)「西ケニア山村から見た大英帝国――個人史が世界史と交錯するとき」『植民地経験――人類学と歴史学からのアプローチ』栗本英世・井野瀬久美恵編、人文書院。

松田素二（二〇〇三）『呪医の末裔――東アフリカ・オデニョ一族の二〇世紀』講談社。

松田素二（二〇〇五）「人種的共同性の再評価のために――黒人性再創造運動の経験から」『人種概念の普遍性を問う――西洋的パラダイムを超えて』竹沢泰子編、人文書院。

松田素二（二〇〇九）「アフリカから何が見えるのか」『興亡の世界史 人類はどこへ行くのか』第二〇巻、講談社。

松田素二（二〇一五）「アフリカ史の可能性」『岩波講座現代 歴史の揺らぎと再編』第五巻、佐藤卓己編、岩波書店。

松田素二（二〇一八）「第一三章 アフリカ人の主体性と抵抗」宮本正興・松田素二編『改訂新版 新書アフリカ史』講談社現代新書。

宮本正興、松田素二（二〇一八）「改訂新版にあたって」宮本正興・松田素二編『改訂新版 新書アフリカ史』講談社現代新書。

ムボウ、アマドゥ＝マフタル（一九九〇）「序文」『ユネスコ アフリカの歴史――方法論とアフリカの先史時代』第一巻上巻、ジョセフ・キーゼルボ編、宮本正興・市川光雄責任編集、同朋舎。

Ani, Marimba (1980), *Let the Circle Be Unbroken: The Implications of African Spirituality in the Diaspora*, Trenton, New Jersey, Red Sea Press.
Asante, Molefi (1987), *The Afrocentric Idea*, Philadelphia, Temple University Press.
Ayot, Henry O. (1979), *A History of the Luo-Abasuba of Western Kenya from A.D. 760-1940*, Nairobi, Kenya Literature Bureau.
Barbosa, Muryatan Santana (2018), "The African Perspective in the General History of Africa (UNESCO)", *Tempo* (Brazil), 24-3.
Bernal, Martin (1991), *Black Athena: The Afroasiatic Roots of Classical Civilization*, vol. 1, New Brunswick, New Jersey, Rutgers University Press, （片岡幸彦訳『ブラック・アテナ――古代ギリシア文明のアフロ・アジア的ルーツ〈1〉古代ギリシアの捏造一七八五－一九八五』（新評論、二〇〇七年））
Chuku, Gloria (2013), "Kenneth Dike: The Father of Modern African Historiography", *The Igbo Intellectual Tradition*.
Diop, Cheikh Anta (1974), *The African Origin of Civilization: Myths and Reality*, Westport, Connecticut, Lawrence Hill & Company.
Diop, Cheikh Anta (1981), "Origin of the ancient Egyptians", Gamal Mokhtar (ed.), *UNESCO General History of Africa, Volume II: Ancient Civilizations of Africa*, Paris, UNESCO, London, Heinemann Educational, Berkeley, California, University of California Press.
Diouf, Sylviane A. (2003), *Fighting the Slave Trade: West African Strategies*, Athens, Ohio, Ohio University Press.
Locke, Alain, and Jeffery C. Stewart (1992), *Race Contacts and Interracial Relations: Lectures on the Theory and Practice of Race*, Washington, D.C., Howard University Press.

Lonsdale, John M. (1977), "The Politics of Conquest: the British in Western Kenya, 1894-1908", *The Historical Journal*, 20-4.

Mokhtar, Gamal (ed.) (1981), *UNESCO General History of Africa ,Volume II: Ancient Civilizations of Africa*, Paris, UNESCO, London, Heinemann Educational, Berkeley, California, University of California Press.

Nordholt, Schulte (2021), "'A massive work of little worth.' Retrospective Perceptions of the Project by Africanists in the United States and the United Kingdom", *Africanising African history: decolonisation of knowledge in UNESCO's general history of Africa (1964-1998)*, Ph.D. Dissertation submitted to Leiden University. https://scholarlypublications.universiteitleiden.nl/handle/1887/3244250

Ogot, Bethwell A. (1967), *History of the Southern Luo: Migration and Settlement*, Nairobi, East African Publishing House.

Shinnie, Peter L., and B. Jewsiewicki (1981), "Review: The UNESCO History Project: General History of Africa, Vol. 1 by UNESCO and J. Ki-Zerbo; General History of Africa II, Ancient Civilizations of Africa by G. Mokhtar", *Canadian Journal of African Studies*, 15-3.

Trevor-Roper, Hugh (1966), *The Rise of Christian Europe*, London, HBJ College & School Division.

Were, Gideon S. (1967), *A History of the Abaluyia of Western Kenya 1500-1930*, Nairobi, East African Publishing House.

Wilks, Ivor (1982), "Review: UNESCO General History of Africa, Volume I: Methodology and African Prehistory by J. Ki-Zerbo; UNESCO General History of Africa, Volume II: Ancient Civilizations of Africa by G. Mokhtar", *International Journal of African Historical Studies*, 15-2, Boston University African Studies Center.

問題群 | *Inquiry*

問題群 | *Inquiry*

狩猟採集民の世界

寺嶋秀明

はじめに

狩猟採集民と呼ばれる人たちがいる。日々の食料を森やサバンナの自然から狩猟や採集という手段によって直接手に入れて生きる人たちである。現代人（ホモ・サピエンス）の誕生はおよそ二〇万―三〇万年前と推定されているが、人はそのほとんどの期間を狩猟採集によって生きてきた。農耕や家畜によって食料を生産する生活が始まったのはせいぜい一万年前のことにすぎない。現在では狩猟採集民はごく少数となっている。またその暮らしも一万年前とは大きく異なる。そのもっとも大きなちがいは彼らの周囲のほとんどすべての人間が「非」狩猟採集民になってしまったという点である。現在の狩猟採集民はそれら大多数の非狩猟採集民と日々接触をもちながら生きている。これまで狩猟採集以外の生活に変わる機会はあったはずだが、なぜその選択をしなかったのだろうか。大きな謎である。

狩猟採集民の本格的な研究は二〇世紀のなかばをすぎてようやく始まったが、その時点で狩猟採集民は全人口のわずか〇・〇一％程度にすぎなくなっていた。そのような激動の歴史を生きてきた狩猟採集民の生活や社会の研究はたんなる過去への郷愁だけではすまない。現代の都会に生きる人もみな、狩猟採集民として生きた膨大な時間に生み出された身体的ならびに文化的ＤＮＡの多くを共有している。それゆえ私たちは彼らのシンプルだがしなやかで耐久性に富んだ生き方に共鳴するものを感ずるのだろう。現代人は物質的進歩や経済発展と引き換えに、そういった狩猟採集時代のＤＮＡの価値を見失ってきたように思われる。いま地球規模の環境問題などで大きな危機に直面している人類であるが、狩猟採集の時代に培われたみずからの原点を見つめ直すよい機会かもしれない。

狩猟採集民にかぎらずおよそ二〇〇年前まではアフリカ大陸のほとんどは文字なき世界であった。そのような世界の歴史研究において有力な道具となってきたのは、言語学・考古学・人類学・民族学などであったが、それは非常に困難な課題でもあった。しかしここ数十年のうちに急速な発展をとげてきた研究分野が局面を大きく変えつつある。遺伝子レベルでの進化をとり扱う分子遺伝学である。人間の体を形成している細胞の核内にあるＤＮＡは親から子へと伝えられる遺伝を司っている。ＤＮＡに含まれる遺伝情報の全体を指してゲノムと呼ぶが、人のゲノムは約三〇億の塩基対からなり、そこには遠い祖先の歴史の断片も書き込まれている。ゲノム研究の進展によって、地球上の現代人すべてのルーツがアフリカにあることや、遠い昔におけるネアンデルタール人とホモ・サピエンス（以下サピエンス）との混血なども明らかになった。いまや三〇億対ものヒトゲノムの塩基配列すべてが解読され、さまざまな分野での応用が急速に広がっている。

考古学や人類学ではＤＮＡ解析を用いることによって、集団の移住の歴史や人口推移、異集団間の混血などを知ることができるようになり、遠い昔の人類史の解明に大いに役立っている。分子遺伝学者のデイヴィッド・ライク（Reich 2018）は、現生人類が異集団間の複雑な混血によってできていることは明らかであり、いままでわれわれが漠然と思い描いていた枝分かれのイメージによる人類進化や分化などは、むしろ非現実的想像にすぎなかったと断言している。多くの人間集団につきまとって重い負の歴史をもたらしてきた「純粋な集団」という幻想も、人類全員が持ちあわせているＤＮＡという巨大な証拠の前には跡形もなくなった。ゲノム科学がもたらした大きな社会的成果である。

一方、ゲノム研究は万能ではないことも明らかだ。過去の人間集団の動態研究では使用データの質や量、解析方法のちがいなどによって、さまざまな研究グループから次々と新しい見取り図が提出されており、かえって道に迷うような状況も生まれている。文字なき過去の解明にはゲノム研究とあわせて従来の考古学、人類学、言語学、民族学などとの綿密な突きあわせや検証が欠かせないことは確かである。

一、アフリカの自然と狩猟採集民――多様性の世界

アフリカの特徴をもっともよく示す単語を一つ選ぶとしたら、多様性はその有力候補にちがいない。自然界の多様性、人々の身体的・遺伝的多様性、言語の多様性、社会・文化の多様性、近代文明との接点の多様性など、多様性の見本市をなしている。アフリカは地球上のどこよりも早く人類が登場し、途方もなく長い進化の道中、数多くの逆境に直面しながらも今日まで生き抜いてきた大陸である。その結果としての多様性である。本節ではそれを念頭に、アフリカの狩猟採集民をめぐる自然と歴史のアウトラインを示す。

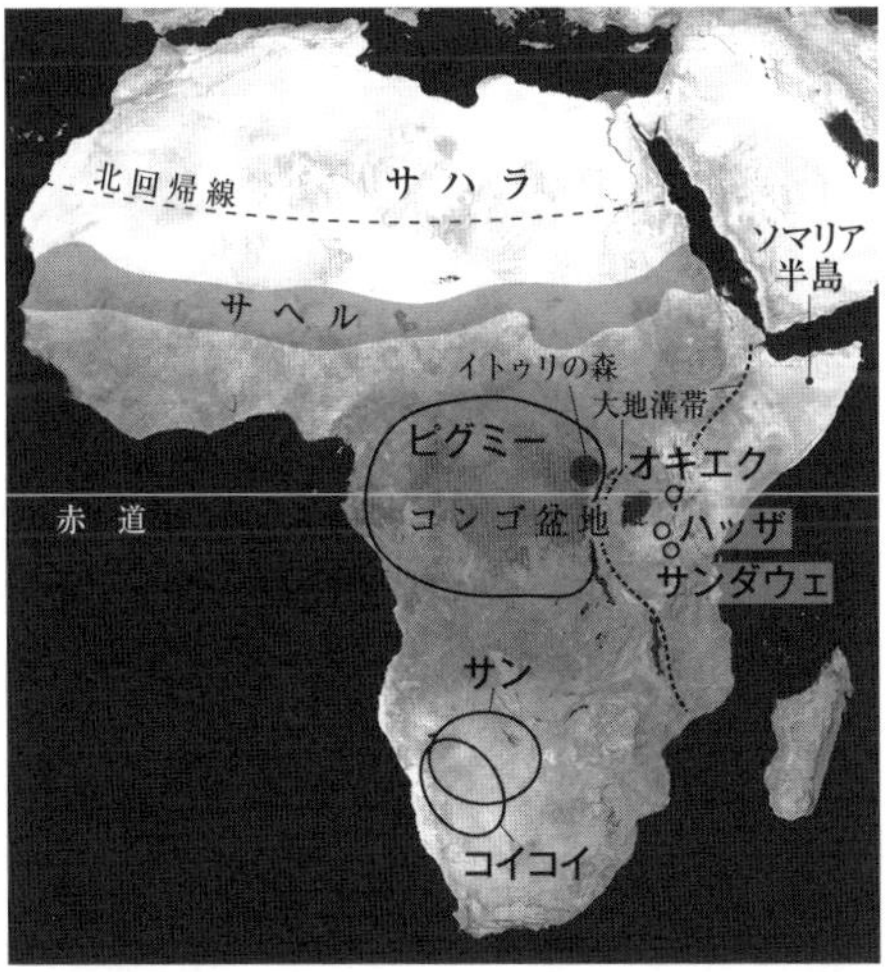

乾燥・湿潤の大地と狩猟採集民

人工衛星から撮影されたアフリカ大陸[図1]を見ると、赤道の南北で地表のようすがほぼ対称的になっていることがわかる。降雨量などにともなう植物相のちがいを映したものである。大陸上部の広大な薄

いグレーの地域がサハラ（砂漠）、およびその南縁部のサヘル（岸辺）と呼ばれる乾燥地帯である。砂漠は「アフリカの角《つの》」と呼ばれるソマリア半島やアフリカ西南部にも出現する。アフリカの中央部、赤道をはさんだ上下の濃いグレーの地域には巨木の林立する熱帯雨林が広がる。その南方や東方には日本の雑木林のように日差しや風の通るウッドランド（乾燥疎開林）やさらに樹木の少ないサバンナが続く。

地質学で更新世と呼ばれる時代（二五八万―一万年前）の地球は激しい気候変動を繰り返してきた。その最後の八〇万年間、ほぼ一〇万年サイクルで氷期と間氷期が訪れている。いまから二万年前をはさんだ数千年間は最終氷期最盛期（Last Glacial Maximum, 以下LGM）と呼ばれ、もっとも寒さの厳しかった時期である。北半球では大規模な氷河が発達し、アフリカでは激しい乾燥化が進んだ。その結果サハラの南縁は現在よりも数百キロメートルも南下し、赤道直下の熱帯雨林の大部分がウッドランドやサバンナとなった。そして大海に浮かぶ島々のように残った熱帯雨林は、ゴリラなど森林性動物の避難場所（レフュージ・フォレスト）になった。この厳しい環境のもとで人類もその人口をかなり減らしたが、小型石刃《せきじん》などの細石器《さいせっき》を特徴とする高度な石器製作技術をもってその危機を乗り越え、その後アフリカ大陸の隅々にまで分布を広げることになった。

なお、アフリカでは最古の礫石器《れきせっき》の出現以来、およそ二五〇万年にわたって石器文化が存続・発展してきた。前期石器時代（約二五〇万―三〇万年前）、中期石器時代（約三〇万―四、五万年前）、後期石器時代（約四、五万年―数千年前）の三期に分かれるが境界は明瞭ではない。細石器は中期石器時代末から後期石器時代にかけて各地で作られた。

緑のサハラの狩猟採集民

最終氷期のあと完新世（現世）に入ると一転して温暖湿潤な気候となった。熱帯雨林は急速に回復し、およそ一万年から八〇〇〇年前頃には最大規模にまで拡大した。一方、サハラは縮小し、その南限は北回帰線あたりまで北上した。

それまで砂に覆われていたサハラ南部はサバンナとなり、そこには大小多数の湖水が現れた。「緑のサハラ」と呼ばれる時代である。後期石器時代末の人類はそこで漁撈《ぎょろう》や狩猟採集の生活を送った。採集した野生の穀類(トウジンビエやモロコシの祖先種)は土器で炊いて食べていた。

四五〇〇年前以降、サハラではふたたび乾燥化が進み、西アジア方面からエジプトやエチオピア経由で入ってきたヤギ、ヒツジ、ウシなどの牧畜が広がった。乾燥化がいっそう進んだころにはラクダの牧畜もはじまった。サハラ各地に残されている無数の岩絵にはこの時代の人々の暮らしがみごとに描写されている(門村 二〇〇五)。

サヘルはサハラの南縁に接して、大西洋岸から紅海まで大陸を横ぎる数百キロメートル幅の灌木《かんぼく》と草原の帯である。降雨量はサハラに接したところで年間二〇〇ミリほどで、南へ下るほど多くなる。ここは砂漠とサバンナとの移行ゾーンであり、およそ八世紀から一七世紀にかけてガーナ王国、マリ王国、ソンガイ帝国といった国家がつぎつぎと生まれ、地中海沿岸地域とサブサハラ(サハラ以南の地)との交易の要衝として栄えた。古代においては、サヘルは東西両方向への民族移動の回廊であったことがDNA研究によって判明している(Tishkoff et al. 2009)。

熱帯雨林の狩猟採集民——ピグミー

アフリカ大陸中心部に位置するコンゴ盆地は、全長約四七〇〇キロメートル、流域面積およそ三七〇万平方キロメートルにおよぶコンゴ川の潤す大森林地帯である。巨木が天蓋をおおい昼なお暗く、ヨーロッパ人にとっては人を寄せ付けない始原の世界であった。一九世紀のポーランドに生まれ、船乗りとしてコンゴ川を遡上した経験を有する作家、ジョゼフ・コンラッドの神秘的小説『闇の奥』の世界であり、通称「ピグミー」と呼ばれる小柄な人々の住むところである。ピグミーは二十あまりの集団に分かれ、それぞれ固有の民族名をもつ。また一般名としてトゥワ、チュワ、ムブティ(複数形は語頭に「バ」をつけ、バトゥワ、バチュワ、バンブティ)などがある。

現在のピグミー人口はアフリカ全体でおよそ二〇万―三〇万人と推測されている。大雑把な数値であるが世界でもっとも人口の多い狩猟採集民だろう。分布はコンゴ盆地からその周辺のウッドランドやサバンナを含めておよそ一〇カ国にまたがるが、大きく見ると西と東に分けられる。西はカメルーン、中央アフリカ共和国、コンゴ共和国、ガボン、コンゴ民主共和国(西部)、東はコンゴ民主共和国(東部)、ウガンダ、ルワンダ、ブルンジなどである。現在ピグミーが用いている言語は彼ら固有の言語ではなく、近隣農耕民の言語とほぼ同じものである。各地のピグミー集団は身体的・文化的に共通するところが多いが、今日では農耕を始めたり、町で暮らすピグミーもいて、生活のあり方は一様ではない。

DNA解析によるとピグミーが独自の集団として成立した時期はおよそ五万―一〇万年前、西と東への分離は二万―三万年前とされる(Verdu et al. 2009 など)。現在のピグミー集団の分布とLGMのレフュージ・フォレストの分布とは重なるところがあり、LGMにおける森林の乾燥化と分断化が東西ピグミーの分離要因であったとの推測がある。

ピグミーの身体的特徴

「ピグミー」とはギリシャ語で肘からこぶしまでの長さを示す単位であった。東南アジアやオセアニアの熱帯雨林にもピグミーと呼ばれる集団がいる。ピグミーが小柄な理由についてはいろいろな意見があるがよく取りあげられるのは森林への適応説である。サバンナのアフリカゾウと森林のマルミミゾウ(アフリカゾウの亜種)を比べると後者はかなり小さい。生物学者で文明評論家のジャレド・ダイアモンドはニューギニアの森で現地のピグミーとともに行動したときの経験から、大きくてかさばる身体の不利を訴えている(Diamond 1991)。しかしなぜ小さいと森に適応的なのか生理学的な説明はできなかった。それでも最近、低身長をもたらす遺伝子が森での生存を有利にする他の遺伝子群と連動して遺伝している可能性などがDNA研究から判明してきている(Jarvice et al. 2012 など)。

多くの書籍では男子の平均身長が一五〇センチメートル以下といった記述を目にするが、一五〇といった数値に科学的な意味はない。また、民族集団を背の高低で定義しようとすること自体ナンセンスだろう。ピグミーの低身長がことさら話題にされるのは全人類を身長順に並べるとその一番端に位置するからである。人類学では近年「人種」という概念の妥当性も疑問視されている。そこで、欧米の科学論文ではピグミーを指して「森の狩猟採集民」といった婉曲表現が使われることが増えている。しかし森林で狩猟採集活動をするのはピグミーに限らないし、ピグミーはみな森林で狩猟採集をしているわけでもない。本章では一般名が必要な時には、通称のピグミーを使うことにしたい。

熱帯雨林の考古学

熱帯雨林の先住民をめぐって一九八〇年代に一つの論争が起こった。それまで熱帯雨林での考古学的研究は自然条件や地域紛争による発掘調査の制約などできわめて遅れていたが、ピグミーが森の先住民であることが疑われることはなかった。しかしこれまでの人類学的調査の結果、現在のピグミーはその食物の多くを農耕民の畑の農作物に依存していることが明らかになった。そこで研究者の一部から「熱帯雨林には人に適した食物資源が乏しく、狩猟採集民が森で単独に生活するのは困難である。彼らは農耕民が森に到来した後、森に住み着いたのではないか」との主張が提出されたのである(Bailey and Headland 1991 など)。

近年ようやくコンゴ盆地における農耕開始以前の狩猟採集民の存在に関した考古学分野の証拠が増えてきた。エルス・コルネリッセン(Cornelissen 2002)は、アフリカ中央部における四万ー一万二〇〇〇年前の全遺跡の物質文化、環境条件、利用状況を調査し、森林環境での狩猟採集に適応した中期ー後期石器時代に属するルペンバン石器文化と細石器文化が広く存在していたことを明らかにした。またLGMにおける森林の分断・縮小、ならびに森林とサバンナの移行帯の増大といった環境変化が人類の森林居住を促進した可能性を指摘している。ニコラス・テイラー(Taylor

2011; 2016)も中期石器時代のかなり古い時期からコンゴ盆地で人類が活動していたことを強調している。ユリオ・メルカデル(Mercader 2000)は、東部ピグミーの拠点の一つであるコンゴ盆地北東端イトゥリの森[図1]で一二カ所の岩陰遺跡《ロック・シェルター》(風雨を避けるため大きな岩の陰や洞窟の入り口などを利用した居住空間)を調査し、そのうち五カ所が一万年以上昔のものであり、最古のものはおよそ一万八〇〇〇年前であったと報告している。

　生態人類学の研究では、カメルーン南部のバカ・ピグミーに関して、森林内の野生ヤムイモの分布と利用に関する実証的研究が進められ、十分なデンプン資源などが確保できることが明らかにされた(佐藤ほか 二〇〇六)。さらに安岡宏和(二〇一一)は農作物に一切頼らない森での生活について報告している。乾季の二月―四月の約二カ月間、バカの一つの集落のほとんど全員(一〇〇人前後)が、遠く離れた森まで遠征し、そこで日々入手するヤムイモや獣肉、魚、蜂蜜などだけで暮らすのである。このような生活は「モロンゴ」と呼ばれている。

　一口に熱帯雨林と言っても子細に見ればさまざまな自然環境が存在する。雨季に強い風が吹くと倒木が生じ、緑の天井にぽっかりと穴があき、日がふりそそぐ。いったん人が住み着けばその周囲が風通しのよい二次林に変化する。そのような場所はそれを好むヤムイモなどの繁殖地となる。熱帯雨林の環境問題に詳しい市川光雄(二〇一二)によれば、人が積極的に森を利用することによって豊かで多様性に富んだ森が創出されるのだ。

　歴史的にピグミーが他の人類集団と分離したとき、彼らが熱帯雨林の住民だったかどうか、また古代の森の民と現在のピグミーとの直接的つながりを示すようなデータはまだない。しかし熱帯雨林には、農耕民が進出するはるか昔から狩猟採集で生活する人々が暮らしてきたことは確かであり、ピグミーの祖先たちもそれに含まれることはまちがいない。

狩猟採集民の生態と社会

ここでピグミーをはじめ多くのアフリカ狩猟採集民に共通する特徴を簡単にまとめておこう。狩猟採集民の生活集団は血縁や婚姻などの絆で結ばれた数家族から十数家族ほどの人々で構成されており、人類学ではそれを「バンド」と呼ぶ。バンドは日頃よく利用する地域(一般にテリトリーと呼ばれるが必ずしも排他的ではない)を有し、自然界の食物事情に応じておおむね数週間ごとに居住地(キャンプ)を移しながら生活する。バンドのメンバーは狩猟採集の季節変化などに対応して流動的であり、人の出入りもよくある。数十家族もの大きなバンドになることもあれば、数家族ずつ分散することもある。

食糧の調達では男は獣肉を求めての狩猟、女はイモやナッツ、果実などの採集といった分業がふつうである。肉はもっとも好まれる食物だが、狩猟の成果は不安定で、これといった獲物もなくキャンプに戻ることも少なくない。一方採集では必ずなにかを入手できる。狩猟と採集がきちんと組み合わさって安定した生活がなりたつ。男女の分業も排他的なものではない。女も参加する狩猟や、小川を堰き止めて魚をとる女だけの漁もある。男もナッツやイモの採集を手伝ったり、子守に励む。アフリカの狩猟採集民ではほとんどが一夫一妻婚である。結婚後、妻方に居住することもよくある。

バンド生活でもっとも大切なのが食物の分配(シェアリング)である。獣肉や蜂蜜などは獲得した者の家族や友人だけではなく、バンド全体に分配がなされる。分配するだけの量がないときは個人や家族だけで食べても許されるが、分けられるときは必ず分けなければならない。満腹するときも空腹のときもみな一緒ということが大切なのである。

バンド内の社会関係の根本には平等主義(エガリタリアニズム)と個人や家族の自立(オートノミー)の尊重がある。バンドには元来リーダーとして指揮をとる人はいない。ただし現在は、行政上の理由でだれか一人が名目的に代表とされることが多い。バンドのメンバーは老若男女を問わず平等な立場で発言し、そこでの合意が尊重されるが、個人としてちがう行動をとることも許される。他人を強制するような言動はもっとも嫌われる。

バンド内での対立や争いもときには生ずる。その場合もっとも手軽で有効な解決方法は、争いの一方がバンドを離れることである。ほとぼりがさめた頃にまた戻って来ればよい。

いくつかのバンドが合体や分散を繰り返しながら、相互の独立と連携を保ち、ゆるやかな地域社会を形成している。バンド間にも優劣はない。このように平等で柔軟な社会のあり方がアフリカだけではなく、世界各地の狩猟採集社会で広く認められることは注目に値する。

ピグミー以外の森の住民

現在森林地帯の人口の大多数を占めているのは農耕民である。とくにバントゥ系言語を用いる人々(以下バントゥと略記)が圧倒的に多い。バントゥの祖先は現在のカメルーン北東部とナイジェリアとの国境付近に居住していたが、五〇〇〇―四〇〇〇年前頃から森林内への南下をはじめ、紀元前後には大西洋岸から東アフリカの大湖地域にまで進出し、一七世紀には南アフリカの最南端まで達した。「バントゥ・エクスパンション」と呼ばれるこの移動は、アフリカの民族地図・言語地図を大きく塗り替えた。アフリカ史のなかでもっとも注目されてきた出来事の一つである。しかしその具体的経路や各地への到達時期などについては、いまだに不明の部分が多い。ひとつ確かなのは、バントゥは移住した先々で狩猟採集民や牧畜民、あるいは農耕民と接触し、交流し、拡大してきたことである。現在バントゥ語族に含まれる言語は五〇〇前後にもなり、話者の総人口はアフリカ全体の三分の一に近い(Vansina 1990, 1995)。

コンゴ盆地北東部ではバントゥの他にも、セントラル・スーダニックに属する言語を用いるマンヴやレッセ(バレッセ)と呼ばれる農耕民が北のサバンナ地帯から南下し、ピグミーと共住の歴史を築いてきた。それら農耕民の進出は先住者ピグミーの生活に大きな変化をもたらした。DNA解析によってすべてのピグミー集団と周囲の農耕民集団との間に混血があったことが判明している(Verdu et al. 2009 など)。ピグミーと農耕民との関係は一様ではないが、経済的、社会的、そして精神的な領域までをカバーした長期にわたる関係をもつところが多い。また近代における彼らの関係は、アフリカ以外の国々も含んだ外部世界から強い影響を受けてきた。そういった両者の関係史については第二節でより詳しく取り上げたい。

東アフリカ――サバンナの狩猟採集民

熱帯雨林の東縁をなすのが「グレートリフトバレー」と呼ばれるアフリカ大地溝帯である［図1］。総延長約七〇〇〇キロメートル、南北に山岳、渓谷、湖沼が連なった、中央アフリカと東アフリカを分かつ大地の裂け目である。人類黎明期のアルディピテクス猿人(およそ六〇〇万年前―)やアウストラロピテクス猿人(およそ四〇〇万年前―)、ホモ・エレクトゥス原人(およそ二五〇万年前―)、初期サピエンスなどの重要化石人類が多数発見されてきた人類のゆりかごである。グレートリフトバレーの東はアカシアなどの低木や灌木を交えたサバンナや草原が広がる。

紀元前一〇〇〇年頃の東アフリカには現在のハッザ(次頁)によく似た狩猟採集民が広い範囲に住んでいたようだ。そこへ紀元前五〇〇年頃、ソマリア半島やエチオピア方面からアフロアジア大語族に属するクシ系言語を話す牧畜民が進出し、また、紀元五〇〇年頃にバントゥ系の移民が鉄の農具とともに到来した。彼らによって家畜と農耕が東アフリカに持ち込まれ、先住の多くの狩猟採集民が牧畜や農耕へと転じた。しかし二〇世紀のなかばまで狩猟採集生活を維持してきた人々もいた(Marlowe 2010)。

その一つ、ケニアのオキエク(別称ドロボ、マサイ語で「ウシをもたない人」の意)は、ケニア中央部のグレートリフトバレーに隣接した標高一八〇〇―二八〇〇メートルの山地斜面に住み、蜂蜜の採集と動物の狩猟および工芸に長けた人々であった。彼らは斜面を高度によって五つのゾーンにわけ、それぞれ蜜源となる花の開花時期や狩猟動物の種類にあわせて、狩猟採集活動を組み立てていた。しかし一九七〇―八〇年代、独立後のケニア政府によって従来の慣習的な土地利用の強制的改変があり、それまでオキエクが独占的に利用してきた土地が野生動物保護区に指定されたり、他民族による所有も許可されたりして、オキエクの自由な狩猟採集が困難になってしまった。オキエクの人口は推定四万人ていどとされるが、今日その多くは農耕、牧畜、賃労働などにも頼りながら暮らしている(Kratz 1999)。

東アフリカでもっとも知名度の高い狩猟採集民はタンザニアのエヤシ湖周辺に住むハッザだろう。一九六〇年代から人類学的調査が継続しておこなわれ、日本のテレビでもよく放映される。彼らは中期−後期石器時代から現在のサバンナで暮らしてきたようだ。この一〇〇年間、自然災害や他民族による略奪をたびたび経験し、現在の人口はエヤシ湖の西に二五〇−三〇〇人、東に七〇〇−七五〇人ほどである。ツーリストガイド、野生動物のスカウトや動物管理局の仕事をしたり、農耕民の畑の見張りなど、狩猟採集以外の手段を取り入れて生きている者が少なくないが、東部の三〇〇−四〇〇人はいまだ狩猟採集のみで生活しているという。本格的な農耕や牧畜に従事している者はほとんどいないようだ。ここでも大きな問題は、従来のハッザの居住地域に多くの他民族(農耕民や牧畜民)が流入し、ハッザの狩猟採集活動の障害となっていることである(Marlowe 2010; Blurton Jones 2016)。

ハッザの狩猟は強力な弓矢が主体だがスカベンジング(死肉あさり)と呼ばれる手段も注目に値する。夜中、原野で獲物を仕留めたライオンの咆哮が村まで届くと、翌朝ハッザはただちに現場に駆けつけ、機を見てライオンから食べ残しの獲物を横取りするのである。ヒョウなどが仕留めた獲物も対象となる。ハッザが入手する中−大型動物の約二〇%がスカベンジングによるものだったという報告もある(O'Connell et al. 1988)。これはホモ・エレクトゥスなどの化石人類時代にも大いに活用された狩猟法と考えられ、興味深い。

ハッザの居住地から一五〇キロメートルほど南方にサンダウェと呼ばれる元狩猟採集民が居住する。現在はほとんどが農耕に従事し、人口は約四万−五万人とハッザよりも圧倒的に多い。ハッザ語とサンダウェ語は舌を使って打ち出す「クリック」と呼ばれる音を多用する。クリック音はアフリカ南部の狩猟採集民サンおよび遺伝的にはサンと同系統であるが牧畜を生業としているコイコイの言語の特徴でもある。そこで四者まとめてコイサン諸語とされている。これらの民族は人類のもっとも古いミトコンドリアDNAのL〇系統を共有し、過去にはアフリカ南部から東部に広く分布していたとされる。ただし最近の遺伝学的研究では北方グループ(ハッザとサンダウェ)と南方グループ(サンとコイコイ)との近縁性は強くなく、それぞれかなり古くから独立していたらしい(Tishkoff et al. 2009; Hollfelder et al. 2021)。

南部アフリカ――乾燥した原野の狩猟採集民、サン

先に述べたように熱帯雨林の南方には「ウッドランド」と呼ばれる開放的な植生帯が広がる。さらに進むと草原が卓越したサバンナやステップとなり、カラハリ砂漠やナミブ砂漠が出現する。この乾燥した地域一帯で古くから狩猟採集民として生きてきたのがサンと呼ばれる人々である。サンはピグミーとならんでこれまでもっとも多くの研究者によって調査されてきた狩猟採集民である。

かつてアフリカの南部から東南部にも広く分布していたサンやコイコイの祖先は、紀元前五〇〇年頃から、ヴィクトリア湖周辺からのバントゥ移住の波に押され、南方への移動をよぎなくされた。一方、大陸の西部ではやはり熱帯雨林から南下してきたバントゥによる圧迫があった。さらに一七世紀にはアフリカ南端部へ到来したオランダ系入植者による侵略と迫害を受けて故郷を追われ、他民族への吸収もしくは絶滅という過酷な運命に苛まれた。その結果、二〇世紀なかばにはボツワナとナミビアにまたがるカラハリ砂漠にかろうじて少数の人々が生きのびてきたのである。現在サンは主としてナミビア、ボツワナ、南アフリカに分布している。全人口はおよそ一〇万人と推測されているが、大部分は土地を奪われ、移住してきたヨーロッパ系住民やバントゥになかば従属する生活を送っており、伝統的な狩猟採集人口はわずかに五〇〇〇人ばかりになっている(田中 二〇一七)。

テレビのドキュメンタリー番組などで「砂漠の狩猟民」と紹介されてきたサンだが、実際のカラハリは草や灌木におおわれた砂の大地である。多彩な動物が生息し、男は罠猟や毒矢猟、追い詰め猟、あるいは現在では馬を用いた猟をする。仕留めた獲物はキャンプに持ち帰り、各家に分配される。女は植物の根茎やイモ類、ナッツ類、そして水がわりになる野生メロンなどの採集を担う。たいへん厳しい環境だが家族の生計を担う人々が日々食料確保に費やす時間は、途中の休息時間なども含めて七時間以下であった(田中 一九七一)。

サンは外来勢力の迫害によって一年のうち数カ月しか地表水の得られない土地など、極限的な環境に追いやられたがそこでみごとに生き抜いてきた。その適応力と生命力には驚くべきものがある。それを支えていたのは食物のシェアリングと助け合い、柔軟で平等性を大切にした社会関係であり、キャンプにはいつも歌やダンス、ゲーム、遊び、昔話やたわいのないおしゃべりなどの楽しみや笑いがあった。

そのようにカラハリ原野の一角になんとか安住の地を得たサンであるがそれも束の間、一九七〇年代から始まったボツワナ政府主導の定住化政策によって試練の時代に再突入する。それまで暮らしてきたカデ地区では合計約二〇〇名が原野に分散してそれぞれ自由に暮らしていたが、八〇年代末に定住地として指定されたコイコム地区では五〇〇―六〇〇名が常時集住して暮らすことになり、生活が根底から変わった。自由に行きたいところに行くという伝統的生活スタイルを剝奪された人々は日々大きなストレスを抱え、アルコールに溺れる者も増え、暴力沙汰も頻発するようになったのである(田中 二〇一七)。

なお、現在よく使われるサンという名称はコイコイによる呼び名である。かつての通称「ブッシュマン」は差別的な意味を含むとの判断から最近はサンがよく使われる。しかしサンもコイコイ語では「原野の人間」を意味する。一九六〇年代なかばすぎからパイオニアとしてサン研究に取り組んできた田中二郎は、今でもあえて「ブッシュマン」のままで通している。なにものにも縛られず原野(ブッシュ)で自由に生きる日々こそ彼らがもっとも大切としてきたものであり、その姿勢を讃えての「ブッシュマン」なのである。

二、ピグミーと農耕民——共存世界の歴史

ここまでアフリカ全体を俯瞰して狩猟採集民の過去や現況を簡単に紹介したが、ここからは筆者自身が調査したピグミーと農耕民との歴史的関係の変遷に焦点を当て、さらに両者と外部世界との関わりについて解説する。前節で述べたようにコンゴ盆地の熱帯雨林内に農耕民が進出するのにともない、先住のピグミーと農耕民は隣人として接するようになった。それ以来両者は植民地化や独立、近代化などの歴史的出来事をとおして外部世界の動向に大きく影響を受けながらも独自の関係を保ち続けてきた。以下の三段階——①原初の接触、②鉄器とバナナの登場、③外部世界の出現と近代化——に分けてその変遷を見ていこう。

① 原初の接触——平等な共存の始まり

バントゥ歴史学の泰斗ヤン・ファンシーナはバントゥの拡散・拡大(バントゥ・エクスパンション)をゆるやかな革命(slow revolution)と表現する。バントゥの祖先はおよそ五〇〇〇年前頃にはカメルーン北東部の高原地帯で狩猟採集生活を送っていたが人口増加もあってしだいに定住化をつよめ、土器作りおよび農耕と罠猟の技術を習得した。その後、よりよい土地を求めて南方、森の奥へと移動を始めた。当時そこには狩猟採集民や漁撈民が少人数で暮らしているだけだった。そしてその移動は大勢で一気に新天地を目指すといったものではなく、小規模な集団で行きつ戻りつを繰り返しながらの移動と拡散であった。それゆえ西アフリカから南部アフリカまで到達するのに数千年もかかったのである(Vansina 1990; 1995)。

当時のバントゥの農法はこれまでアフリカで広く実施されてきた伝統農法と似たものだったと思われる。新しい畑の場所を選び、じゃまな樹木を伐採し、草を抜き、種子や苗を植える。必要ならば火を入れ焼畑にする。施肥はせず、土地が蓄えている栄養分に頼る。したがって何年も同じ場所で耕作を続けることはできない。毎年あるいは数年ごとに新しい畑を拓く必要がある。これを何回も繰り返すと村から畑が遠くなって不便だ。そこで人々は新しい場所へと移住する。村全員が一度に移動することもあれば一部の家が先んじて移動し、そののち後続組が来ることもある。一度村を出た者が戻ってくることもある。アフリカでは狩猟採集民や牧畜民にかぎらず、農耕民も頻繁に村の移動をしながら生活することが多い(掛谷 二〇一八)。

バントゥとピグミーの最初の出会いについては推測に頼るしかないが、まったく見知らぬ人々が侵入してきたというのではなかっただろう。両者は森林の辺縁部においてすでに接触をもっていたと思われる。移住者の数もかぎられており先住のピグミーの生活に大きく影響するものではなかった。土地や資源をめぐる争いもなかった。むしろ入植者にとってはピグミーは森のスペシャリストとして頼りとなる存在だった。バントゥたちは、森の細部に通じ森を自在に歩きまわるピグミーを尊敬をこめて「われらの羅針盤」と呼んだのである(Klieman 2003)。

今でも森の農耕民の重要儀礼には、先住民であるピグミーの参加が欠かせない。とりわけ農耕民にとって土着民の手助けを必要としたのは土地の自然神との仲介である。バントゥ哲学では森の先住者は土地のさまざまな精霊や神々に通ずる。したがって、ピグミーを介してそれら超自然力を慰撫し、その加護を願うことは森で無事に生きるために不可欠だった。ある農耕民は自分たちの祖先に火、鉄、農耕などの技術や近親婚の禁止などの文化を授けたのはピグミーだったという伝承をもつ。これら多分に事実に反すると思われる伝承の存在もおもしろい。

一方、ピグミーにとっては農耕民が携えてきた土器や磨製石器などは魅力的だった。人間の気配の希薄な森の中で両者は避けあう理由も争う理由もなかった。同じ森の住民として互いに認めあい、それぞれの生産物を贈り物として交換する機会もおのずと生じたであろう。

一部の地域におけるピグミーと農耕民との混血については以前から指摘されていたが(Schebesta 1978)、最近の遺伝学的研究は熱帯雨林の全域において混血があったことを明らかにしている。ただし今日では狩猟採集民への差別意識が強まり、ピグミーと自分たちとの縁組の存在を否定する農耕民も少なくない。そこでピグミーの遺伝学的研究の先駆者カヴァリ=スフォルツァ(Cavalli-Sforza 1986)は、両者の交流がスタートした直後、社会的格差がほとんどなかった時期こそ混血がもっとも頻繁に生じたはずだと推測する。DNA解析による混血開始時期の推定は、四〇〇〇年前(Quintana-Murci 2008)あるいは一〇〇〇年前以降(Patin 2014)などと意見がかなり分かれている。

② 鉄器とバナナの登場──深まる相互関係と平等性の後退

バントゥがピグミーの住む森に来てから生じたもっとも大きな出来事が鉄器とバナナの到来だった。コンゴ盆地西部では紀元前後の数世紀の間に製鉄があちこちで始まった。東部方面ではやや遅れたが五世紀頃までにはかなり普及したようだ。鉄製の斧、ナイフ、鏃《やじり》、槍などが作られ、農作業や狩猟採集の効率は大きく向上した。ピグミーは懇意の農耕民を通してそれらを入手したので、農耕民の立場はしだいに強まった。

鉄以上に強い影響を与えたのが主食としてのバナナの登場であった。東南アジア原産のバナナの到来時期は不明の点が多いが、紀元一〇〇〇年の前後あたりには赤道アフリカに広まったと思われる(Power et al. 2019)。バナナは熱帯雨林の農耕にうってつけの作物である。在来作物のヤムイモと異なり、植え付けのために森林を皆伐する必要がない。収穫や調理も簡単だ。単位面積の収量はヤムイモの一〇倍以上と言われる。除草など日頃の世話もほとんどいらない。運搬が容易で保存がきく。森の中で遊動生活を送るピグミーにとってもきわめて魅力的な作物であった。

鉄器とバナナのおかげで農耕民は余剰作物をピグミーとの交換にまわせるようになった。一方ピグミーは狩猟による肉や蜂蜜採集などに注力し、それとの交換に農耕民からバナナなどの食物を手に入れることが多くなった。ここにおいて農作物と森の産物との交換がかなり定常的にはじまったと思われる。ただしそれは一定の交換レートに基づくマーケット的交換ではなく、ふだんの社会関係を基盤にした相互的贈与(扶助)といった性格が強いものだっただろう。

農耕民の経済力の向上は相対的にピグミーの地位の低下をもたらしたが、両者ともに自給自足の生活基盤をもつかぎりは、その影響はかなり限定的だった。この時期でも農耕民はせいぜい数十人程度の村を拠点とし、しかるべき期間ごとに村を移動させる暮らしだった。懇意にしていたピグミーの集団がそれに同行することもあった。ピグミーと農耕民はそれぞれ独立を保ちながらも、親密な交流を深めていったと思われる。

③ 外部世界の出現と近代化——混迷の果て

一九世紀なかば以降、奴隷や象牙、ゴムなどを求める外部勢力の進出とヨーロッパ列強による植民地化競争が激しくなり、森の世界は大きく変わる。ここからはコンゴ盆地の北東端に位置するイトゥリの森[図1]を中心に話を進める(寺嶋 一九九七、同 二〇〇二)。

イトゥリの北東部ではセントラル・スーダニック語族のレッセ農耕民がおよそ四〇〇〇―五〇〇〇年前に北方サバンナから南下し、エフェ・ピグミーと共存してきた。またバントゥ系農耕民も一説にはおよそ二〇〇〇年の昔からイトゥリの南部や西部でムブティ・ピグミーと共存してきた(Bailey 1991)。そこへ一九世紀のなかばすぎ、「バングワナ」と呼ばれるアラブ系商人が南方から銃を携えてイトゥリに出現し、象牙や奴隷の取引をはじめた。バングワナは武力、経済力、イスラムの力によって在来農耕民の上に立ち、ただちにイトゥリ全域を支配下においた。ピグミーは当時から象狩りの勇者として名を馳せていたが、象牙を求める商人たちはまず村の有力者と話をし、その村人が懇意のピグミーを猟に送り出した。ピグミーが首尾よく象牙を入手すると、ピグミーにはその報酬として塩、鉄製品、布地などが与えられた。象の肉は近隣のピグミーと村人で消費された。象狩りは以前からおこなわれていたが、鉄の槍と象牙商人の出現によってピグミーや村人の意欲も高まった。一方、バングワナをはじめ外部世界との交渉は村人がすべて掌握し、社会的局面におけるピグミーの立場は村人よりもかなり弱いものとなった。

一八八五年、ベルギー国王のレオポルド二世の私領であったコンゴ自由国が公に認知され、バングワナの支配は終わる。しかしそのコンゴ自由国は野生ゴム採集をめぐる非人道的行為のために世界から激しい非難を浴びてほどなく崩壊し、一九〇八年、コンゴはあらためてベルギーの植民地となる。ベルギー領コンゴの植民地政府は一九三〇—四〇年代、産業振興のために森を貫通する自動車道路を建設した。そして森の中で暮らしていた農耕民を自動車道路沿いに強制移住させて工事にあたらせ、また輸出用の作物栽培を強要した。農耕民はそれらのノルマ達成に手一杯となり、自給用作物の栽培などは懇意にしていたピグミーの労働力に多くを頼るようになった。自動車道路沿いの生活は農耕民にもピグミーにも不自由であった。農耕民は耕地を自由に拓くことができず、ピグミーは居住地近隣での狩猟採集が困難になった。また政府はピグミーを農耕民よりも一段未開な人間と見なして農耕民に権力を集中させ、プランテーション開墾などへのピグミーの徴用も許した。こうした政策によっても差別意識が強められた(Wilkie and Curran 1993)。

一九六〇年、コンゴはベルギーから独立したが、その直後から国内政治勢力間の対立に東西冷戦の覇権争いもからんで、国中を巻き込んだ激しい内戦(コンゴ動乱)が勃発した。一九六五年一一月、国軍司令官のモブツが政権を奪取して大統領に就任し、ようやく一応の収拾を見た。しかしその動乱の最中、コンゴの東部一帯においてシンバ兵と呼ばれる反政府派勢力による大規模な抗争も発生し、イトゥリの森もシンバ兵に蹂躙《じゅうりん》される事態となった。筆者の調査地アンディーリ村でも、命の危険に晒されたレッセは畑と村を捨てて懇意にしていたエフェとともに森の奥に隠れ、彼らの世話を受けながら平穏が訪れるのをじっと待った。二年間も森にひそんだ人もいたという。森の奥は森の民の最後の隠れ家だったのである。

モブツが大統領に就任して政情はようやく安定するかに見えた。一九七〇年代に入るとモブツ大統領は新しい国づくりとして国名をコンゴ民主共和国からザイール共和国へ改め、脱欧米のザイール化政策を掲げて外国資本の排除などを強権的に推し進めた。しかしそれはすぐに破綻する。一九八〇年代には経済は大きく衰退し、地方の道路や橋などのインフラは崩れゆくままになり、農村は疲弊した。一九九一年、ソヴィエト連邦の解体と冷戦の終結をもって西側諸国は独裁的なモブツ政権と手を切り、さまざまな援助も途絶え、政権運営は完全に行き詰まった。一九九六年には大規模な反モブツ武装勢力の蜂起があり、翌年五月には三十余年の独裁を続けたモブツ政権はとうとう崩壊した。

その後も今に至るまで深刻な経済危機とともに民族対立もからんだ国内の政情不安、暴力抗争などが後を絶たない。アンディーリ村でも騒乱の余波が及ぶたびにレッセは家族単位で森の中の畑周辺に住居を移し、懇意のピグミーが森のキャンプからそこをしばしば訪れるような生活を送っていたという(澤田 二〇一〇)。なおこの時期の政治的な動きなどについて詳しくは本巻第六章武内論文を参照されたい。

三、エフェ・ピグミーと農耕民レッセ――しなやかな共生

植民地化以降、激動の近代史は農耕民とピグミーの生活に大きな困難をもたらしたが、両者の関係は断絶には向かわなかったし、ピグミーの農耕民への隷属化にも至らなかった。さまざまな危機を経ながらも交流は森の世界で続いてきた。狩猟採集民と農耕民の関係は一般に主従関係を基盤とした「パトロン−クライアント関係」と見なされることが多い。しかし、社会的格差によって色付けられた表層とその裏側の日常的文脈ではその実相はかなり異なる。

第一のポイントはエフェとレッセが長い時間の中で練り上げてきた個人と個人、家と家とを結びつける仕組みであ

る。特定のエフェとレッセのあいだには、「エフェ・マイア」(私のエフェ)、「ムト・マイア」(私の村人)と呼びあう関係がある。簡単に言えば、相手を同じ家族のように見なしてつきあうというものであり、人類学では擬制的親族関係と呼ばれている。親がそういった関係にあると子どもたちもそれを継承する。エフェは村の近くのキャンプに居住しているときは頻繁にムトの村を訪れて家事を手伝ったり、子どもたちは一緒に遊ぶ。年頃になると双方の男子は割礼、女子は成女儀礼を一緒に受け、兄弟あるいは姉妹としての生涯の絆を固める。カメルーンのピグミーと農耕民の間でも同様の関係が報告されている(Joiris 2003)。

エフェとムトは互いに必要とするものを与え、助けあう。エフェは肉や蜂蜜、薬草などをムトにもたらし、畑の手伝いもする。エフェの踊りや歌は村の重要な儀礼に欠かせない。ムトはエフェに農作物や衣類を無償で供与し、エフェが対外的に困ったときには可能な限り庇護する。エフェの男が結婚するときには、必要となる嫁方への婚資(結婚の代償)の支払いをムトが肩代わりすることもある。するとその夫婦の長女はムトの養女となり、村で育てられる。やがて彼女が村の男と結婚するとムトがその婚資を受け取る。世代をまたぐ婚資の循環である。

ミツバチが巣に蜜を溜め込むハニーシーズンには、ムトとエフェの両家族が森の中で数週間ほど一緒にキャンプ生活を送ることもある。ムトは「これは俺たちのバカンスだ」と説明する。蜂蜜の採集が主目的ではあるが、ムトにとっては、気が置けないエフェの家族と森の中に蟄居《ちっきょ》し、村のさまざまな喧騒から逃れるという意味ももつのである。

エフェとムトの関係は実際にはさまざまである。うまくいっている関係もあれば、自分のエフェは役立たずだと嘆くムトも少なくない。しかし、ムトによるエフェの非難や、力ずくの隷属化が成果をあげることはない。エフェはムトの命令を直接拒否することはめったにないが、結果としてそれに従わないことはよくある。ムトはエフェが森から出てくるのを待つしかないが、エフェは気が向かなければ姿を見せない。あとから咎められても病気だったとか獲物を求めて遠くの森まで行ったとか、言い訳には事欠かない。

事情があってムトがエフェの要求に応えられないときには、エフェは他の村人を交易相手とすることもできる。良心的なムトはそれを拒むどころかむしろ勧める。文句や要求が多い農民からは自然とエフェが遠ざかるが、やさしく気前のよい農民には、本来のエフェのほかにも、多くのエフェが集まる。エフェは当てにならないとの村人の嘆きは、エフェからすればやむを得ない選択の結果でもある。

エフェ・マイアとムト・マイアの関係には制度的支えがあるとはいえ、良好な関係を維持するには日ごろ中身のともなう行動が求められる。互いの思いやりと相互の自立の承認こそがエフェ・マイアとムト・マイア関係の肝と言ってよい。筆者とほぼ同時期、徒歩で一日ほど離れた地域で調査していた人類学者のエスペン・ヴェーレはそうしたエフェとレッセとの関係をコンソーティズム(consortism)と呼んでいる。すなわち、エフェとレッセはそれぞれ独立したパートナーとして、一体にはならないがいろいろな意味でよりよく生きるために、相手と付かず離れず寄り添うという関係である(Wæhle 1989)。二〇世紀における国の独立以降、森の民の脅威となってきた外部世界からの強い圧力は、その必要を再確認させるものであった。

ここに紹介した狩猟採集民と農耕民との関係が一般化できるとは言えないかもしれない。しかし広大な熱帯雨林の一隅で、外部世界の激動に翻弄されながらも家族的論理と思いやりの心をベースとしたつきあい、あるいは、相互のゆるい結びつきをよしとする共生関係が維持されてきたことは事実である。そしてそれを支えてきたのが熱帯雨林という自然の恵みであったことも重要である。森の民にとっては森こそが生きるために最初に頼るべきものであり、また外部世界からの脅威においては最後の拠り所である。残念ながら今日、多くの狩猟採集社会では、本章で紹介したようにそのような土地と人との絆が絶たれてきている。

産業革命以来、近代社会は競争に基づく成長と発展の神話によって猛進してきた。たしかに生活の一部はたいへん便利になったが、頼るべき自然は荒廃し、近代が掲げた自由と平等の理想はひどく損なわれ、見通しのつかない未来に人々は大きな不安を抱えている。アフリカ熱帯雨林における狩猟採集民の自由自立の姿勢と自分たちと異なる人々とのしなやかな共生はその闇を照らす一つの明かりとなるのではないだろうか。

参考文献

市川光雄（二〇二二）『森の目が世界を問う――アフリカ熱帯雨林の保全と先住民』京都大学学術出版会。

掛谷誠（二〇一八）『掛谷誠著作集――探求と実践の往還』第三巻、京都大学学術出版会。

門村浩（二〇〇五）「環境変動からみたアフリカ」水野一晴編『アフリカ自然学』古今書院。

佐藤弘明ほか（二〇〇六）「カメルーン南部熱帯多雨林における「純粋」な狩猟採集生活――小乾季における狩猟採集民 Baka の二〇日間の調査」『アフリカ研究』六九号。

澤田昌人（二〇一〇）「エフェにおける死生観の変遷を考える」木村大治・北西功一編『森棲みの社会誌――アフリカ熱帯林の人・自然・歴史Ⅱ』京都大学学術出版会。

田中二郎（一九七一）『ブッシュマン――生態人類学的研究』思索社。

田中二郎（二〇一七）『アフリカ文化探検――半世紀の歴史から未来へ』京都大学学術出版会。

寺嶋秀明（一九九七）『熱帯林の世界六　共生の森』伊谷純一郎・大塚柳太郎編、東京大学出版会。

寺嶋秀明（二〇〇二）「地域社会における共生の論理――熱帯多雨林と外部世界の交渉史より」和田正平編『現代アフリカの民族関係』明石書店。

安岡宏和（二〇一一）『バカ・ピグミーの生態人類学――アフリカ熱帯雨林の狩猟採集生活の再検討』京都大学アフリカ地域研究資料センター。

Bailey, Robert, and Thomas N. Headland (1991), "The tropical rain forest: Is it a productive environment for human foragers?", *Human Ecology*, 19-2.

Blurton Jones, Nicholas (2016), *Demography and Evolutionary Ecology of Hadza Hunter-Gatherers*, Cambridge, Cambridge University Press.

Cavalli-Sforza, Luigi Luca (ed.) (1986), *African Pygmies*, Orlando, HL: Academic Press.

Cornelissen, Els (2002), "Human responses to changing environments in Central Africa between 40,000 and 12,000 B. P.", *Journal of World Prehistory*, 16-3.

Diamond, Jared M. (1991), "Why are pygmies small?", *Nature*, 354.

Hollfelder, Nina, et al. (2021), "The deep population history in Africa", *Human Molecular Genetics*, 30-2.

Jarvice, Joseph P., et al. (2012), "Patterns of ancestry, signatures of natural selection, and genetic association with stature in western African pygmies", *PLoS Genetics*, 8-4.

Joiris, Daou V. (2003), "The framework of Central African hunter-gatherers and neighbouring societies", *African Study Monographs*, Supplementary Issue, 28.

Klieman, Kairn A. (2003), *The Pygmies Were Our Compass: Bantu and Batwa in the History of West Central Africa, Early Times to c. 1900 C. E.*, Heinemann, Portsmouth, NH.

Kratz, Corinne A. (1999), "The Okiek of Kenya", Richard B. Lee and Richard Daly (eds.), *The Cambridge Encyclopedia of Hunters and Gatherers*, Cambridge, Cambridge University Press.

Marlowe, Frank W. (2010), *The Hadza: Hunter-Gatherers of Tanzania*, California, University of California Press.

Mercader, Julio, et al. (2000), "Phytoliths from Archaeological Sites in the Tropical Forest of Ituri, Democratic Republic of Congo", *Quaternary Research*, 54.

O'Connell, James F., et al. (1988), "Hadza scavenging: Implications for Plio/Pleistoncene hominid subsistence", *Current Anthropology*, 29-2.

Power, Robert C., et al. (2019), "Asian crop dispersal in Africa and late Holocene human adaptation to tropical environments", *Journal of World Prehistory*, Published on line: 21 November 2019.

Quintana-Murci, Lluis, et al. (2008), "Maternal traces of deep common ancestry and asymmetric gene flow between Pygmy hunter-gatherers and Bantu-speaking farmers", *PNAS*, 105-5.

Reich, David (2018), *Who We Are And How We Got Here: Ancient DNA and the New Science of the Human Past*, Oxford, Oxford University Press.（日向やよい訳『交雑する人類――古代ＤＮＡが解き明かす新サピエンス史』ＮＨＫ出版、二〇一八年）

Schebesta, Paul (1978 [1933]), *My Pygmy and Negro Hosts*, London, Hutchinson & Co.

Taylor, Nicholas (2011), "The origins of hunting & gathering in the Congo basin: a perspective on the Middle Stone Age Lupemban industry", *Before Farming*, 1-6.

Taylor, Nicholas (2016), "Across Rainforests and Woodlands: a Systematic Reappraisal of the Lupemban Middle Stone Age in Central Africa", Sacha C. Jones and Brian A. Stewart (eds.), *Africa from MIS 6-2: Population Dynamics and Paleoenvironments*, Chaper 15, Springer.

Tishkoff, Sarah, et al. (2009), "The genetic structure and history of Africans and African Americans", *Science*, 324-5930.

Turnbull, Colin (1976 [1965]), *Wayward Servants: The two world of African Pygmies*, Connecticut, Greenwood Press.

Vansina, Jan (1990), *Paths in the Rain Forests: Toward a History of Political Tradition in Equatorial Africa*, Madison, The University of Wisconsin Press.

Vansina, Jan (1995), "New linguistic evidence and 'The Bantu expansion'", *Journal of African History*, 36.

Verdu, Paul, et al. (2009), "Origins and genetic diversity of Pygmy hunter-gatherers from Western Central Africa", *Current Biology*, 19.

Wæhle, Espen (1989), *Elusive Persistence: Efe (Mbuti Pygmy) Autonomy Strategies in the Ituri Forest, Zaïre*, University of Oslo, Norway.

Wilkie, David S., and Bryan Curran (1993), Historical trends in forager and farmer exchange in the Ituri rain forest of northeastern Zaïre, *Human Ecology*, 21-4.

問題群｜*Inquiry*

トランスサハラ交易と西アフリカ諸国家

坂井信三

本章の課題は、西暦一〇世紀から一六世紀にわたる西アフリカの歴史を通観することにある。この時期西アフリカに産する金は地中海世界の貨幣経済を支えていた。そのためかつてはアラビア語の同時代史料によって金の交易と諸王国の歴史を語るのが通例になっていた。しかし以下では近年の考古学や人類学の成果にもとづいて、地域に固有の諸条件の中に交易を埋め込んだ形で西アフリカの社会と人々の歴史を叙述することにしたい。

一、気候変動と生態学的条件

約一万年前、完新世の初めに雨量が豊富でサハラがサバンナだった時期には、地中海岸と西アフリカの住人たちのあいだでは一定の遺伝子的交流が見られたようだが、その後サハラが砂漠化するにしたがって南北の交流は制限されていった。西暦紀元前後の大乾燥期を経て七世紀のイスラーム勢力による北アフリカ征服以後、ようやくサハラ越え交易が安定的に動き出す頃には、サハラの南北の人種的・文化的対比は鮮明になっていた。一〇世紀から一三世紀頃のアラブの地誌はセネガル川とニジェール川を同一視した「ニール」(ナイル)がサハラ南縁を東西に流れていると想定し、それを境に北側を白人＝イスラームの領域、南側を「ビラード・アッ・スーダーン」すなわち異教の「スーダーン人(黒人)の国々」[1]とする記述を基本的枠組みとするようになっていた。

サハラを挟む北と南では、生態学的条件にも大きな差異がある。地中海性気候の北アフリカでは、冬雨を利用する小麦栽培と乾燥地帯の牧畜の組み合わせが普及している。そこではイブン・ハルドゥーンが描き出したような都市とバドゥ(砂漠・農村)の拮抗の中で、何世紀にもわたって積み重ねられてきた都市の生活が石造の城郭やモスクなどとして景観の中に集積している。歴史を文字に書き残す行為も、モニュメンタルな建築物と同様に時間の経過を空間内に蓄積する技術体系の一部といえよう。

それに対してサハラ以南のサバンナでは、規則的に交替する乾期と雨期が人々の生活を条件づけている。乾期の激しい日射と雨期の土壌流失にさらされるサバンナの土地は生産力が低い。そのため焼畑によって雑穀類を栽培する農耕民の村は移動性が高く、人口が増えてくれば新しい土地を求めて分散していく。建材に向く樹木や石材の乏しいサバンナでは、日干しレンガで造られた家は雨期のたびに修復が必要で、建造物が長期にわたって存続することは困難である。こうした条件からサバンナでは人口集中が起こりにくく、歴史は目に見えるモノの形で残りにくい。かわりに歴史を紡ぐのは時空を超えて過去を現在化する口頭伝承である。

希薄な人口、低い生産力と単純な技術、都市と文字記録の不在などのために、従来サハラ以南の諸社会は「文明」の欠如する「未開」とみなされることが多かった。だがそれは文化発展の程度差というよりも、生態学的条件に応答する社会の基本的な編成様式の違いと考えることもできる。北からの視線による歴史叙述につきまとってきた「白人と黒人」、「文明と未開」の対比は、長期にわたる気候変動と生態学的条件の中で形成され、強化されてきたものとして、改めて歴史の中に位置づけ直されなければならないだろう。

二、地域間交易の諸条件

一九八〇年代まで、西アフリカの交易は地中海世界側の主導で展開したという見方が主流だったが、ここ三〇年ほどの考古学的発掘の成果をとおして、それに先んじてサバンナを舞台とする地域間交易が成立していたことが明らかになっている。そこでまず地域間交易を生み出した生態学的条件と歴史的要因を検討しておこう。

アフリカ大陸北西部では、北から順に砂漠―サバンナ―森林の気候帯が東西に帯状の分布をなしている。乾燥したサハラ南縁、いわゆるサヘルのステップ地帯では牧畜以外に人が生活する手段はない。一方雑穀類の栽培が可能なのは、年間降雨量が五〇〇ミリから一〇〇〇ミリ程度のサバンナである。ステップの牧畜民とサバンナの雑穀栽培民の間には、砂漠辺縁に見られる独特の関係がある。

砂漠辺縁では、規則的に交代する雨期と乾期が生態学的境界線を越えて牧畜民と農耕民の交渉を促すポンプの役割を果たしてきた。ステップの牧畜民は雨期に草原となる乾燥地に拡散するが、乾期になると水と牧草を求めてサバンナに移動することが避けられない。サバンナでは農耕民から穀物や綿布、鉄器などの生活物資を補給することもできるし、反対に農耕民にとっては不足しがちな動物性蛋白質の補給のチャンスでもある。しかし家畜を連れた牧畜民の移動は、穀物の収穫期を迎える農耕民との間にトラブルを引き起こしがちで、そこにはつねに紛争のリスクも孕まれている。こうした条件のもとで、牧畜民と農耕民の間には交易から略奪、隷従まで幅のある地域間の交渉様式が生まれてくる。

考古学的にみると、乾燥化の過程で紀元前四〇〇〇年頃からサハラに牛牧畜が拡大することが知られているが、当初は牧畜だけで生活は安定せず野生穀物の採集も組み合わされていた。一方雑穀類の栽培化はそれより遅れ、乾燥化を逃れてサバンナに移動した人々の間で紀元前二千年紀から始まるが、定住農耕村落が確立するのはさらに紀元前後までずれ込む。サバンナの定住農耕が確立すると、ステップ住民は交換関係に頼って完全な牧畜生活に移行することが可能になり、同様にニジェール川の遊動的な漁民の専業化も促されただろう。またちょうどその頃に、砂漠化したサハラにアジアからラクダが導入されたことも注目される。考古学者のマッキントッシュは、諸集団が生業分化しつつ相互依存を深めていくこのようなプロセスをとおして、紀元一千年紀に地域間交易を支える条件が成立してきたと考えている。ニジェール川内陸デルタのジャと古ジェンネの発掘からは、農耕、漁労、機織り、製鉄などに特化した中小の集落と外部から持ち込まれた銅製品などを出土する集落がネットワークをなして、分散しつつ相補的な機能を担う「都市的クラスター」の様子がうかがえる(McIntosh 2005)。

サヘルとサバンナの歴史を担ってきた諸民族は、こうしたプロセスを通して分化してきたと考えられる。その主なものはステップの牛牧畜民フルベ人、ニジェール川の漁民ボゾとソルコ、そしてソニンケ、マリンケ、ソンガイ、バンバラ、ウォロフなど後に有力な国家を形成することになるサバンナの農耕民である。一方、サハラでオアシス農耕と小家畜飼育を担うベルベル人やラクダ牧畜のトゥアレグ人は、新石器時代以降北アフリカに流入してきた白人系の人々の流れを同化している。ずっと時代が下って一一世紀になると西サハラにはアラブ系の遊牧民が侵入し、ベルベル人の上に立つ支配層を築くようになる。

ところで時代的にはこれより少し先立って、サハラでは別の形の交渉パタンが見られた。紀元前一千年頃から紀元後五〇〇年頃にかけて、リビア南部の砂漠や山地に要塞を築いていたガラマンテス人は、ヘロドトスの著書『歴史』によれば馬の引く戦車を駆使して黒人住民を奴隷化していた。しかし乾燥化のために馬がサハラの移動手段として使えなくなるとともに彼らの活動は姿を消していき、入れ替わりにアジアから導入されたラクダを受容した牧畜民が、やがてサハラ越えの交易を担うようになる。ちなみに馬は熱帯サバンナでは繁殖が難しく、後のトランスサハラ交易の時代をとおして地域外からの輸入に頼らざるを得なかった。そのため騎馬軍を基本的な戦略として取り込んだサバンナの戦士団は、歴史を通じて不可避的に地域外との長距離交易に依存することになる(Law 1980)。

こうしてみると西アフリカの交易は、諸集団の生業分化と相互依存関係を基礎にした隣接地域間の交易と、砂漠を縦断する地域外交易との重合によって成立したことが理解できるだろう。トランスサハラ交易の時代に、一貫して金に対する西アフリカ側の重要な輸入品であったのはサハラに産する岩塩である。サバンナには塩がない。だから広大なサバンナに点在する農民の村々をたどって南方の金産地まで旅する交易者にとって、岩塩は目的地での金の取引にも、小分けにして旅の途中の路銀にも使える便利な商品であった。トランスサハラの長距離交易は、このように商品の面でも生態学的ゾーンの特性を活用する交易だったのである。

もっとも考古学的発掘では、八—九世紀以前には金の交易の痕跡はほとんど見いだせない。地域間と地域外の交易が接続して、地中海世界に安定的に金が送り出されるようになるのは紀元一千年紀も終わりに近づく頃からである。次節では一一世紀から一六世紀まで、ガーナ、マリ、ソンガイと移り変わっていく国家との関連で、その初期から盛期への展開を見ていこう。なお従来の歴史叙述では金交易の展開に主眼が置かれていたが、ここでは交易とあわせて国家の統合の質的変化にも注目したい。約言すれば、ガーナのような初期の国家は砂漠とサバンナの勢力拮抗の中から出現するが、やがてサバンナ固有の慣習に立脚する広域国家マリが生まれてくる。その後を受けたソンガイは、マリの生み出した統合をイスラームという普遍宗教を媒介に組織化しようとしたといえよう。

三、交易と国家

ギニア山地からに内陸に向かってサバンナを北東に流れるニジェール川は、やがてサハラの砂丘群にぶつかって大きく湾曲し、南東方向に流れを変える。この大湾曲部で水流が滞るために、ニジェール川は砂漠に接する乾燥したステップとサバンナの中央に内陸デルタと呼ばれる大氾濫原を形成する。この多様化した生態環境が、トランスサハラ交易と西アフリカの広域国家の繁栄の背景にある。[2]その成立と展開の過程を以下に素描しよう。

初期の形態　ガーナとガオ

サハラを越える交易には歴史を通じて三つのルートがあった。ニジェール川大湾曲部を中心にして東側のルートと西側のルート、そして中央のルートである[図1]。大まかにいえばイスラーム勢力による北アフリカ征服以後、八世紀から一三世紀頃までは東と西のルートが主要な交易路だったが、一四世紀以降は中央のルートが繁栄することになる。

歴史上の記録はまず西のルートに関して九世紀末から始まるが、一一世紀半ばのアル・バクリーが詳細な記述を残している(Levtzion & Hopkins 1981: 79-81)。それによるとモロッコ南部のシジルマサから南へ向かうルートは二カ月かけてサハラを越え、まず南西サハラのベルベル人の町アウダグストにたどり着き、そこからさらに一五日でスーダ

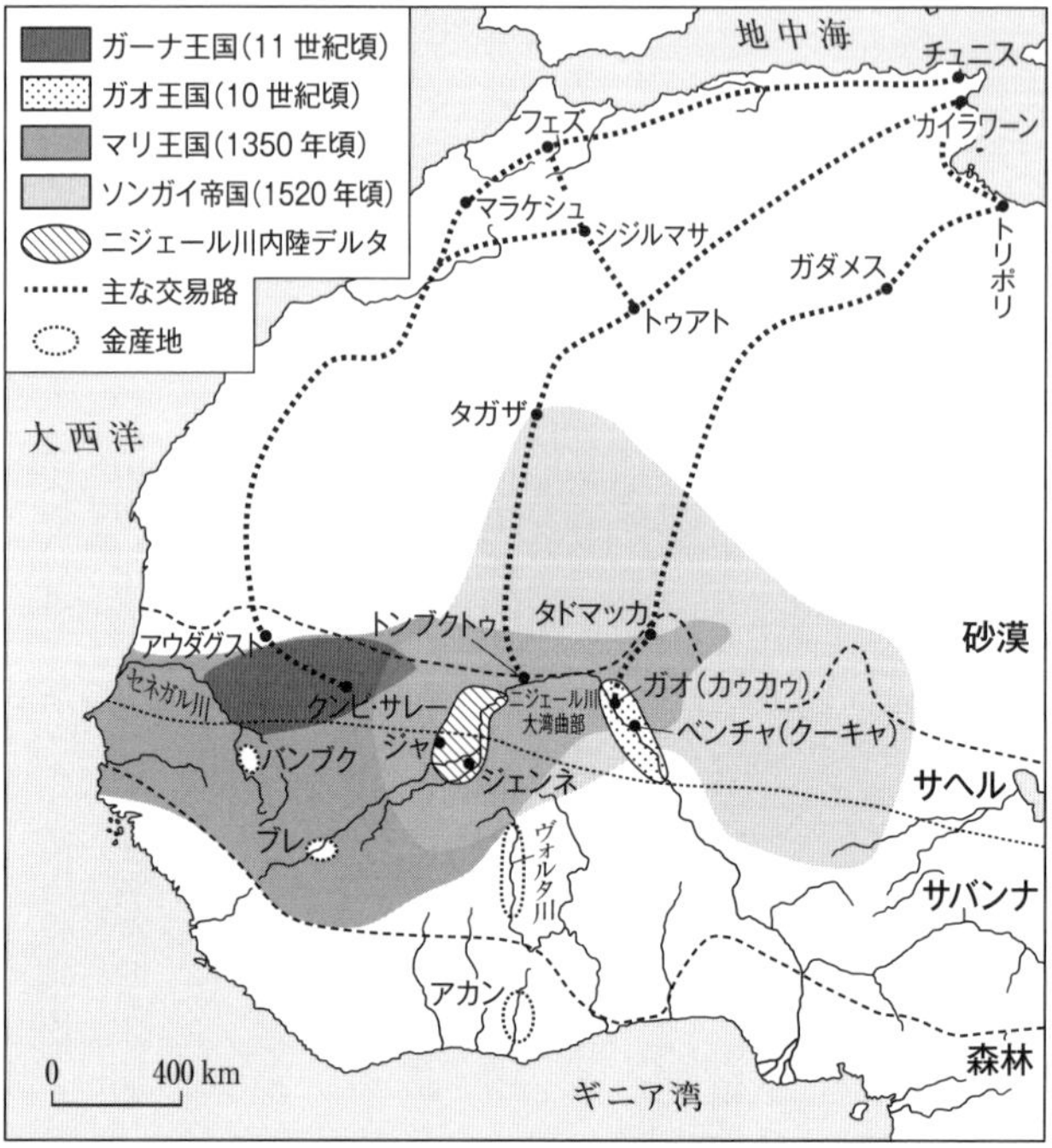

図 1　西アフリカ諸国と交易路(Conrad 2005 を基に加筆修正)

> ーン人の王国「ガーナ」に至る。
> 「ガーナ」とは彼らの王たちの称号である。土地の名はアウカールといい、ヒジュラ四六〇年〔一〇六七／八年〕の今日、彼らの王はトゥンカー・マニーンである。〔中略〕ガーナの都は平野に位置する二つの町からなっている。一方はムスリムの住む町で、一二のモスクがある広大な町でその一つにムスリムたちは金曜礼拝のために集まる。〔中略〕王の町はこの町から六ミール離れていてガーバ〔森〕と呼ばれる。〔中略〕王の町には王の法廷から遠くないところにモスクがあり、王宮にやってきたムスリムはそこで礼拝する。王の町の周囲には丸屋根の建物や森や茂みがあり、そこには彼らの宗教祭祀を司る呪術師が住んでいる。彼らの宗教は異教の偶像崇拝である。〔中略〕王は国内に持ち込まれる塩にロバ一荷ごとに一ディーナールを、国外に出て行く荷には二ディーナールを課税する。銅の荷には五ミスカール、その他の荷には一〇ミスカールを課す。国内で見つかる最上の金は、王の町から一八日の旅程にあるギヤールーという町から来る。その町との間は、途切れなくスーダーンの諸部族が住む国々を通っていく。

同じアル・バクリーの著書には東のルートも記載されている。カイラワーン、トリポリから南サハラのタドマッカを経てニジェール川大湾曲部東のガオ（カゥカゥ）に至るルートである。それによるとガオの町は、ガーナと同様に王の宮廷とムスリムの居住地の二つからなり、王は偶像崇拝を行う異教徒であった(Levtzion & Hopkins 1981: 86-87)。こうした記述にもとづいて、この時代の交易は黒人の王の町と白人の商人の町が一対の双子都市をなしていたという図式が提唱されてきた。

政治権力と交易は実際のところどのように関わっていたのだろうか。植民地期の一連の発掘によって、モーリタニア南部クンビ・サレーの一〇―一一世紀頃の都市的な遺構がガーナのムスリムの町と同定されているが、黒人の王の町はいまだ確認されていない(Mauny 1961)。それに対して最近進んだガオの発掘は、両者の関係についてより詳細な様相を教えてくれる。ニジェール川に臨む古ガオ遺跡と、そこから東に約七キロ離れたガオーサネ遺跡がそれである。

ガオーサネ遺跡はニジェール川支流の川岸に小高い丘をなしており、放射性炭素の年代測定によると八世紀から一〇世紀という年代が出ている。大型の長方形の日干しレンガやろくろ成形の土器などからみて、北アフリカ系住民の居住が推測される。注目すべきは大量のガラス・ビーズで、中東由来の原料ガラスをここで切断、加熱、成形して製品に加工していたことがわかる。同じく多数出土する三日月形に成形された銅片はチュニジア産の銅を使用したもので、通貨だったかもしれない。ただおそらく確実に持ち込まれていたに違いないサハラの岩塩は、考古遺物として残らないために確認できない。だがそれだけでなく穀物倉と炭化した米、家畜の骨、紡錘車の重り、製鉄遺物など在地の人々の生活をうかがわせる出土品も注目を引く。こうした事実から、ガオーサネ遺跡はたしかにサハラ越えの長距離交易に深く関わっていたが住民は外来の交易商人だけでなく、多様に職能分化した在地の人々との共住からなる都市的構成をもっていたことが推測される。ガオーサネに持ち込まれた交易品はニジェール川を下って今日のブルキナファソやナイジェリアにまでもたらされ、金と交換されていたらしい(Cissé et al. 2013)。

一方古ガオ遺跡の発掘からは、成形された焼成レンガで造られた門や石壁で仕切られた部屋をもつ、サバンナでは全く例外的な石造建築物が出現した。放射性炭素の年代測定は九世紀から一〇世紀という年代を示す。小規模ながら石の列柱構造をもつ部屋も確認されているが、ガオーサネのような都市的生活の様子はうかがえない。この建造物はガオの王宮であったかもしれない(Takezawa & Cissé 2012)。列柱構造をもつ遺構はモスクのように見えるが、礼拝方向を示すミフラーブ(聖龕《せいがん》)がない。ただし初期トランスサハラ交易を担ったイバーディー派のモスクにはミフラーブがなかったとも言われるので、モスクであった可能性もある。ソンガイ人の本拠地はガオから南へニジェール川をさらに約一五〇キロ下ったベンチャ(クーキャ)にある。だが古ガオの大規模な石造建築物は、紀元一千年紀末に彼らがここに進出して大きな権力中心を作っていたことを示している。

こうした様相は、トランスサハラ交易の初期の形態に対して一定の理解をもたらしてくれる。砂漠―サバンナ―森林を結ぶ長距離交易は砂漠辺縁の多様に生業・職能分化した諸集団の地域間交渉をベースに成立しており、政治権力はこの重合した交易関係に対して直接介入することなく、多少とも外在的な関わり方をしていたようだ。サハラの岩塩とサバンナ南部の金産地は各地に散在しているが、生態学的ゾーンの接点に存在する政治権力の拠点は、離散的な交易路を絞り込んで取引を集約する役割を果たしていたように思われる。こうして集約化された交易に対する課税による富の蓄積が、「王の町」として表現されているのではないだろうか。そこにあるのは、北と南、白人と黒人、外来商人と政治権力者の単純な対峙ではないのだろう。

政治権力の存在は軍事力の集中をも示唆する。ガオと同様ガーナの商都と目されるクンビ・サレーもサハラとサバンナの接点にあるが、そこから南東に広がるメマ平原はかつてニジェール川の大氾濫原の一部であり、この地域がガーナ王国の後背地であったろう。だが主要な輸出品である金の産地はさらに南方にあった。アル・バクリーによるとアウダグストのベルベル人の王は、黒人部族に対してたびたび奴隷狩りを行っていた。サバンナの住民はおそらく外来の交易商人を金産地から遠ざけるだけでなく、北からの略奪を抑止するためにもサヘルに軍事拠点を築く必要があったのだろう。

北の勢力をサヘルの境界線に押し留めて金産地から隔離する措置は、後のマリの時代にも継続する。(3) それに対して奴隷捕獲の前線は時代をくだるほど南下していく。北のベルベル人に代わってサヘルのスーダーン人の戦士集団による略奪・捕獲が周辺の未組織の諸民族に向かうようになるからである。戦力の中心である馬の購入には捕獲した奴隷の売却があてられた。そのため西アフリカでは、国家的支配の拡大に奴隷狩りと長距離交易が連動する動きが、このあと大西洋奴隷貿易の時代を経て一九世紀まで続いていくことになるのである。

内陸デルタの繁栄とマリ王国の勃興

一三世紀以降になると、交易の舞台は砂漠とサバンナの境界であるサヘルからサバンナのただ中を流れるニジェール川中流域に移動・拡大する。その経緯を語るアラビア語史料と現地で語られる口頭伝承との間には興味深い対照がある。

南北の拮抗状況は時代とともに変動する。アル・バクリーによるとアウダグストの町は一一世紀半ばに一時異教のガーナの王の権威下にあったが、マグリブでイスラーム改革主義運動が樹立したムラービト朝はこれをよしとせず、一〇五五年にアウダグストを奪い返し、さらに一〇七六年にはガーナを攻略して住民を改宗させた。こうしてトランスサハラ交易を掌握したムラービト朝の下で、マグリブ・アンダルシアに流入してくる金は増加する。西アフリカ産の金で鋳造したディーナール金貨は高い評価を得て、地中海貿易における決済通貨として重宝されることになる(Levtzion 1972: 41-45)。

アラビア語史料ではこのようにイスラーム勢力の伸長とトランスサハラ交易の繁栄が結びつけられているが、現地の口頭伝承はそれとは違った語り方をしている。ガーナ王国の担い手ソニンケ人の伝承では、ガーナは「ワガドゥ」という名で登場する。ワガドゥの繁栄は、豊かな雨と金を保証する大蛇ビダに毎年乙女を犠牲に捧げることによって支えられていた。ところがある年、生贄に指名された娘の許婚者(ムスリムだったともいわれる)がビダの首を切って殺してしまった。首は呪いの言葉を吐きながら空を飛び、南の地に落ちた。これによって雨が降らなくなったワガドゥの住民は離散し、金産地も遠く南に移ってしまったというものである(Delafosse 1912: tome 1, 161-162)。ビダ祭祀の終焉がサヘルの乾燥化と金資源の枯渇を引き起こしたとする伝承からは、イスラーム勢力の攻勢がワガドゥにとって破壊的な影響を与えたとする認識をうかがうことができる。

もっともイスラームがサバンナの交易の進展にプラスの効果をもたらしたことにも注目しなければならない。ソニンケ人のイスラーム受容は、交易に関わる南北の商人たちを同じ信仰、同じ商習慣によって結びつけることによって、交易関係を円滑化するのに貢献しただろう。アラビア語史料で「ワンガーラ」と呼ばれるソニンケ人のムスリム商人はこれ以後サバンナ全体にディアスポラを拡大し、イスラームが彼らの共通の文化的基盤になる(坂井 二〇〇三)。こうしてガーナの崩壊は、一面ではトランスサハラ交易の主導権を砂漠側の勢力に譲り渡すことになったが、他面では交易圏をサバンナ全体に拡大する効果ももった。こうした変化の中から、一三世紀初頭に新しい政治勢力すなわちマリが現れてくる。

一二世紀のアル・イドリーシーによると、ベルベル人の圧力に抵抗していたサヘルのスーダーン人は、彼ら自身さらに南のサバンナに住む未開の「ラムラム」人を略奪し、奴隷を送り出していた(Levztion & Hopkins 1981: 108)。マリ王国はこのようなサヘルからの略奪に立ち向かうサバンナの首長たちの同盟から生まれてくる。イブン・ハルドゥーンは一四世紀にその経過を以下のように要約している(Levztion & Hopkins 1981: 333)。

ガーナの権威が失墜すると同時に、彼らの北に隣接するベルベル人の「ヴェールをかぶった人々」の力が増大した。この後者はスーダーン人を支配し、その領土を略奪し、税を課し、彼らの多くをイスラームに改宗させた。その結果ガーナは衰退し、隣接するスーダーン人であるソソ人によって制圧された。彼らはガーナを完全に征服し、崩壊させた。その後、マリの人々が近隣のスーダーン人の中で人口を増し、地域全体に広がった。彼らはソソ人を征服し、そのもともとの領土とガーナの領土を、西の大洋に至るまですべて奪った。〔中略〕彼らはムスリムだったといわれ、最初にイスラームを信仰したのはバルマンダーナと呼ばれる王だったという。〔中略〕ソソ人を打ち破り、その領土を征服し、彼らから権力を奪った最大の王はマーリー・ジャータである。〔中略〕彼は二五年の間統治したと伝えられる。

彼の示すマリの王統によると、マーリー・ジャータの治世は一三世紀はじめ頃と推定される。マリの本拠地はニジェール川上流域のマンデ(マンディング)と呼ばれる地方で、そのアラビア語形がマリである。マーリー・ジャータ以後一三世紀をとおしてマリは拡大し、西は大西洋に臨むウォロフ人の土地から東はニジェール川大湾曲部より下流のソンガイ人の領域まで勢力を広げることになる。

ところで同時代のアラビア語史料はマリの王が早くからイスラームを受け入れていたというが、マリンケ人の口頭伝承はそれとは非常に異なった王権の起源伝説を伝えている(Niane 1960; Cissé & Kamissoko 1988)。イブン・ハルドゥーンのマーリー・ジャータは、そこではスンジャータ・ケイタという名で登場する。今日聞かれるスンジャータ伝説は、マリが衰退した後おそらく一七・八世紀に定型化されたもので、歴史的事実をそのまま伝えているとはいえない。しかし西アフリカ最初の広域統一国家であるマリの成立の経緯とその統治の構造が人々の認識の中でどのように表象され、どのように正統化されてきたかを理解するためには重要な情報源である。

伝説によると、スンジャータはブッシュの怪物の化身である醜い女性とマリンケ人のケイタ一族の首長との異類婚から生まれた、立つことも話すこともできない不気味な子供だった。ところが彼は母が首長の第一夫人からいじめられているのを見て奮起して立ち上がり、以後すくすくと成長する。サバンナの農民社会には狩人結社がある。父系出自の権威構造に基礎を置く村の社会に対してブッシュの神は女性であり、結社に加入する狩人たちは民族、身分、職能、出自などの社会的区別なくその息子となる。スンジャータは母から人智を超えた野生の世界の知恵を伝授され、狩人結社の傑出したリーダーに成長する。

その頃サバンナに支配を及ぼしていたのはサヘルのソソ人だった。鉄器生産に優れた彼らは、サバンナのマリンケ人を略奪して奴隷化していた。スンジャータはサバンナの諸勢力を糾合してソソの鍛冶屋王スマングル・カンテに対抗し、ついにクリナの決戦で打ち負かす。建国の運動に参加した諸集団は、彼のもとでそれぞれの権利を確認した。

それはマリンケ人の五つの戦士クラン、ソニンケ人イスラーム職能者の五つのクラン、鍛冶屋と語り部などの専業職人集団、そしてフルベ人の四つのクランを含むサバンナ諸民族の一六のクランである(Dieterlen 1955)。こうしてマリンケのケイタ・クランを中心に、異なる民族、異なる職能、異なる宗教の人々の集合体としてマリが成立するのである。

この伝承は非常に多くの要素を含んでいるが、重要な点は次のようにまとめられる。王権は人間社会を超える異界の力によって根拠づけられること、その下で自由身分の諸集団が民族を超えて同盟関係を結ぶこと、そしてそこにはイスラーム職能者や専業職人という特殊な機能を担う人々も加入することである。アラビア語史料はマリの成立を王のイスラーム受容という観点から記述するが、口頭伝承はイスラームの関与を認めつつもそれとは異なる地域固有の多元的、複合的な論理で価値づけていることがわかるだろう。こうした複合的性格と裏腹にマリの中央権力はそれほど強力だったとは思えず、従来しばしば使われてきた「マリ帝国」という呼称は再考が必要かもしれない。

盛期の形態　生業と職能の分業体制

異なる生業や職能に分化した諸集団の協同という社会のあり方は、上述した紀元一千年紀のニジェール川中流域の複合的な社会編成に通じるものである。マリ以前のガーナやガオにおける国家形成の主要なモメントは、砂漠ーサバンナの拮抗関係だった。しかしマリはニジェール川中流域社会の複合的システムの成熟の上に構築された国家であり、その出現はこの時期までにサバンナの社会が砂漠側の圧力を凌駕する自律的な体制を形成したことを示しているだろう。祖先を称えるクラン名をもち儀礼的同盟の単位をなすクランの制度と世襲の専業職人制は、今日民族の差異を超えてかつてのマリの版図に含まれる地域に分布しており、これがマリの統治の波及とともに広がった制度であることを示唆している(Tamari 1991)。

マリが成立する一三世紀以降、トランスサハラ交易においても重要な変化が現れてくる。交易路は北アフリカから中央サハラのトゥアトを経由して岩塩鉱タガザを通り、ニジェール川大湾曲部から内陸デルタに入る中央のルートが重要性を増す。サハラ南北の拮抗関係を反映していたサヘルの軍事拠点は姿を消し、かわってムスリム商人の交易都市が本格的に繁栄し始める。その代表的存在が砂漠と内陸デルタの接点に位置するトンブクトゥと、内陸デルタから南方のサバンナに向かう交易路の起点となるジェンネである(図1参照)。

紀元一千年紀はじめに遡る古ジェンネが放棄されて、数キロ離れたところに今日まで続く新しいジェンネの町が建設されたのは一三世紀初頭である。一七世紀なかばにトンブクトゥで書かれた『スーダーン年代記』によると、ジェンネはこのときにイスラームを受け入れたという(al-Sádī 1964: 23-24)。一方トンブクトゥに関する最も古い記録は一三五二/三年のイブン・バットゥータの旅行記である(Levztion & Hopkins 1981: 287)。その頃トンブクトゥはまだ小さな宿営地に過ぎなかったが、次第にソニンケ人やベルベル人の商人の移住が進んで交易都市に成長する。

トンブクトゥは内陸デルタの北の入り口である。ラクダのキャラバンが運んできたサハラの岩塩はここでカヌーに積み替えられ、水運を担う漁民の手でジェンネに運ばれる。ニジェール川をそのまま遡上するとマリ王国の中心地マンデに至るが、交易路はジェンネでニジェール川を離れ、岩塩の荷をロバや奴隷の頭上運搬に積み替えてサバンナを南下していく。金産地はガーナの末期にセネガル川上流のバンブクからニジェール川上流のブレに移っていたが、サヘルから移住したソニンケ人商人たちはさらに南方のヴォルタ川流域に新たに金産地を開発し、一四世紀頃には後に大西洋交易の展開とともにアシャンティ王国が興ってくるアカンの森林地帯の金産地まで進出していく。

サバンナの交易を担ったソニンケ人商人は、マリ支配下で拡散した商人という意味でマンデ商人とも呼ばれる。彼らはニジェール川中流域ではマルカ、セネガル川流域ではジャカンケ、ヴォルタ川流域ではジュラなどと呼ばれ、今日に至るまで西アフリカの商業の担い手となっている(坂井 二〇〇三)。中でもジュラが森林地帯との間に開いた交易は、その地の特産品であるコーラの実をサバンナにもたらした。清涼感と覚醒作用をもつコーラの実は、酒を飲まないサバンナのムスリムの嗜好品として大きな需要を生んだ。彼らはまたナイジェリア北部のハウサ人の都市国家カノにまで到達し、そこにはじめてイスラームをもたらしたとも伝えられる(Levtzion 1972: 166)。

マンデ商人が遠く南のサバンナや森林から運ぶ金はジェンネに集められ、トンブクトゥからサハラを越えてマグリブに流れこんだ。ブローデルがよく知られた論文「貨幣と文明――スーダーンの金からアメリカの銀へ」(Braudel 1946)で印象的に示したように、一三世紀以来マグリブは「サハラを越えてニジェール川大湾曲部の都市と諸王国の運命と結びつき」、地中海の経済活動に不可欠の金の供給源となった。反対にマリ国内の経済も地中海の海運につながっていた。インド洋のモルジブ諸島で採集された宝貝が紅海から地中海を経てマグリブへ、そしてサハラを越えてマリに持ち込まれ、流通していたのである。同じモルジブの宝貝がベンガルでも通貨として使われていた事実を見ると、マリの時代に西アフリカ内陸地方が世界交易の中に確かな位置を占めるようになったことがわかるだろう(Hogendorn & Johnson 1986)。

マリの王はニジェール川中流域の町々にマリンケ人の代官をおいていたが、交易の中心地から遠いニジェール川上流の王都は今も確認されていない。一方興味深いことにトンブクトゥやジェンネなどの交易都市は数世紀を超えて今も存在する。この時代ムスリムの交易都市は在地の首長の権威下で自治体制を維持し、王の立ち入りを拒む権利をもっていた。同様に王権は金産地の直接支配にも乗り出さなかった。金の採掘は農閑期の農民の砂金掘りに任され、輸送は交易商人の手に委ねられていた。王権は交易の安全を保証し、通行税や交易品への課税から収入を得るだけで、国家がその経営に積極的に関与することはなかった。同様に通貨として使われた宝貝の流通も市場の自律性に委ねられていた。つまりマリの王権は慣習に基づく地域内の経済と地域を超えた交易の自律的運営の上に乗っていたのであって、生産と流通のシステム自体を積極的に制御する機構をもたなかったのである。

ソンガイの台頭と崩壊

ソンガイ人の民族的起源には謎が多いが、彼らはニジェール川の漁民とサバンナの雑穀栽培民を基盤に、外来の騎馬戦士団が支配層となって形成された複合的な集団と考えられ、大湾曲部より下流のベンチャに本拠地を置いていた。上述のように八世紀頃トランスサハラ交易の東のルートが開かれた時点で、彼らはニジェール川を遡上しガオに拠点を作って交易を支配したが、一三世紀末にマリの支配が及んでくるとその権威を受け入れた(Hunwick 1999)。

だが一四世紀末にマリの中央権力が弱体化すると、一四六八年にソンガイの王ソンニ・アリはニジェール川を遡上して中流域に進出し、トランスサハラ交易の中核地帯を手中に収めた。しかしトンブクトゥやジェンネの住民は、内陸デルタの多元的な社会に馴染まないその支配に反発を強めた。『スーダーン年代記』はソンニ・アリが交易都市に住むムスリムの慣習を尊重しなかったことを強調している。結局ソンニ・アリの支配は長続きせず、一四九二年の死後すぐに、配下の将軍アスキヤ・ムハンマドが権力を奪ってアスキヤ朝ソンガイ帝国を樹立する。彼はムスリムの交易都市に代官を配置したが、在来の首長の存在を認めるなど既存の慣習をほとんどそのまま踏襲することで秩序を回復した。アスキヤ朝の支配はニジェール川中流域社会の基本的な構造に変化をもたらさなかったが、イスラーム法を導入したその統治はマリ時代よりシステマティックに行われたようである。こうしてアスキヤ朝ソンガイは約一〇〇年間にわたってニジェール川中流域を支配したが、一五九一年にサァド朝モロッコの侵略を受けて崩壊する。サハラを越えてきた遠征軍にはアンダルシアのキリスト教徒の鉄砲隊が加わっており、はじめて火器に出会ったソンガイ軍には抵抗するすべがなかったといわれる(Hunwick 1999)。

モロッコの侵入の背景には政治的理由と経済的背景があった。スンナ派ムスリムの名目上の首長であるアッバース朝カリフはエジプト・マムルーク朝の庇護下にあったが、オスマン朝によって一五一七年にマムルーク朝が滅ぼされると廃絶してしまう。これに対してモロッコ・サァド朝のアル・マンスールはシャリーフであることを理由にカリフ位を主張し、西アフリカのムスリムに臣従を求めた。中央スーダーンのボルヌ王国のイドリス・アロマ王やサハラの諸部族の臣従を得たアル・マンスールはサハラの岩塩鉱を押さえ、ソンガイにも恭順を要求したのである(Hunwick 1999)。一方経済的には、西アフリカの金をめぐるマグリブとヨーロッパの抗争があった。ポルトガル船はすでに一五世紀末に大西洋岸を回り込んでギニア湾まで達し、一四八二年には後に「黄金海岸」と呼ばれることになる地に「エル・ミナ」すなわち(金の)「鉱山」と名づけられた交易拠点を築いた。一六世紀に入るとさらにイギリス、フランス、オランダなどが参入し、従来北のトランスサハラ交易に向かっていた金のかなりの部分が南のギニア湾岸に流れるようになる。アル・マンスールはこうした動きに対抗して金交易の掌握を狙ったのである。実際トンブクトゥの制圧後モロッコに流入する金は増大し、王はアッ・ザハビーすなわち「黄金王」という尊称を受けた(Levtzion 1972: 135)。

しかし本国を遠く離れたモロッコの支配は不安定で、ニジェール川中流域はソンガイの支配から脱したフルベ人やバンバラ人ら新興勢力の抗争の場となる。大西洋岸ではこの頃すでに内陸の権力中心から離反していたウォロフ人やマンディング人の諸王国が自立し、新大陸向けの奴隷貿易に関与し始めていたが、やがてそこに内陸の抗争から生まれる戦争捕虜も流れ込むようになる。一方南方のサバンナでも、マリの衰退とともに拡散した騎馬戦士団が奴隷狩りと結合した国家的支配を波及させていく。こうしてトランスサハラ交易の上に立って統一広域国家が繁栄した時代は終わり、政治権力は拡散して時代は大きく転換していくことになるのである。

四、イスラーム

以上をとおして、地域の生態学的・社会的諸条件と地域を越える長距離交易の上に国家的支配がおおい被さって西アフリカの歴史が織りなされてきたことが理解できただろう。それに加えてもう一つ、その歴史を方向づけてきた要因にイスラームがある。イスラームは一〇世紀前後から徐々に西アフリカに浸透し、その社会と文化を変容させていく。

北アフリカへのイスラーム普及は軍事的征服によるものだったが、西アフリカに関しては交易が最も重要な契機だった。イスラーム世界とサハラ以南アフリカを結んだ最初期の交易の担い手はイバーディー派ムスリムで、彼らは異教徒であるスーダーン人に改宗を要求することなく交易関係を結んだといわれる(Levtzion 1972: 186-187)。その後、上述のようにスンナ派ベルベル人のムラービト朝が一一世紀半ばにガーナを攻略し、サバンナ北辺のソニンケ人がイスラームを受容したことによってトランスサハラ交易はイスラーム世界と緊密に結びつくことになる。

マリ時代以降になると、イスラームは西アフリカの人々の生活に確固たる足場を確立するようになる。その第一の要因はやはりトランスサハラ交易の繁栄にある。『スーダーン年代記』が記録する一六世紀当時の伝承によると、交易都市ジェンネがイスラームを受容したのはヒジュラ六世紀の終末(西暦一三世紀初頭)とされるので、スンジャータ・ケイタのマリ建国とほぼ同じ時期にあたる。だが、興味深いことに年代記の伝えるジェンネの伝承ではマリの出現は交易の繁栄に何の役割も果たしていない。ジェンネはソンガイのソンニ・アリが力で屈服させるまで、いかなる国家の権力にも屈したことがなかったという(al-Sa'di 1964: 26)。

反対に王権のイスラーム受容は長距離交易の繁栄をきっかけに進む。中でもマリ王国第一四代の王マンサ・ムサの巡礼(一三二四年)は大量の金の喜捨によってエジプト人に大きな驚きを与えた。その気前の良い喜捨のためにカイロの金価格が暴落し、一二年間回復しなかったというアル・ウマリーの記述は有名である(Levztion & Hopkins 1981: 270-271)。王の巡礼は、当時イスラーム世界の中心地だったエジプトの人々にスーダーン人の王国がイスラーム文明の中に位置を占めたことを印象づけただろう。彼はまたトンブクトゥやガオに大モスクを建設させ、学問研究を奨励して学者をモロッコに派遣するなどの文化政策を実行している(Levtzion 1972: 201-202)。

イスラームの浸透は目に見える形にも表現されるようになる。日干しレンガの建築物は短命だといったが、モスクだけは例外である。ニジェール中流域のムスリムの村々では毎年泥を塗り重ねて補修されたモスクが、今日まで数世紀にわたって存続している例はめずらしくない。高度な教育を受けた学者たちはアラビア語で年代記や宗教文書を執筆するようになり、多くの古文書が今に残されている。一般の人々の識字度は低かったとしても、イスラーム的な命名、聖句を記した護符、七日週の慣習、着衣、沐浴、剃髪などの生活習慣を通して、人々はイスラームの文化を着実に同化していったのである。

一方マリの後を襲ったソンガイのアスキヤ・ムハンマドは、より政治的な意味でイスラームを活用した。彼はニジェール川中流域の社会にとって馴染みのないソンガイの支配を正当化するために、イスラームを積極的に用いたのである。権力奪取の後すぐに彼は巡礼を行い、当時のエジプト最高の学者アッ・スユーティーに面会し、さらにマムルーク朝庇護下のアッバース朝カリフからは形式上とはいえ黒人の住む「タクルールの地」の支配権を委任されたと伝えられる。巡礼から帰国すると、彼は北アフリカのイスラーム法学者アル・マギーリーに新しい帝国の統治や租税の制度、ジハード(聖戦)の名目で征服したモシなど周辺諸民族の処遇などについて法的見解を求めている(Hunwick 1999)。イスラームはアスキヤ・ムハンマドが地域社会の慣習を超えて国家を帝国化する上で重要な手段となったのである。

こうしてイスラームを標榜するソンガイの王の統治下でトンブクトゥの学者たちは自信を深め、「ビラード・アッ・スーダーン」はすでにイスラーム圏の一部であるという認識を持つようになる。たとえばそれは、黒人奴隷の捕獲と所有の正当性に関する一六世紀末のトンブクトゥのベルベル人法学者アフマド・バーバーの議論によく現れている。彼はまず白人であれ黒人であれ、人の奴隷化と所有を合法とする条件はイスラーム信仰の有無のみにあることを確認した上で、ソンガイ帝国やハウサ人のカノ王国、カツィナ王国などはイスラーム圏の一部であり、その外に住む諸民族は集合的にジハードの対象である「戦争圏」の異教徒とみなされるので、その捕獲・所有には何ら法的懸念がないとしている(Hunwick 2000)。アラブの地誌において「白人と黒人」の区分はムスリムと非ムスリムの区分だけでなく「文明と未開」の区分を含意していた。それに対してこのファトワーは、かつて一様に異教・未開とみなされていた「ビラード・アッ・スーダーン」の概念に新たな分節化が生じていることを示唆している。一六世紀トンブクトゥのムスリム知識人たちにとって、アラブの著述家たちの世界認識は明らかに改められているのである。

だがソンガイの崩壊はムスリムにとって大きな変化をもたらすものだった。一七世紀以降ニジェール川中流域は諸集団の軍事的抗争に陥り、サハラ南北のムスリム知識人たちの間では、ムスリムの統治者を失った「ビラード・アッ・スーダーン」は再び戦争圏にもどったという認識が共有されるようになる。だがそうした状況下でも、ムスリム商人は異教の首長たちとの衝突を避けながらサバンナ全域で交易に従事していた。イスラームの政治化を忌避するこのような姿勢は一五世紀末のワンガーラの学者アル・ハジ・サリム・スワレの名の下で定式化され、マンデ商人の平和主義の伝統を形成していく(坂井 二〇〇三)。一方政治的なイスラームの動きは一時潜在化するが、一八–一九世紀になるとセネガルからナイジェリアにまたがるサヘルの各地で軍事的な手段でイスラーム国家を樹立しようとするフルベ人ムスリムのジハード運動が起こってくる。イスラーム帝国ソンガイの記憶は、ある意味でその後のムスリムの政治運動に復古主義的な歴史感覚を付与したともいえるだろう。

注

（1） 本章では現代の地域名、国名としての「スーダン」と区別して、歴史上の西アフリカ内陸地方に関して「スーダーン」、「スーダーン人」という表記を用いる。

（2） **図1**に示した気候帯は現在の状態で、一一世紀のガーナの時代にはその境界線は現在よりも北に位置していたはずである。

（3） アラビア語の同時代史料には金の採掘を巡る荒唐無稽な物語が数多く収録されているが、そこにはマリ王国側の情報操作をうかがうことができる。

参考文献

坂井信三（二〇〇三）『イスラームと商業の歴史人類学——西アフリカの交易と知識のネットワーク』世界思想社。

Braudel, Fernand（1946）,“Monnaies et civilisations: de l'or du Soudan à l'argent d'Amérique”, *Annales. Economies, sociétés, civilisations*. 1ère année, n. 1.

Cissé, M., S. K. McIntosh, L. Dussubieux, T. Fenn, D. Gallagher & A. C. Smith（2013）, “Excavation at Gao Saney: New Evidence for Settlement Growth, Trade, and Interaction on the Niger Bend in the First Millennium CE”, *Journal of African Archaeology*, 11-1.

Cissé, Youssouf Tata & Wa Kamisoko（1988）, *La grande geste du Mali: des origines à la fondation de l'Empire*, Paris, Karthala.

Conrad, David C.（2005）, *Empires of Medieval West Africa: Ghana, Mali, and Songhay*, New York, Facts On File Inc.

Delafosse, Maurice（1912）, *Haut-Sénégal-Niger (Soudan français)*, 3 vols., Paris, Emile Larose.

Dieterlen, Germaine（1955）, “Mythe et organisation sociale au Soudan français”, *Journal de la Société des Africanistes*, 25.

Hogendorn, J. & M. Johnson（1986）, *The Shell Money of the Slave Trade*, Cambridge, Cambridge University Press.

Hunwick, John O.（1999）, *Timbuktu and the Songhay Empire: Al-Saʿdī' Taʾrīkh al-sūdān down to 1613 and other Contemporary Documents*, Leiden, Brill.

——（2000）, “Aḥmad Bābā on Slavery”, *Sudanic Africa*, 11.

Law, R. (1980), *The Horses in West African History*, London, Oxford University Press.

Levtzion, Nehemia (1972), *Ancient Ghana and Mali*, London, Methuen & Co. LTD.

Levtzion, Nehemia & J. F. P. Hopkins (eds.) (1981), *Corpus of Early Arabic Sources for West African History*, Cambridge, Cambridge University Press.

Mauny, Raymond (1961), *Tableau géographique de l'ouest africain au moyen âge*, Dakar, IFAN.

McIntosh, R. J. (2005), *Ancient Middle Niger: Urbanism and the Self-Organizing Landscape*, Cambridge, Cambridge University Press.

Niane, Djibril Tamsir (1960), *Sounjata ou l'Epopée mandingue*, Paris, Présence Africaine.

al-Sa'dī, Abd al-Rahman b. Abd Allah (1964), *Tarikh es-Sudan*, texte arabe édité et traduit par O. Houdas, Paris, Adrien Maisonneuve.

Takezawa, S. & M. Cissé (2012), "Discovery of the earliest Royal Palace in Gao and its Implication for the History of West Africa", *Cahiers d'Études Africaines*, 208.

Tamari, T. (1991), "The Development of caste systems in West Africa", *The Journal of African History*, 32-2.

コラム｜*Column*

文書のなかの口頭伝承

中尾世治

サハラ以南アフリカは、他の大陸と比して文字史料が相対的に少ない。そのため、口頭伝承は、一九世紀以降の植民地統治とともに開始されたヨーロッパ人によるアフリカ史研究の基礎となってきた。西アフリカでは、たとえば、二〇世紀初頭のフランスを代表する行政官＝民族誌家であり、西アフリカ史研究の祖とされるモーリス・ドラフォスが、マリ王国や各地の王国の伝承を集成して、仏領西アフリカの内陸部全体の歴史を、一九一二年に出版された『オー・セネガル・ニジェール』という大著で描き出した。

他方で、植民地統治以前のサハラ以南アフリカを「無文字社会」とみなすことは誤りである。東アフリカ沿岸、西アフリカ内陸では、イスラームの到来とともに、アラビア語の書字文化が深く根づいていった。たとえば、西アフリカでは、一五世紀半ば頃から、アラビア語の文書が書かれ始めた。一七世紀頃からは、いくつかの西アフリカの言語をアラビア文字で表記したアジャミの文書が書かれるようになった。

西アフリカのムスリムがアラビア語やアジャミを用いて書いた文書のなかには、口頭伝承の知識にもとづくものがある。たとえば、『スーダーン年代記』は、一七世紀のトンブクトゥで書かれた西アフリカで最も著名なアラビア語の歴史書のひとつであるが、この年代記は明確に複数の口頭伝承を参照して、その歴史叙述をおこなっている。そこには、口頭で伝えられていたであろう町や一族の起源伝承、ムスリムの学者についての伝承などが含まれている。このような年代記にあらわれる伝承と類似した口頭伝承が二〇世紀以降に人類学や歴史研究のなかで採録されている。時代を経て口頭伝承が語りつがれたのか、年代記の記述が口頭伝承に影響をあたえたのかは不明である。しかし、このように、口頭伝承と文字史料は連続的なものとなっている。

さらに、やや極端な言い方をすれば、西アフリカの歴史書は、口頭伝承を基盤として書かれてきたとも言える。植民地統治以前のムスリムの学者も、植民地統治以後の行政官や人類学者も、文書の残されていない過去を叙述するために、多かれ少なかれ、口頭伝承を用いて歴史を書き残していった。そして、現在においても、植民地統治以前のアラビア語文書の少ない地域を対象にした研究では、語り手の名前と場所と日時を明示したかたちで口頭伝承を引用することで、過去の歴史の再構成がなされている。

他方で、アフリカ史研究の黎明期である二〇世紀初頭と現在を比較すると、状況は大きく異なっている。端的に現在では、すでに書かれた口頭伝承が数多くある。たとえば、筆者は、西アフリカ内陸のブルキナファソ中西部で一九世紀初頭に生じた小規模のジハード運動を研究したが、すでに一〇を超える先行研究が、それぞれ異なる村で、このジハード運動についての口頭伝承を聞き取っていた。筆者は未調査の村々も含めた口頭伝承の収集をし、先行研究の口頭伝承との比較をおこなうことになった。このように現在では、新たに聞き取った口頭伝承と書かれた口頭伝承との比較が不可欠である。語り手の属性によって語られる内容が異なることだけでなく、すでに失われてしまった知識を補うこともできるからである。つまり、現在の口頭伝承を用いた歴史研究は、文書のなかで言及される口頭伝承をも対象としなければならない。口頭伝承は口頭によるものだけではない。書かれた口頭伝承をも対象とすることが必要となる。

このような視座は、文書のなかの口頭伝承という点を浮かびあがらせる。このジハード運動は、後年のローカルなムスリムの知識人によって書かれた短いアラビア語のいくつかの文書でも語られている。

ある文書では、ジハードを主導した人物が学んだとされる三名のムスリムの人名への言及がされており、一見すると、口頭伝承とは大きく異なっているようにみえる。この人物についての口頭伝承では、修学先の師の名前は語られないか不明であり、多くの場合、修学先については、それぞれひとつの地名のみが言及されるからである。しかし、このアラビア語の文書で言及されているムスリムはジハードとは関連しない他の口頭伝承のなかで言及されていた。実のところ、この文書は地域のなかで著名なムスリムやゆかりのある地名に言及しながら、ジハードを主導した人物の権威づけをおこなっていた。言い換えれば、この文書は口頭伝承で共有されている知識を前提に書かれていたのである。

また、文書のなかの口頭伝承への着目は、口頭伝承の書かれた、かつての学術書や論文のもととなる調査で「インフォーマント」となった人物や通訳にも光をあてる。学術書や論文の註釈や謝辞のなかで言及される「インフォーマント」や通訳は、しばしばローカルな権威者や知識人、あるいはミドルマンとして位置づけられるような外部との接続を担った人物であった。こうした人物たちの知識や人的なネットワークを基礎としてアフリカ史は書かれてきた。

学術書や論文はアラビア語の年代記と同様に、ローカルな人的ネットワークと内外の権力関係のなかで構成された口頭伝承の結節点である。そして、その蓄積が学術としてのアフリカ史研究をつくりあげているのである。

このように、口頭伝承を用いたアフリカ史研究とは、口頭伝承それだけの研究に留まらず、書かれた歴史の語りがいかに口頭伝承とのかかわりのなかで生じてきたのかをも示しうるのである。

沿岸部スワヒリ世界の形成と展開

鈴木英明

はじめに――沿岸部スワヒリ世界とは何か

ソマリアのムクディショ（モガディシュー）付近からモザンビークの北部沿岸およびその間の島嶼部に点在する港町とその周辺が、本章で取り扱う沿岸部スワヒリ世界である[1]［図1］。そこではスワヒリ語やそれに類似する言語が用いられ、多様な信仰が併存しつつもイスラーム教が卓越する。サンゴで造った壁と壁の間にマングローヴ竿を梁のように渡して屋を重ねた複数階の家屋が並び、その間を小路が縫って迷路のようなストーン・タウンを形成する。そこでの生活基盤はこんにちでは多くの場合、観光業だが、歴史的には商業であった。

沿岸部スワヒリ世界をアフリカ史の一部として理解しようとすれば、少々厄介である。なぜならそこで「アフリカ」的な何かを見出そうとすれば、その視野には「アラブ」的、「インド」的、「イギリス」的、その他もろもろの「アフリカ」的ならざる何かが常に入り込んでくるからである。たとえば、ザンジバル島ストーン・タウンの常設市場の建造物は一九世紀最末期に始まる英保護領時代に設営されたもので、周囲にはそれ以前から存在するインド系商人が建てた住居兼小売り店舗が林立し、そうした町並みのなかにサンゴの壁で囲われたアラブ系要人の古い墓がとき

図1　沿岸部スワヒリ世界の主要地名とマスカレーニュ諸島

たま現れる。海岸沿いには一六世紀のポルトガル勢に起源を持つ要塞がその姿形を留めている。あるいは、スワヒリ語はこの歴史世界の交易言語として発達し、バントゥ語系統の文法構造を持つが、アラビア語、ペルシア語、グジャラート語、英仏独葡といった西欧諸言語から多様な語彙を取り込んできた。

注意したいのは、ひるがえって、現代の沿岸部スワヒリ世界に見られる「アフリカ」的と思われる事柄もまた、同じように時代の進展のなかでこの世界に入り込んでいった点である。「ウニャゴ」はその好例だろう。「ウニャゴ」とは、女性が初潮や婚姻を迎えるに際して、同性の年長者から性役割や道徳を伝授される儀礼や舞踊を指す。この風習は、一九世紀、とりわけザンジバル島で商品作物栽培が活況を迎えるのにつれて、奴隷として大量に連れてこられたヤオやマクア、マコンデといった現在のタンザニア南部、モザンビーク北部、マラウイにかけて住まう人々によって持ち込まれた。二〇世紀初頭になると、これを簡略化した舞踏ムキンダが登場し、身分や集団の違いを超えてザンジバル島ストーン・タウンの女性たちに受容されていった(Fair 2001: 105)。

沿岸部スワヒリ世界の歴史研究では、その黎明期から、この歴史世界を形成する原動力がアフリカ内部にあるのか、あるいは外部にあるのかという議論が重ねられてきた。しかし、そうした一種の起源論争は、上に紹介したような今日的な状況を理解するうえであまり有効ではないし、そもそも、沿岸部スワヒリ世界自体の能動性や主体性を軽視してしまっている。より重要なのは、アフリカの内か外かという区別ではなく、また、起源でもなく、この世界が多様な方向からやってくる様々な人やモノ、文化とどのようにかかわりあい、自己を変化させていったのかという過程ではないだろうか。ここでいう「自己」とは特定の属性など何かの核心があるのではなく、多様な方向からやってくる人やモノ、文化と交わりながら変化しつつ、それらもまた全体の一部となってその相貌を変えていく「自己」である。近年の歴史学や周辺分野の研究も、沿岸部スワヒリ世界を「仲介者社会」、「混交」、「コスモポリタン」、「ハイブリディティ」、「シンクレティズム」といった概念を用いながら理解しようとする傾向にあり、つまり、そうした性格が形成されていく過程そのものに注目が寄せられている(Mazrui 2007; Walker 2017; Delich 2018; Wynne-Jones and LaViolette 2018)。以上を踏まえ、本章は、沿岸部スワヒリ世界の変化の過程を一〇世紀から一三世紀の「形成」と一九世紀の「開放」、一九世紀末から二〇世紀前半の「拡大」の三つの画期を中心に、過去二〇〇〇年程度の時間幅で考察する。

一、沿岸部スワヒリ世界の形成

『エリュトラー海案内記』の情報

沿岸部スワヒリ世界の歴史的な特徴を混交などの言葉で表現できるとして、それは資料的にいつごろから確認できるのであろうか。広く知られている最初期の文献情報は、紀元後一世紀半ばごろの成立とされるギリシア語文献『エリュトラー海案内記』第一六節にある、アザニアーの交易地ラプタに関する次の記事だろう。すなわち、この交易地の通商権を当地の王から獲得したムーザ(通説ではイエメンのモカに比定)の人々が船を送るのだが、「多くの場合には、(現地人との)親交や通婚を通じてこの土地の事情と言葉に通じたアラブ人の船長や使用人を用いる」とある(蔀 二〇一六：巻一、二六頁)。この時期には少なくとも、渡海者(海を渡ってやって来る外来者)男性と現地女性との通婚が一定程度あり、そうした人々が媒介者となって海を跨いだ遠隔地交易が展開されていたことがここから読み取れる。

しかし、アザニアーについてはおおよそアフリカ大陸東部沿岸を指すと理解される一方、ラプタに比定するに十分な考古学的証拠はどの遺構からもいまだに報告されていない(Horton and Chami 2018: 137-139)。ラプタが一個の地名として実在したのかすら疑問に思えてくる。むしろ、複数の交易地の総称である可能性も考えるべきだろう。仮に単一の場所を指していたとしても、この時期のアフリカ大陸東部沿岸でそのような交易地は特殊だったのではないかと考えられる。

第一/二千年紀転換期における変化

これ以降、文献からめぼしい情報の得られない状況が続く。たとえば、初期のアラビア語数理地理書類にもアフリカ大陸東部沿岸の情報は記載されているが、それらはすべてプトレマイオスの地理書など既存のギリシア語・ラテン語文献が情報源になっている。こうした状況は一一世紀前後、すなわち第一/二千年紀転換期に変化する(鈴木 二〇一五)。この時期の文献情報はアラビア語によるものがほとんどだが、それ以前のようなギリシア語・ラテン語文献の影響が影を潜める一方、情報量が増えていく。そのなかには現地の実態をかなり反映していると判断できるものも少なくない。多くの著者は伝聞から情報を得て、それをときに気候帯などにかんする知識で解釈しつつ、記事を著していたが、一〇世紀半ばのマスウーディーは現地への渡海の様子とそこで実際に見聞した情報を記している。また、この世紀の後半に活躍したムカッダスィーは現地に渡航を試みながら、それが実現しなかったことを書き記している。その後も、アラビア語文献に現れる地名は一三世紀ごろを頂点に増加し、より詳細な現地の情報が記されるようになる。

文献上で変化が見られたこの時期、港町でも変化が生じていた。たとえば、八世紀半ばに起源が認められるラム群島のシャンガでは、九二〇年から一〇五〇年の間にそれまでの土製の建造物からサンゴ石を用いた建造物に移行する(Horton 1996: 399-400)。新たな建造物は、より具体的に、サンゴ礫をマングローヴ炭で燃やして作った石灰で、ハマサンゴ属から切り出したブロックを接着・壁面塗装して壁を造り、その間にマングローヴ竿を渡して建てられた。同様の変化はラム群島のマンダなどでも一〇から一一世紀にかけて確認される(Horton 1986: 205, 207)。他方、ザンジバル島のウングジャ・ウクーは六世紀ごろから存在していたが、一〇世紀には放棄された(Juma 2004: 148-154)。

「海洋性」の増大と港町の生存戦略

これと関連して、近年の考古学では、この時期にアフリカ大陸東部沿岸の諸社会がより高い「海洋性」を獲得したという議論も重ねられている(Fleisher et al. 2015)。「海洋性」とは、生活や世界観が海洋資源や海上活動に影響される性質を指し示している。高い海洋性の獲得が沿岸部スワヒリ世界と呼びうる歴史世界の輪郭をより顕わにしていく。

第一千年紀と第二千年紀の港町を比較すると、後者に海上交易の痕跡がより色濃く、また、漁撈《ぎょろう》活動をより沖合で行うようになったことも確認される。つまり、サーサーン・イスラーム様式の陶器やインド亜大陸などで作られたガラス・ビーズ類はすでに第一千年紀の地層から出土しているし、『エリュトラー海案内記』第一五節には魚やカメの漁が記されているが、第二千年紀に入ると、シャンガでは一二世紀以降にサメの大規模な漁獲が確認できるようになり、キルワなど他の遺構でも出土物における海外製品の割合が全体的に増加する(Chittick 1974: Vol. 1, 29; Horton 1996: 380)。海に足を踏み入れることで獲得できるサンゴやマングローヴを建築に用いるのも、海洋性の現れの一端である。加えて、ハマサンゴ属を切り出す技法については、紅海南部沿岸でアフリカ大陸東部沿岸に先立つ事例が確認されており、海を跨いだ技術の移転まで想定する必要がある(Horton 1986: 205-207)。

モスクが港町で目立つようになるのもこの時代である。キルワ島の金曜モスクは、一二世紀末から一三世紀末にかけて大きく拡張した(Chittick 1974: Vol. 1, 61-99)。海を隔てたアラビア半島の聖地マッカ(メッカ)の方角にミフラーブ(聖龕《せいがん》)をしつらえ、そちらに向かって日々、礼拝を繰り返すことは、沿岸部スワヒリ世界の人々に物質的な側面ばかりでなく、心の内面——とりわけその世界観——においても「海洋性」を増大させていった。

「海洋性」の増大は内陸部との文化的紐帯が弱まることと並行していた。たとえば、一一世紀以降、それまで沿岸部と内陸部に流通していた三角形の切込紋を特徴とする初期タナ式土器が姿を消し、地域ごとに多様な土器が作られるようになっていく(Wynne-Jones 2016: 14-15, 151)。また、港町の住民が内陸後背地に棲息する、魔術をかけられて狂暴化した動物の存在を渡海者にほのめかし、勝手に港町を離れることを警《いまし》める記事もこの時期の文献に見られるようになる(Suzuki 2018a: 80)。一三三一年にムクディショを訪問したイブン・バットゥータによれば、現地の商人は渡海者の商売や滞在中の衣食住一切の面倒を見るかわりに、自らの目の届かないところでの行動を強く制限していた(バットゥータ 一九九六―二〇〇二：巻三、一三八頁)。次いで、キルワ島を訪れた彼は、当地のスルターンが信仰心に篤く、イスラーム教徒として立派な装いや寛大に振る舞うさまを書き留めている(同前 一四七―一四八頁)。

　これらの文献情報からは、沿岸部スワヒリ世界の住民が渡海者に対して、自己と内陸後背地とを差異化し、自らをより魅力的な交易相手として表象する努力が垣間《かいま》見《み》える。つまり、同時代の沿岸部スワヒリ世界への渡海者、とりわけ西アジアの人々の地理認識上では、この歴史世界は人間が文明を築く理想的な自然環境とは対極にあり、人智を超えた大きさや形状の動植物が跋扈《ばっこ》・繁茂する場所で、かつ、そこに住まうザンジュの人々はヌーフ(ノア)から始まる人類の系譜からしても野性の高い人々であった(鈴木 二〇一五：二九三―二九八頁)。住民はそうした認識を真っ向から否定せず、自らの住まう港町の外にそうした認識に合致する要素の拠り所を創出しつつ、自らの篤い信仰心や歓待などで港町内外の差異を際立たせるのである。また、ジンバブウェ高地と接続することでキルワ島が掌握していたとされる金を除けば、象牙や龍涎香《りゅうぜんこう》、木材や奴隷といった渡海者の求める交易品はおおよそどこでも入手できた。つまり、港町が各々用意できる交易品から他との顕著な差異化を図るのは難しく、港町間の競争は渡海者との親和性をより高める方向に進んでいった(Suzuki 2018a)。その結果、一二から一四世紀のキルワ島の最盛期など若干の例外を除けば、この歴史世界には規模の類似した港町が林立する状況が生まれていくのである。

一八世紀までの外部との限定的な関係性

このようにして高い海洋性を獲得していく沿岸部スワヒリ世界に一五世紀末、登場したのがポルトガル勢であった。「大航海時代」などの言葉で呼びならわされる彼らの登場は大きな画期のような印象を与える。確かに、いくつかの港町には彼らの建設した要塞が現存する。しかし、こんにちの研究者は沿岸部スワヒリ世界規模でも、インド洋海域世界規模でも、彼らの登場をより控えめな評価に留めるようになっている(Pearson 1998: 128; Pearson 2003: 113; Alpers 2013: 80; Beaujard 2014: Vol. 2, 514-519; Campbell 2019: 164-165)。事実、モザンビーク島に築いた彼らの拠点がポルトガル領モザンビーク形成の足掛かりとなったのは確かであるが、その近辺ですら、彼らが領域的な支配を及ぼすのは一九世紀末以降であり、それ以前の影響力は極めて限定的であった。また、モンバサ島のフォート・ジーザス要塞は一六世紀を通じて三度試みられた攻略の末に建設されたが、一七世紀中のオマーンのヤアーリバ朝との戦線拡大のなか、この世紀の末、放棄されるに至る。

一八世紀までの沿岸部スワヒリ世界は総じていえば、外部と接触する機会も、その相手も限られていた。たとえば、大陸側については、エチオピア南部からのオロモの人々の南下が特筆されるが、その直接的な影響は現在のケニア沿岸部くらいまでに留まったと考えるべきだろう(Turton 1975)。また、一九世紀に長距離交易網が成立する(後述)以前、内陸部と沿岸部とは複数の短距離交易圏が鎖状に連なるいわゆるリレー・システムで繋がっており、沿岸部スワヒリ世界の人々と直接的な交易関係にあったのは、近隣後背地の集団にほぼ限定されていたと考えられる。インド洋側に関しては、ポルトガル勢とヤアーリバ朝の抗争の舞台は沿岸部スワヒリ世界のいくつもの港町に跨っていたが、彼ら以外が海から積極的にかかわることはなかった。たとえば、インド亜大陸や東南アジア島嶼部と本国を往来する諸東インド会社の船舶のほとんどは、沿岸部スワヒリ世界の港町を素通りした(Chaudhuri 1985: 131; Gaastra and Bruijn 1993: 192-193; Haudrère 2006: 129-132)。とはいえ、彼らがこの一帯に全く無関心だったわけではない。一七世紀後半のラム群島のパテがペルシア湾やマダガスカル島方面と活発な交易をしていた事実は英蘭の東インド会社に知られており、訪問記録も存在する(Jenson 1973; Floor 2014: 187-211)。

二、一九世紀の開放

ブー・サイード朝によるザンジバル島の拠点化

このように限定的だった外部との関係が大きく開放されていくのが、一九世紀である。その重要な契機がオマーンに出自を持つブー・サイード朝による、ザンジバル島での拠点形成である。この王朝はすでに一七四四年に同島を征服したとされるが、一八〇〇年前後でもこの島の商業的な重要性は沿岸部スワヒリ世界で突出したものでは決してなかった(Curtin 1983: 860; Sheriff 1994: 36)。その状況は、同王朝を率いるサイード・ビン・スルターンがオマーンのマスカトとザンジバル島とを頻繁に往復しはじめる一八二〇年代末以降に一変する。ザンジバル島における拠点形成の背景にはいくつかの点が指摘されている。たとえば、肥沃な土地や交易をするうえで重要な良港の存在がサイードにこの島の将来性を確信させたこと、また、彼がその将来性を見込んだアフリカ大陸東部沿岸がヨーロッパ勢力に干渉されることを危惧したこと、あるいはオマーンおよびペルシア湾での政争から距離を置くのに好都合だったことなどが挙げられる(Coupland 1967: 6; Nicholls 1971: 246-247; Beachey 1976: 46-47; Reda Bhacker 1992: 92-100)。これらに加えて、アフリカ大陸東部沿岸でブー・サイード朝と敵対関係にあったモンバサ島のマズルイ朝（ヤアーリバ朝から派遣された太守が独立勢力化して形成された王朝）の勢力圏がペンバ島以北に留まっており、ザンジバル島では現地の為政者からの強硬な抵抗に遭わなかったことも、数ある候補地のなかでこの島が選ばれた理由を考える際に考慮されるべきだろう。

サイードは一八四〇年代までにおおよそラム群島からキルワ島までの港町を掌握する。ただし、それは沿岸部スワヒリ世界一帯に跨る領域的な支配ではない。むしろ、主要な港町に太守を派遣して管理するネットワーク型の支配であり、港町規模ですら、多くの場合、盤石の支配体制を敷けていなかった。商業面では、各々の港町に徴税請負職が設けられた。この職を担ったのがインド系商人、とりわけインド亜大陸北西部カッチ地方出身のヒンドゥー教徒カッチー・バティヤーであった。彼らは一八世紀末にマスカトに進出し、そこでサイードの知遇を得たとされ、ザンジバル島の拠点形成も二人三脚で実現されたものであった。沿岸部スワヒリ世界でも双方の緊密な関係性は維持され、ザンジバル島ストーン・タウンの繁栄はこの関係性を背景にした彼らの多角的な商業活動が下支えしていたといっても過言ではない（鈴木 二〇一四）。なお、彼らの渡海は、一九世紀末ごろまでは集団内の慣習法から男性のみによって行われた。

ザンジバル島ストーン・タウンの繁栄と大陸部での交易

サイードは、通商条約によって欧米商人の大陸部沿岸での商業活動を認めない一方、ザンジバル島ストーン・タウン港からの輸出を無税にし、一極集中を試みる（Sheriff 1987: 126-127）。これは、大陸部に十分な知識や伝手のない欧米商人たちにとっても、より安全かつ確実に交易できるという利点があった。一八七〇年代に滞在したスタンレーは、この港町を「東アフリカのバグダード、エスファハーン、ないしはイスタンブルである」と述べる（Stanley 1895: 11）。

だいぶ誇張があるようにも思われるが、しかし、確かに一九世紀、ザンジバル島のストーン・タウンは繁栄を謳歌していた。

この繁栄は、それまでの沿岸部スワヒリ世界とインド洋西海域各地との交易に、欧米との取引が加わり、それらをこの港町に収斂《しゅうれん》させることでもたらされた。新たに加わった欧米との交易に目を向けると、代表的な輸出品として象牙がある。象牙は古くからアフリカ大陸東部沿岸の重要な輸出品であったが、旺盛な欧米市場の需要を眼前に乱獲が進む。一八五九年を例にとれば、額面だとストーン・タウン港の総輸出の約三分の一に相当する約二二〇トンの象牙が海外向けに積み出されたが、そのうちの半分が北米市場に直行した(MAHA PD1860/159/316)。もう半分は主にインド市場に向けられたが、ボンベイでも多くがイギリス本国向けに積み替えられたとされる(Sheriff 1987: 129)。その後も象牙の輸出量は増加傾向にあり、多元素同位体比分析からは、特に一八八〇年代以降、ゾウの個体数が減少し、より内陸に供給地が移っていったことが示唆されている(Coutu et al. 2016)。

他方、ストーン・タウン港の欧米からの輸入で注目すべきは綿布である。一八五九年の統計では総輸入額の四割を占める。一九世紀中葉以降、従来のインド製綿布をしのぐ勢いを見せるのが「アメリカン」のスワヒリ語転訛で「メリカニ」と呼ばれた北米製未晒《みさら》し綿布であった。綿布、特にメリカニ布は消費財というよりも、キャラヴァンが通行税のような形で内陸部の為政者に貢納し、それを為政者が臣下に下賜するなどして、交換財として広く内陸部に流通していった。同様に交換財的な価値を帯びた輸入品としては、最終的に腕輪などの装飾品に加工されるビーズと金属線がある。ビーズは銅貨、綿布は銀貨、金属線は金貨になぞらえられた(Stanley 1895: 24)。ビーズについては、ヴェネツィアやボヘミア製のガラス・ビーズが好まれたのはアフリカ大陸東部で共通するが、形状や色の好みは集団ごとに多様で、なおかつ、流行の推移も激しかった。金属線も、一九世紀後半は黄銅線が広く流通したが、マーサイなどは鉄線を好んだし、太さの好みも集団や地域で異なっていた。内陸部のそれらの受け取り手は、意に沿わない商品は決して手にしなかった。ザンジバル島ストーン・タウンに集積された各地の最新の流行や嗜好の変化の情報が欧米の製造者にもたらされ、それを反映した製品が再びストーン・タウンを経て内陸部へと流れていく。確かにアフリカ大陸東部は欧米製工業製品のはけ口ではあったが、消費者たちは決して御しやすい、従順な存在ではなかった(Prestholdt 2008: 59-87)。

長距離交易網の発達

内陸部と沿岸部との交易は一九世紀に入り長距離交易網が発達することで大きく飛躍する。それは内陸部と沿岸部の双方で、同時多発的に発達していった。沿岸部の港町では象牙などの内陸産品の需要が増加するのに伴い、より大量かつより安価に調達しようとする沿岸部の人々が従来のような直接後背地よりも奥地まで赴くようになる。他方、内陸部からは、たとえば、大湖地方で農牧複合生業を営んできたニャムウェズィの人々が沿岸部での内陸産品の需要増加を聞きつけ、沿岸部を目指して自らキャラヴァンを組んだり、荷担ぎとして運搬を担ったりしていく(Rockel 2006)。ニャムウェズィの男性にとって、長距離キャラヴァンに参加し、道中の苦難を乗り越え、沿岸部で流行の布地を持ち帰ることが一種の成人儀礼のようになっていった(鈴木 二〇一八)。

長距離交易網といっても、アフリカ大陸東部にはそれを包括的に維持・管理する政治権力が存在しないために、全くの道なき道を進むのではないが、国道のようなものをここで想定するのも誤っている。交易者たちは、宿場などで各地の商況、戦争や自然災害、為政者の交代などの最新の情報を交換しながら、その都度、最適な目的地と行程を選択して進んでいった。状況を総合すれば、ここでいう長距離交易網とは具体的に、キルワ島周辺—マラウイ湖方面、バガモヨ周辺—タンガニーカ湖方面、モンバサ島周辺—ヴィクトリア湖方面を繋ぐ三つの東西方向の交易路を大動脈に、それらと繋がる南北方向の無数の交易路の複合体として提示できる(**図2**参照)。長距離交易網の発達によって、たとえばタンガニーカ湖畔のウジジのように、スワヒリ語が使用され、モスクが建てられ、沿岸部スワヒリ世界を再現したかのような交易都市も内陸部に現れるようになる（日野 二〇〇七）。

奴隷交易の趨勢

長距離交易網を伝って沿岸部に到達したもうひとつの重要な商品が奴隷であった。アフリカ大陸東部沿岸からの奴隷輸出は九世紀後半の下《しも》イラクにおけるザンジュの乱（多くのアフリカ系奴隷が参加したアッバース朝討幕運動）の直前あたりを第一のピークに、その後も連綿と続くが、輸出先の多角化とともに一九世紀に最盛期を迎えた。つまり、従来のインド洋西海域北部（ペルシア湾方面を中心に、アラビア半島南西部、インド亜大陸を含む）で政治状況の安定などから需要が増加傾向に転じたのに加え、一八世紀第三四半期以降に砂糖などの商品作物栽培が本格化するマスカレーニュ諸島や、一九世紀前半の大西洋における奴隷交易廃絶活動の進展でアフリカ大陸西岸に代わる調達先を求めていたキューバ、ブラジ

図 2 1890 年ごろの現ケニア，タンザニア近辺の交易路とウガンダ鉄道（1901 年開通）の路線

ル方面からの需要が急増した。一八三〇年代頃からは、沿岸部スワヒリ世界での旺盛な需要がこれに拍車をかける。また、奴隷の場合、他の商品と異なり、特に海外向け輸出は必ずしもザンジバル島を経由しなかった。たとえば、大西洋方面やマスカレーニュ諸島へは、主にキルワ島近辺までを含むモザンビーク沿岸部から奴隷が輸出された。

一九世紀、アフリカ大陸東部沿岸から輸出される奴隷の最大の需要は沿岸部スワヒリ世界自体に生じた。一九世紀中葉、ザンジバル島に運ばれた奴隷のおよそ半数がペルシア湾など沿岸部スワヒリ世界の外に向かい、残り半数がその内に留まったとされる。後者について、奴隷所有者たちは沿岸部スワヒリ世界の言語や慣習の習熟度が高ければ、家内奴隷として用い、そうでなければプランテーションに送った。また、幼年者は言語や文化の習得可能性が評価され、家内奴隷として用いられる場合が少なくなかった(Suzuki 2020)。

ザンジバル島のプランテーションでは主としてクローヴ(丁子)とココヤシが栽培された。ここでは前者に注目しよう。マルク諸島原産のクローヴはモーリシャス島を経て、一九世紀初頭にザンジバル島に移植された。この島の北西部は赤土ローム層が深く広がっており、雨量などの条件もクローヴの生育環境に適していたため、移植は成功する(鈴木 二〇一六)。それまで生産地が限定され、それ故に高価であったこの香辛料の栽培成功は一八三〇年代以降、クローヴ投機熱の高まる「クローヴ熱狂」と呼ばれる時代を創出した(Sheriff 1987: 50-60)。王族を含むアラブ系がまず商品作物栽培に乗り出し、すぐにインド系商人層も参入していく。利潤は更なる農地拡大と労働力(奴隷)調達に充てられる一方、豪邸や家内奴隷の購入にも費やされた(Suzuki 2017)。

このような奴隷交易の盛り上がりは、旺盛な需要だけから説明することはできない。つまり、一九世紀初頭にアフリカ大陸南部で生じたムフェカネ(ズールーなどングニの人々の武力を伴う移住活動とそれによる混乱)を震源として、アフリカ大陸東部の広い範囲で大規模な玉突き的人口移動が発生し、その混乱のなか、戦争捕虜などで奴隷が生み出される。また、ムフェカネのひとつの要因として挙げられる干魃やそれに伴う飢饉は一九世紀を通してアフリカ大陸東部から南部にかけて頻発しており、自らや家族を奴隷として売ることで生き延びようとする事例も少なくなかった。奴隷供給については、外部からの暴力を伴う奴隷狩りと少なくとも同程度に、それら内部的な要因を考慮する必要がある。こうした奴隷は様々な人の手を経て各地へと散らばっていった。

このように、アフリカ大陸内陸、沿岸部スワヒリ世界、海外のそれぞれの事情が連動することで奴隷交易の最盛期が訪れた。その結果、大陸部の港町後背地から人口枯渇が顕著になっていき、より奥地へと奴隷の供給地が転移していった(鈴木 二〇二〇：一四八―一五五頁)。他方、大量の奴隷人口を抱えるようになった港町とその周辺では、しばしば海外へ輸出するために奴隷が略奪されるようになっていく(Suzuki 2017: 101-107)。

開放の時代の変化

開放の時代の沿岸部スワヒリ世界の変化としては、相互に連関する次の三点が指摘できる。一点目は奴隷労働力に依存したプランテーション経済の登場である。「クローヴ熱狂」の余波は対岸の大陸側にも及んだ。ザンジバル島では従来の食糧生産用地も商品作物用プランテーションに転換していった結果、食糧自給が困難になるが、港町マリンディの周辺で一九世紀半ば以降に登場した穀物プランテーションなどがそれを支えた。このように、プランテーションの連鎖する状況が生まれる(Suzuki 2017: 98-99)。

二点目に、それまで港町内部にほぼ限定されていたこの歴史世界の空間がそのすぐ外側へ拡がっていく点が挙げられる。本章がここまで扱ってきた沿岸部スワヒリ世界とは、実質的に港町の連なりであった。港町の住人が渡海者に港町内外の差異を強調してきたことも思い返したい(第一節参照)。他方、一九世紀、沿岸部スワヒリ世界は明らかに港町の外側にあるプランテーションも含むようになっていく。プランテーションの所有者は港町の住民であり、そこでの生産物は重要な海外向け交易品、つまり生活の糧であったばかりでなく、そこは港町の喧騒から離れた憩いの場としても彼らの生活空間に含まれていく。

最後の点は、この時代、沿岸部スワヒリ世界が以前よりも多様な出自や背景を持つ人々の活躍の場になっていったことである。欧米系商人や宣教師はもちろん、インド系商人でも、一九世紀後半には新参のボホーラーやホージャといったイスラーム教徒集団が特に小売業に進出していく。彼らの多くは家族単位で移住してきた。また、ザンジバル島ストーン・タウンの周囲に、ニャムウェズィや北東モンスーン期に商売や労働をしにやって来るソマリの人々がその時期にだけ滞在する街区も現れる。それと同時に、プランテーションも多民族雑居の世界であった。一八六〇年に作成されたザンジバル島に関する奴隷のリストを参照すると、八四もの集団を見出すことができる(Suzuki 2012)。プランテーションでの生活史に関する蓄積はいまだ薄いが、現時点で少なくともいえるのは、港町がコスモポリタン的であるならば、プランテーションもまた然りだったということである。

三、拡大する外部

植民地化と新たな移民、重心の移動

一八八〇年代以降、沿岸部スワヒリ世界も植民地化の波にさらわれていく。一八八四年にカール・ペータースらが沿岸部後背地の諸政治権力とドイツ帝国による保護条約を締結し、ドイツ本国政府がペータースらのドイツ植民協会に統治委託の勅許を与えると、英独間でアフリカ大陸東部の分割が本格化する。一八九〇年代初頭には、英帝国が現在のケニアとウガンダ、ドイツ帝国がタンザニアにほぼ相当する領域を確保する。しかし、第一次世界大戦を経て独領東アフリカは、委任統治領として、実質的に英帝国の版図に組み込まれた。また、一八九〇年に英保護領化したザンジバル島とペンバ島では、一八九六年の英ザンジバル戦争を経て、統治が強化された。ムクディィショは一八九二年

にイタリア帝国がザンジバル島のスルターンから租借し、一九〇五年にはイタリア領ソマリランドの首都が置かれた。ポルトガル領モザンビークでは外国資本の目立つ特許会社が開発と支配の先兵となり、一八九八年には行政組織の中枢がモザンビーク島から南部のロレンソ・マルケスへと移転する（網中 二〇一四：八六―九二頁）。

こうしたなか、沿岸部スワヒリ世界の商業的な中心がザンジバル島からモンバサ島へと移転していった。この現象は沿岸部スワヒリ世界からズームをあげた眺望のなかで理解する必要がある。注目したいのは、モンバサ島からヴィクトリア湖畔キスムへと延びるウガンダ鉄道である（図2参照）。英帝国によるこの鉄道敷設は、名目的には一八九〇年のブリュッセル一般条約で定められた奴隷交易抑止策の遂行にあるが、ナイル川上流地域やコンゴへのより容易なアクセスの確保が実質的な目的であった。敷設は一八九六年、モンバサ島から始まり、英領東アフリカの行政の中心ナイロビを経由して一九〇一年に完成する。この事業の主要な労働力はインド亜大陸からやってきた三万超の契約労働者であり、従来、沿岸部スワヒリ世界と直接的な関係が希薄だったパンジャーブ地方出身者が多かった（Kapila 2009）。全労働者のうち、約七〇〇〇人が契約満了後も現地に留まる（Mangat 1969: 33-39）。

ウガンダ鉄道の海側の発着駅はモンバサ島ストーン・タウンから三キロメートルほど離れたキリンディーニに設けられ、新設の港に接続した。植民地期に入って間もなくウガンダで商業栽培のはじまった綿花が到着しだすと、港の重要性は一気に高まる。こうしてウガンダ鉄道と繋がったこの港がアフリカ大陸東部の中心港となる。他方、独領ではダル・エス・サラーム港の整備が進み、交易量ではキリンディーニ港に及ばないものの、海外と繋がるようになる。イタリア領のモガディシオやポルトガル領の港町も宗主国などの海外と繋がっていく。こうした状況下、ザンジバル島ストーン・タウン港は往時の勢いを回復できず、次第に国際交易港としての重要性を喪失し、クローヴ積出港へと転じていった。

奴隷制の廃止とその後

ザンジバル島とペンバ島では一八九七年に奴隷制が廃止される。保護領政府は一斉解放ではなく、自らで法廷に足を運んで手続きをした奴隷に解放証明書を発行した。奴隷たちが列をなして解放を求めていたと想像しがちだが、現実はそれと大きく異なる。証明書を受け取ったのは、両島の全奴隷の一、二割程度であった。

実は、解放証明書を受け取った元奴隷には納税や賦役の義務、そして居所と安定した収入源を証明する必要が生じた。解放後もそれ以前の場所に住むことはできたが、その場合は、その土地の所有者――往々にして、かつての主人――と法廷で賃貸などの条件を確認する手続きが求められた。それらを怠れば、「浮浪者」として認定される。他方、奴隷のままであれば、住み慣れた土地を離れたり、賃貸契約を交わしたりする必要も、納税などの義務も生じない。

また、奴隷たちのなかでは、官製の証明書によるよりも、主人の自発的な意思で解放されたほうがより高い社会的地位を得られると考える者も少なくなかった。奴隷たちにとって、証明書を取得するか否かの選択は自由身分と奴隷身分を天秤にかける行為であり、その決断はより良い生活の可能性を証明書の取得の向こう側に見出すか否かの見極めにかかっていた。結果的に、既に賃金労働の機会を主人から得ているなどしていた家内奴隷の方が、プランテーションでしか生きるすべのない奴隷よりも解放証明書を請求する割合が高かった(鈴木 二〇二〇：二三三―二三五頁)。

「拡大」する外部と高まる消費熱

植民地化という大きな政治的転機が一九世紀末に訪れたのだが、それは沿岸部スワヒリ世界の外部との繋がりを大きく制限したのではない。むしろ、この歴史世界は一九世紀の「開放」よりも多様な外部との接触、つまり「拡大」の過程にあった。他方、その内部では、奴隷制から解放された人々が新たな自己を模索する。この沿岸部スワヒリ世界の外部との関係性の拡大と内部における変化の接点を、ここではそこに生きる人々のあいだで高まる消費熱のなかに見出そう。たとえば、奴隷制のもとで慣習法的な着衣の制限を経験した元奴隷たちは、新たな自己を服装によって表現しようとする。彼らの前には多様な選択肢が広がっており、ときに彼ら彼女ら自身が選択肢を創出してもいた(Prestholdt 2006: 88-105)。たとえば、奴隷制廃止当時、ザンジバル島の自由民男性一般の装いはカンズという貫頭衣と筒形のコフィア帽であった。元奴隷の男性たちは、仕立屋からメリカニ布で作ったカンズを三日分の労働賃金で購入する。手縫いで絹糸の刺繡が入るコフィア帽は高価で手が出なかったが、安価なヨーロッパ製フェズ帽で代用した。やがてモンバサ島で製造されたより安価なミシン縫いのコフィア帽が流通するようになると、第一次世界大戦のころまでには、カンズとコフィア帽はこの島の男性に一般的な服装となった(Fair 2001: 75)。

また、こんにち、沿岸部スワヒリ世界の女性用民族衣装として紹介されることがままあるプリント布カンガの起源は諸説あるが、そのひとつは元奴隷の女性たちが自由民女性のまとう布地の柄を自らメリカニ布などに描いてまとったというものである。仮にそれがカンガの起源だとしても、それと現在のカンガには大きな隔たりがある。その間隙を埋めるのがヨーロッパの製造業者であった。オランダの捺染《なっせん》会社は遅くとも二〇世紀に入るころには、ボンベイで商品見本を収集し、沿岸部スワヒリ世界で流通していたインド製綿布を模倣している(金谷 二〇一三)。最初は木版、のちにローラー捺染機を導入して製造するが、ここにイギリスやスイスの製造業者も参入していく。意匠は多くの場合、モンバサ島やザンジバル島の現地の小売業者との共同作業で生み出されていった。このような過程のなか、規格化・廉価化とともにカンガが形作られ、大衆化していくのである。

一九二〇年代後半以降、ここに参入するのが日本製カンガであった。日本製品の最大の市場であった中国でのボイコット運動や、世界恐慌、国際的孤立という環境下、アフリカ大陸東部は残された数少ない新規参入可能な市場であった。一八八五年のベルリン会議で締結されたコンゴ盆地条約によって、コンゴ自由国を取り巻くアフリカ大陸の広い範囲で締結国の通商上の均等待遇が認められたが、これに一九一九年、日本も調印したことで参入の途が残されていたのである。カンガの場合、神戸のインド系商人(スィンド地方の出身と思われる)から情報を得た大阪の西澤八三郎商店が製造・輸出したのが最初と考えられる。住友伸銅鋼管社に特注した円周一六七センチメートルのローラー捺染機で、日本製布社の綿布を近畿圏の工場で捺染した。日本で流通するガーゼの生地がカンガのそれに適合したのも追い風になった。カンガを含めて日本製品の強みは廉価な価格帯にあり、雑多な製品が沿岸部スワヒリ世界の人々の生活を彩り、メリカニ布も日本製になった。一九三五年には英領東アフリカの総輸入額の一五%超が日本製品で、大阪商船会社の定期航路アフリカ東岸線(一九二六年開通)などによって主としてキリンディーニ港に積み下ろされた。一九四〇年代に入ると戦争で日本製品の流入は遮断されるが、戦後、復活する。日本製カンガは一九八〇年代に入るころまで、強い存在感を示し続けた(Suzuki 2018b)。

おわりに——ノードとしての沿岸部スワヒリ世界

沿岸部スワヒリ世界は、アフリカ大陸内陸部や海から延びてくる多様な人やモノ、文化と能動的に混交し、それらをもその一部にして展開してきた。外部の諸世界との関係性は時代とともに変化する。たとえば、形成の時代の海洋性の獲得はあたかもアフリカ大陸内陸部との文化的紐帯の減退と引き換えのようであったが、港町が海の向こうと繋がり続けるためには、交易品の確保のため、恒常的に内陸部との接続を保つ必要があった。一九世紀に入って長距離交易網が形成されていくと、内陸部から多様な人々が奴隷や荷担ぎとしてこの歴史世界に到来し、永続的に、あるいは一時的にこの歴史世界の住民になっていった。その一環として、ウニャゴやムキンダが沿岸部スワヒリ世界で実践され、他方、長距離交易網を伝って、内陸部でもウジジのような沿岸部スワヒリ世界と類似する都市が形成されていく。また、マルク諸島からモーリシャス島を経て持ち込まれたクローヴがザンジバル島の経済を牽引していくが、プランテーション経営はアラブ系やインド系などの港町住民が担い、プランテーションで汗を流すのは内陸部出身の奴隷であった。

このような歴史世界はその内在性だけに注目して説明できないのはもちろんだが、外在性だけによることもできない。もっとも有効なのは、人、モノ、文化の不断の流れ(フロー)が作るネットワークの結節点(ノード)としてこの歴史世界を位置づける見方だろう。流れが常にこの歴史世界に揺らぎを与え、その住民は個々に流れをつかさどろうと試み、それがまた流れに揺らぎを与える。その往還運動のなか、流れの中継地たりえた港町に繁栄が訪れ、流れの絶えた港町は衰えていった。開放の時代以降、この歴史世界がその一部となるネットワークは地球規模に拡大していく。そうしたなか、新たな流れは政治的に大きな変動をもたらし、外部との関係性も変化していく。しかし、そうした状況下でも、流れある限りこの歴史世界は自己を更新してきたのである。

注

(1) なお、スワヒリ語自体は現在、公用語として用いられているタンザニア、ケニア、ウガンダをはじめ、ソマリア南部やモザンビーク北部、コンゴ民主共和国東部、ルワンダ、ブルンジ、マラウイなどアフリカ大陸内陸でも話されている。

文書館略号

MAHA: Maharashtra State Archives, Mumbai, India.

参考文献

網中昭世(二〇一四)『植民地支配と開発——モザンビークと南アフリカ金鉱業』山川出版社。
イブン・バットゥータ(一九九六-二〇〇二)『大旅行記』イブン・ジュザイイ編、家島彦一訳注、平凡社東洋文庫。

金谷美和（二〇一三）「国際関係のなかのインド染織品――東アフリカのカンガに関わるオランダのサンプル帳新資料から明らかにする捺染布の展開」『現代インド研究』三。
蔀勇造訳註（二〇一六）『エリュトラー海案内記』平凡社東洋文庫。
鈴木英明（二〇一四）「ネットワークのなかの港町とそこにおける所謂「バニヤン」商人――一九世紀ザンジバルにおけるカッチー・バティヤー商人の活動」『東洋史研究』七一―四。
鈴木英明（二〇一五）「驚異としてのアフリカ大陸――中世アラビア語地理文献に見えるザンジュ地方」山中由里子編『〈驚異〉の世界史』名古屋大学出版会。
鈴木英明（二〇一六）「世界商品クローヴがもたらしたもの――一九世紀ザンジバル島の商業・食料・人口移動」石川博樹・小松かおり・藤本武編『食と農のアフリカ史――現代の基層に迫る』昭和堂。
鈴木英明（二〇一八）「月より来たる隊商――一九世紀アフリカ大陸東部の長距離キャラヴァンの成立と交易者の世界」弘末雅士編『陸と海の織りなす世界史――港市と内陸社会』春風社。
鈴木英明（二〇二〇）『解放しない人びと、解放されない人びと――奴隷廃止の世界史』東京大学出版会。
日野舜也（二〇〇七）『スワヒリ社会研究』嶋田義仁・中村亮編、名古屋大学大学院文学研究科比較人文学研究室。
Alpers, Edward (2013), *The Indian Ocean in World History*, Oxford, Oxford University Press.
Beachey, R. W. (1976), *The Slave Trade of Eastern Africa*, London, Rex Collings.
Beaujard, Philippe (2014), *Les mondes de l'océan Indien*, 2 vols., Paris, A. Colin.
Campbell, Gwyn (2019), *Africa and the Indian Ocean World from Early Times to circa 1900*, Cambridge, Cambridge University Press.
Chaudhuri, K. N. (1985), *Trade and Civilisation in the Indian Ocean: An Economic History from the Rise of Islam to 1750*, Cambridge, Cambridge University Press.
Chittick, Neville (1974), *Kilwa: An Islamic Trading City on the East African Coast*, 2 vols., Nairobi, British Institute in Eastern Africa.
Chittick, Neville (1984), *Manda: Excavations at an Island Port on the Kenya Coast*, Nairobi, British Institute in Eastern Africa.
Coupland, Reginald (1967), *The Exploitation of East Africa 1856-1890: The Slave Trade and the Scramble*, Evanston, North Western University Press.

Coutu, Ashley N., et al. (2016), "Mapping the Elephants of the 19th Century East African Ivory Trade with a Multi-Isotope Approach", *PLoS One*, 11-10.

Curtin, Patricia Romero (1983), "Laboratory for the Oral History of Slavery: The Island of Lamu on the Kenya Coast", *The American Historical Review*, 88-4.

Declich, Francesca (ed.) (2018), *Translocal Connections across the Indian Ocean: Swahili Speaking Networks on the Move*, Leiden, Brill.

Fair, Laura (2001), *Pastimes and Politics: Culture, Community, and Identity in Post-Abolition Urban Zanzibar, 1890-1945*, Athens, Ohio University Press.

Fleisher, Jeffrey, et al. (2015), "When Did the Swahili Become Maritime?", *American Anthropologist*, 117-1.

Floor, Willem (2014), *The Persian Gulf: Dutch-Omani Relations: A Commercial and Political History 1651-1806*, Washington, D. C., Mage.

Gaastra, F. S., and J. R. Bruijn (1993), "The Dutch East India Company's shipping, 1602-1795, in a Comparative Perspective", F. S. Gaastra and J. R. Bruijn (eds.), *Ships, Sailors and Spices: East India Companies and their Shipping in the 16th, 17th and 18th Centuries*, Amsterdam, Aksant.

Haudrère, Philippe (2006), *Les compagnies des Indes orientales: Trois siècles de rencontre entre Orientaux et Occidentaux, 1600-1858*, Paris, Desjonquères.

Horton, Mark (1986), "Asiatic Colonization of the East African Coast: The Manda Evidence", *The Journal of the Royal Asiatic Society of Great Britain and Ireland*, 2.

Horton, Mark (1996), *Shanga: The Archaeology of A Muslim Trading Community on the Coast of East Africa*, London, British Institute in Eastern Africa.

Horton, Mark, and Felix Chami (2018), "Swahili Origins", Wynne-Jones and LaViolette (eds.), *The Swahili World*, Abingdon, Routledge.

Jenson, John R. (1973), *Journal and Letter Book of Nicholas Buckeridge 1651-1654*, Minneapolis, University of Minnesota Press.

Juma, Abdurahman (2004), *Unguja Ukuu on Zanzibar: An Archaeological Study of Early Urbanism*, Uppsala: Department of Archaeology and Ancient History, Uppsala University.

Kapila, Neera (2009), *Race, Rail and Society: Roots of Modern Kenya*, Nairobi, Kenway.

Mangat, J. S. (1969), *A History of the Asian in East Africa c. 1886 to 1945*, Oxford, Clarendon Press.

Mazrui, Alamin M. (2007), *Swahili beyond the Boundaries: Literature, Language, and Identity*, Athens, Ohio University Press.

Nicholls, Christine S. (1971), *The Swahili Coast: Politics, Diplomacy and Trade on the East African Littoral, 1798–1856*, London, George Allen and Unwin.

Pearson, Michael (1998), *Port Cities and Intruders: The Swahili Coast, India, and Portugal in the Early Modern Era*, Baltimore, The Johns Hopkins University Press.

Pearson, Michael (2003), *The Indian Ocean*, London, Routledge.

Prestholdt, Jeremy (2008), *Domesticating the World: African Consumerism and the Genealogies of Globalization*, Berkeley, University of California Press.

Reda Bhacker, Mohamed (1992), *Trade and Empire in Muscat and Zanzibar: The Roots of British Domination*, London and New York, Routledge.

Rockel, Stephen J. (2006), *Carriers of Culture: Labor on the Road in Nineteenth-Century East Africa*, Portsmouth, Heinemann.

Sheriff, Abdul (1987), *Slaves, Spices, and Ivory in Zanzibar: Integration of an East African Commercial Empire into the World Economy, 1770–1873*, London, James Currey.

Sheriff, Abdul (1994), “Historia fupi ya mji mkongwe wa Zanzibar”, K. S. Khamis and H. H. Omar (eds.), *Historia fupi ya Zanzibar*, Zanzibar, Idara ya Nyaraka.

Stanley, Henry (1895), *How I Found Livingstone: Travels, Adventures, and Discoveries in Central Africa*, London, Sampson Low, Marston and Company.

Suzuki, Hideaki (2012), “Enslaved Population and Indian Owners along the East African Coast: Exploring the Rigby Manumission List, 1860–61”, *History in Africa*, 39.

Suzuki, Hideaki (2017), *Slave Trade Profiteers in the Western Indian Ocean: Suppression and Resistance in the Nineteenth Century*, Cham, Palgrave.

Suzuki, Hideaki (2018a), “Agency of Littoral Society: Reconsidering Medieval Swahili Port Towns with Written Evidence”, *The Journal of Indian Ocean World Studies*, 2.

Suzuki, Hideaki (2018b), “Kanga made in Japan: The Flow from the Eastern to the Western End of the Indian Ocean World”, Pedro Machado et al. (eds.), *Textile Trades, Consumer Cultures, and the Material Worlds of the Indian Ocean: An Ocean of Cloth*, Cham, Palgrave.

Suzuki, Hideaki (2020), "Between Ushenzi/Ujinga and Ungwana: Slavery in Transitioning East African Coastal Urban Society in the 19th Century", *Memoirs of the Research Department of the Toyo Bunko*, 78.

Turton, E. R. (1975), "Bantu, Galla and Somali Migrations in the Horn of Africa: A Reassessment of the Juba/Tana Area", *The Journal of African History*, 16-4.

Walker, Iain (ed.) (2017), *Contemporary Issues in Swahili Ethnography*, Abingdon, Routledge.

Wynne-Jones, Stephanie(2016), *A Material Culture: Consumption and Materiality on the Coast of Precolonial East Africa*, Oxford, Oxford University Press.

Wynne-Jones, Stephanie, and Adria LaViolette (eds.) (2018), *The Swahili World*, Abingdon, Routledge.

植民地主義の展開
――入植植民地主義と南部アフリカの構造化

網中昭世

はじめに――入植植民地主義

一九世紀から二〇世紀初頭にかけてアフリカ各地に白人入植を伴う入植植民地が建設された。その代表的な例として、フランス領アルジェリア(アルジェリア)、イギリス領南アフリカ(南アフリカ)、イギリス領南ローデシア(ジンバブウェ)、イギリス領東アフリカの一部(ケニア)、ドイツ領南西アフリカ(ナミビア)がある。これらの植民地は、土地とアフリカ人労働力という生産要素を搾取するために植民地権力が大きな役割を果たした典型例である。他にも宗主国が第一次世界大戦、第二次世界大戦で敗戦し、それに伴い戦勝国が統治をするなど形態の変わったドイツ領やイタリア領も含まれる(1)。

その中でも南部アフリカの代表的な入植植民地である南アフリカの経済的重要性は突出していた。南アフリカでは、一八四〇年代からサトウキビ・プランテーション経営、一八六〇年代からダイヤモンド、一八八〇年代からは金の採掘が開始された。これらの産業では大量の労働力が必要とされ、奴隷制廃止後に十分な労働力が確保されるまでの間、初期の労働力不足を補うためにインドや中国から契約労働者が導入された。その間に、支配を通じた強制的な土地の収用と課税によって、アフリカ人を「自由」労働者として労働市場に参入させる制度が構築された。同時に、入植者の特権的地域を守る制度の整備は、移民と資本投資を誘発し、入植者社会の高い所得水準を実現する植民地経済が形成された(Lloyd and Metzer 2013)。一八七〇年から一九三六年の間にアフリカのイギリス植民地に投下された投資のうち、実に五五・六%が南アフリカに向けられ、そのうちの半分近くが金鉱業に対するものであった(松野 一九九六)。

アフリカの入植地における白人人口は、植民地期を通じて先住民人口を上回ることはなかった。**表一**に示すとおり、

表1　アフリカ旧入植植民地におけるヨーロッパ人人口

領土	年	人口(単位：千人)	比率(単位：%)
南アフリカ	1913	1,330	21.4
	1938	2,085	20.9
	2018	4,444	7.8
アルジェリア	1913	760	14.3
	1938	960	12.8
	2021	436	~1.0
ジンバブウェ	1913	25	3.3
	1938	61	4.6
	1960	218	5.0-7.0
	1975	―	4.3
	2022	―	~1
ナミビア	1913	15	7.0
	1946	38	10.6
	1981	76	7.4
	2021	161	6.0
ケニア	1913	5	0.2
	1938	21	0.6
	1960	66	0.8
	2019	―	―
アンゴラ	1940	44	―
	1960	―	3.6
	1973	335	―
	2021	336	1
モザンビーク	1940	27	―
	1973	200	―
	2021	62	~0.2

注：2000年代の数値は推計である．アルジェリアのヨーロッパ人人口はユダヤ人を含む．ジンバブウェのヨーロッパ人人口規模については議論の余地がある．2000年代以降の人口統計に関して，南アフリカの人口は2021年時点の推計，民族別分類は2018年の推計である．ジンバブウェについては99.4%がアフリカ人と分類され，その他の分類枠は「その他」0.4%と「非特定」0.2%とされている．ケニアについてはヨーロッパ人としての分類枠はない．

出典：20世紀中のナミビアの数値はWeigend(1985)，アンゴラおよびモザンビークについてはPenvenne(2006)，その他の20世紀中の数値はLützelschwab(2013：149)，2000年代の数値についてはCIA The World Factbookをもとに筆者作成．

一九三八年の時点で、南アフリカには総人口の二〇・九%を占める二〇八万五〇〇〇人、アルジェリアには一二・八%を占める九六万人、ジンバブウェには一九六〇年の時点で五—七%を占める二一万八〇〇〇人、ケニアには〇・八%を占める六万六〇〇〇人が入植していた。

入植植民地では、圧倒的多数のアフリカ人に対して少数の入植者の権益を守るために、入植を伴わない植民地とは全く異なる政治経済的な力学が生み出される(Elkins and Pedersen 2005)。入植植民地主義とは、その特異な政治経済的力学に基づく行動原理と言えるだろう。本章では、代表的な入植植民地が建設された南部アフリカ地域を中心に、この地域で展開された植民地支配がどのような社会変容をもたらしたのか、特に労働のあり方に着目して検討したい。

以下、第一節では、南部アフリカ地域において入植型の植民地支配が確立される過程を素描し、第二節では南部アフリカ地域の入植植民地が自治を獲得し、あるいは国際的環境の変化を受けて同地の支配が構造化される過程を確認する。第三節では同地域をめぐる支配の動機となった植民地経済の要である金鉱業とアフリカ人労働力の調達システムについてみる。最後に第四節でその植民地経済を支えた現地社会の変容について考察する。

一、植民地支配の確立

抵抗と弾圧

支配者が植民地の建設を目的として対象地域の権益を獲得しようとする際には、現地社会における既存の利害関係に再編を迫る。その結果、初期の抵抗のみならず、支配者が短期間の支配の後に撤退した場合ですら、一度均衡を崩した社会が安定を取り戻すのは容易ではない(2)。入植植民地の建設にあたって、特許会社などに具現化された植民地権力は、入植者に対して生産手段となる土地を提供するために、圧倒的な近代的武力を用いて現地住民を屈服させ、土地を収奪した。他方、植民地権力が利用可能な現地の権力機構は温存し、間接統治に利用した。

初期の収奪に対する抵抗、その弾圧の事例と犠牲者は数えきれない。南ローデシアのンデベレ人とショナ人の抵抗(一八九六–九七年)は、イギリス南アフリカ会社による土地と家畜の収奪、労働徴発、課税に対する蜂起や多中心的なゲリラ戦によるものであった。これらを弾圧し、北進を続けた会社領は南・北ローデシアとして一九二三年にイギリス自治植民地となった。ドイツ領東アフリカの一部(タンザニア)では、課税や道路建設への動員に加えて綿花栽培が強制されると広い地域で反乱が起きた。マジマジ反乱(一九〇五–〇七年)と呼ばれるこの抵抗は、ドイツ植民地軍が鎮圧するまでに三年を要した。南アフリカのイギリス領ナタール植民地ではズールー王国が征服され(一八七九–八七年)、家屋税に加えて人頭税が課せられるとバンバタの蜂起(一九〇六–〇七年)が起きた。蜂起とその鎮圧による死者数は白人二十数人に対して、アフリカ人は三五〇〇から四〇〇〇人といわれる。さらにドイツ領南西アフリカでは、軍事的な土地の収用に対してヘレロやナマの人々が蜂起し、鎮圧戦争(一九〇四–〇八年)の過程で殲滅作戦が行われた。その犠牲者の数を巡っては論争もあるが、数万人規模、ヘレロの人口の八割、ナマの二割の命が奪われたという(永原 二〇〇九)。

こうした抵抗と弾圧は第一次世界大戦前後まで続いた。南部アフリカでは第一次世界大戦時に宗主国間の戦闘が展開されると、ドイツ領南西アフリカとポルトガル領西アフリカ(アンゴラ)国境付近のクワニャマが蜂起した(一九一七年)。また、ドイツ領東アフリカとイギリス領の間で戦闘が展開すると、イギリス領ニヤサランド(マラウイ)でもアフリカ人兵の徴兵に反対するチレンブウェの反乱(一九一五年)が起きた。これらの抵抗は最終的に鎮圧されたが、いずれも西欧諸国間の対立を敏感に察知してきたアフリカ人指導者が率いたものであった。また、抵抗を率いたアフリカ人指導者がいた一方で、抵抗を鎮圧する植民地軍や警察の側にもすでに相当数のアフリカ人が組み込まれていた。アフリカ人の集団間の競合や対立関係を利用したのも植民地統治の手法であった。他方、鎮圧の過程で指導者は処刑され、生存者も社会的指導者と土地や家畜といった生産手段を奪われ、共同体社会は崩壊していった。

法の支配を通じた土地と労働力の収奪

支配者は法に基づいた支配を行うことで、自らの行為を合法的であると正当化する。しかし、そもそも植民地において司法・立法・行政という統治権は、植民地支配者によって独占されている。アルジェリアの場合はフランス領の一州として内務省の管轄下におかれ、アルジェリアの入植者らは本国議会へと議員を送った。それとは対照的にイギリス領ケープ植民地のように植民地に議会が設立され、立法権が認められた場合には、本国からの自立性は高まる。オランダ東インド会社の一拠点であったケープ植民地は一七九五年にイギリスに占領され、その後、イギリス領となる。ケープ植民地は、当初、イギリスにとってインド航路の中継点という以上の重要性を持たなかったが、白人の内陸への入植が進み、本国での奴隷貿易廃止の動きを受けて一八三三年に大英帝国全土で奴隷制が廃止されると、ケープ植民地でも行政機構を拡大する必要に迫られた。

ケープ植民地における統治方針の転換は二つのインパクトをもたらした。第一に、オランダ東インド会社統治下の入植者の子孫からなる集団による「グレート・トレック」(一八三五—四〇年代)と呼ばれる移住である。当初の入植者はオランダ、フランス、ドイツ、北欧などを出身地とし、オランダ語で農民を意味する「ブール(ボーア)人」と呼ばれ、農場経営を生計手段としていた。しかし、奴隷制の廃止によって労働力不足に陥り、イギリスの支配領域の外部へ土地と労働力を求めて移動したのである。後にブール人は自らを「アフリカーナー」と称して民族意識を高め、その帰結として複数の独自の国家を建国した。しかし、最終的にイギリスとの南アフリカ戦争(一八九九—一九〇二年)によってイギリスの支配が確立される過程で、アフリカーナーの国家はいずれもイギリス領に併合された。アフリカーナーの民族主義は一九四八年の国民党政権の成立以降、再び高まることになる。

表2 ヨーロッパ人による占有地と耕作適地の比率
（第二次世界大戦直前）　（単位：％）

領土	占有地	耕作適地
南アフリカ	87	61
ジンバブウェ	50	58
アルジェリア	34	27
ケニア	7	25

注：耕作適地の面積を算出するための基準は一様ではない.
出典：Lützelschwab 2013: 151.

第二のインパクトは土地と労働力の収奪である。イギリスはケープ植民地に対して立法権を持つ植民地議会を設けることを認め、一八五三年に「ケープ植民地憲法」が制定された。一八七二年にはこの一八五三年憲法に修正を加え、それを法的根拠として「責任政府」の樹立が認められた。そして一八九四年にセシル・ローズが首相を務めるケープ植民地で人種隔離と労働力の搾取が結びついた法律、グレン・グレイ法が導入された。この法律は、ケープ植民地のトランスケイ地域の土地をアフリカ人居留地に指定し、アフリカ人の伝統的かつ共同体的な土地保有形態を私的所有に変更したうえで分割や譲渡を禁止したものである。

元来アフリカ社会では、生活圏の土地は共同体に帰属する共有地として利用され、各世帯の耕作地も永続的な所有権が個人に認められているものではなく、共同体内での相互承認のもとで使用が認められていた。複数の共同体の間は境界で区切られているというよりは、むしろ緩やかに開かれた土地が広がりながら外部と繋がっていた。それに対して、植民地権力は自らが依拠する私的所有権という西洋的価値指標に照らし、これが確認されない地域は「無主の土地」として入植者に配分していった。その結果、移動性の高い牧畜民にしろ、相対的に定住性の高い農牧民にしろ、生産手段である土地を失い困窮化し、生活文化は破壊された。

ケープ植民地で土地を分配されたアフリカ人男性には、年間一〇シリングの税を納めるか、三カ月間以上、居留地外での賃金労働に就くことが義務付けられた。同法には、土地を相続できなかった第二子以下を、同時期に開発が進む金鉱山の労働者として確保する狙いがあった（松野 一九九六）。当時のケープ首相ローズ自身が、南アフリカの鉱山経営で政治経済的地位を確立した人物であったことを想起されたい。

グレン・グレイ法は、南アフリカ戦争を経て一九一〇年に南アフリカ連邦が成立した後、一九一三年の原住民土地法として全土に適用される。さらに一九三六年当時の人口に占めるアフリカ人の比率は七割に及ぶのに対して、同年の原住民土地信託法によってアフリカ人居留地は全土のおよそ一三%に制限された。こうしてアフリカ人の生活が人種・民族別に隔離され、困窮化したアフリカ人が労働市場に参入せざるを得なくなる一方で、南アフリカ政府は一九一一年の原住民労働規制法(通称パス法)によって労働者として居留地外へ移動するアフリカ人に「パス」と呼ばれる身分証の携帯を義務付け、移動を管理した。また労働現場では、二四年の産業調停法によってアフリカ人の労働組合への加入を禁止した。それに加えて二六年における一一年の鉱山労働法の修正ではアフリカ人労働者が白人労働者と競合することがないように、前者が熟練労働に就くことを禁じるなど、産業界の内部から人種差別体制が築かれた(松野 一九九六)。これらの政策は一九四八年の国民党政権下のアパルトヘイト体制へと引き継がれることになる。

二、南部アフリカの構造化

南アフリカ戦争後、イギリスはアフリカーナーの共和国トランスヴァールとオレンジ自由国を軍政下に置いたが、一九〇六年から翌年にかけて起きた前述のバンバタの蜂起を機に危機感を増幅させて植民地の統合を加速させた。一九一〇年にはイギリス本国の議会の承認を経て、アフリカーナーの二つの共和国とイギリス領ケープならびにナタール植民地をそれぞれ四つの州として南アフリカ議会を最高機関とする南アフリカ連邦を成立させた。南アフリカ連邦の成立は、一九世紀後半から二〇世紀初頭に他のイギリス系入植植民地であるカナダ、オーストラリア、ニュージーランドが次々と自治権を獲得していったのと同時代の展開である。

ドイツ領で唯一の入植植民地であった南西アフリカは第一次世界大戦でドイツが敗戦し、それ以降は国際連盟の委任を受けた南アフリカの委任統治領にされた。南アフリカは、一九四六年には国際連合によって将来の独立を前提として新設されていた信託統治制度を南西アフリカに適用することを拒否し、南西アフリカを事実上併合してアパルトヘイト体制に組み込んだ。さらに、一九四八年にアフリカーナーの支持を背景に成立した国民党政権は、南アフリカや南西アフリカのみならず、グレート・トレックの末にポルトガル領西アフリカにまで移住したものの困窮化していたアフリカーナーを南アフリカ支配下の南西アフリカに入植させることを推進した(永原 二〇〇一、柴田 二〇一一)。その結果、二〇世紀初頭の南西アフリカ(ナミビア)では一万五〇〇〇人ほどであったヨーロッパ人人口は、一九四六年には三万八〇〇〇人に増加し、そのうちの二万五〇〇〇人以上をアフリカーナーが占めていた(**表1**参照)(Weigend 1985)。

また、ポルトガル領西アフリカと東アフリカ(モザンビーク)に入植が本格的に進められたのは一九五〇年代以降と、他の植民地が独立に向かうのとは逆行していた(Penvenne 2006)。ポルトガルは第二次世界大戦末期から大西洋上のアゾレス島をイギリスおよびアメリカに軍用地として提供し、北大西洋条約機構の原加盟国となる一方で、植民地の保持を事実上、黙認された。

これらの事例のように、南部アフリカ地域の入植植民地は第二次世界大戦後に植民地が独立に向かうどころか、脱植民地化に逆行した植民地国家を形成し、旧来の宗主国と植民地の単純かつ垂直的な関係性を大きく変化させていた。こうした構造的変化を受けた入植植民地の支配のあり方は、東西冷戦期の世界の中でいっそう固定化されていった。

三、南アフリカ金鉱業と移民労働システム

南部アフリカにおいてこれほど堅固な入植植民地が建設された背景には、冒頭に述べたように金鉱業を中心とした

経済的利権があった。二〇世紀初頭、世界の金産出量のうち、南アフリカ産は三〇—三八％を占め、一五―二三％を占めるオセアニア産と合わせ、イギリス帝国内での産出は世界の金産出量のうち五割を上回っていた(Ally 1994: 144)。イギリスは植民地で産出される金によって十分な金準備高を確保し、金本位制の確立によって世界の金融の中心地としての地位を確固たるものにした。イギリスは後発工業国のアメリカやドイツに世界的な工業国の地位を明け渡した一方で、再び世界経済の中心的地位についたのである(Balachandran 2008)。

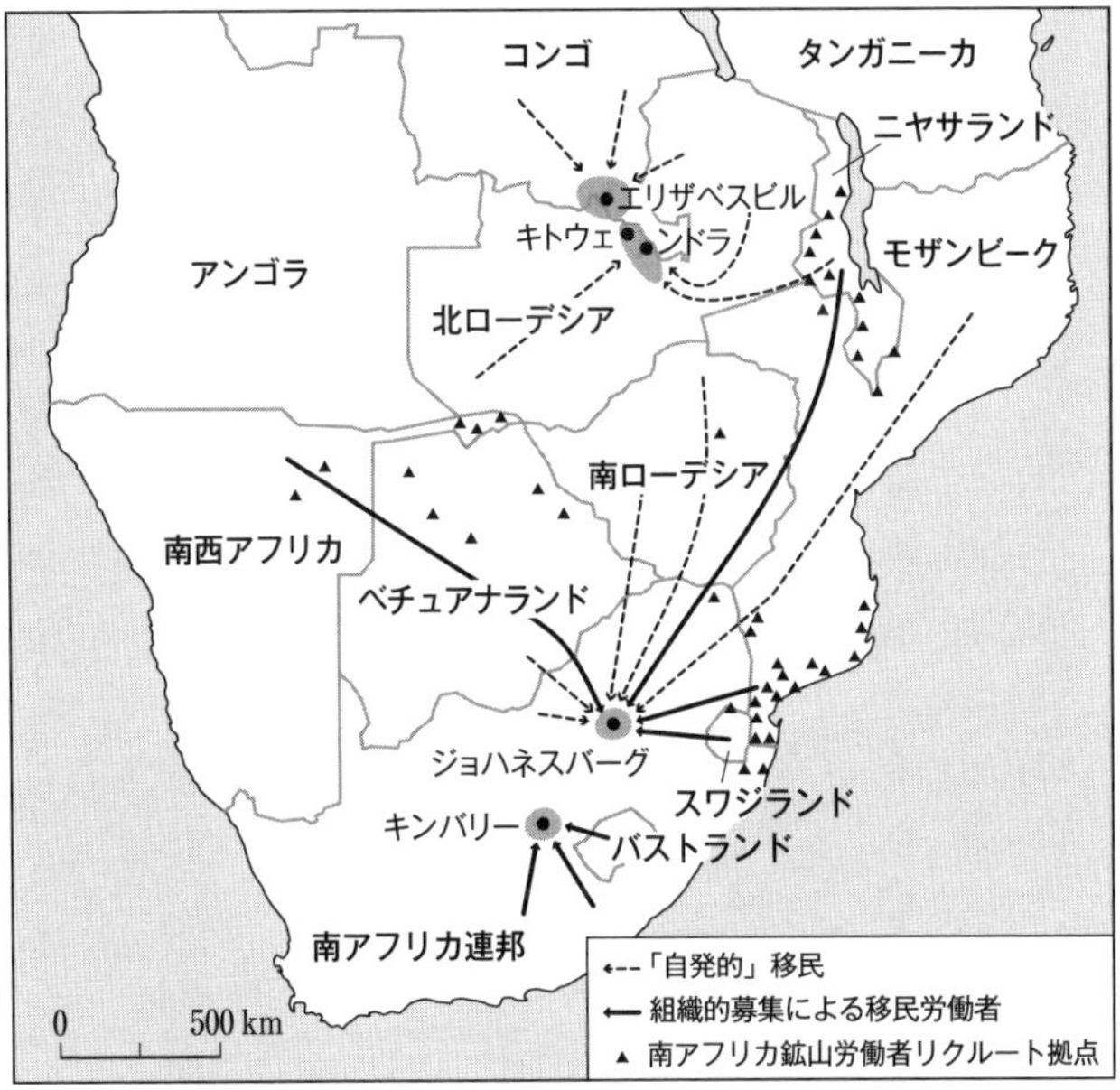

図 1　南部アフリカ植民地と移民労働者の流れ

イギリス植民地最大の金産地であった南アフリカ、ジョハネスバーグ(ヨハネスブルク)近郊のヴィットヴァータースラント(ラント)で金を採掘していたのが、南部アフリカ全域から募集されたアフリカ人男性の移民労働者であった(**図一**参照)。安価で大量の労働力を確保するために、南アフリカの金鉱業は、まず大多数の鉱山会社が加盟する南アフリカ鉱山会議所独自の労働力斡旋組織を立ち上げ、アフリカ人の労働力供給を一元化することで競合による賃金の上昇を妨げることに注力した。さらに、労働コストを安価に抑えるために、雇い入れる労働者を、家族同伴を認めない単身男性に限定した。移民労働者を単身男性に限定することで、その家族は郷里に残る。未成年・老齢者・女性で構成される郷里の家族の扶養にかかる経済的負担が鉱山労働者の賃金に反映されることはなく、その社会経済的費用は郷里の農村社会に負わされた。

南アフリカの金鉱業で組織化された雇用形態は六カ月から一二カ月を一区切りとする契約労働であり、契約期間中は鉱山に併設された「コンパウンド」と呼ばれる宿舎に二〇〇人から三〇〇人規模のアフリカ人労働者が生活した。労働力斡旋組織は送金制度を設け、賃金の一部は契約満了後に郷里で支払われた。この送金制度は移民労働者にとっても治安上の利点があったものの、経営者側の意図は南アフリカの鉱山地帯の移民労働者に契約ごとの帰郷を促し、定住を防ぐことにあった。移民労働者は帰郷後、一定期間を過ごしたのちに、健康を害していなければ再契約を結ぶ。そうした移民労働者に対してはボーナスが支払われ、労働者が再契約を結ぶ動機付けとなっていた一方で、雇用者は移民労働者の中でも経験豊富で熟練した技能を備えた労働者を確保した。

移民の送り出し地域の男性の多くは、一八歳前後から南アフリカ鉱山労働者の定年五五歳を迎えるまでの間、健康状態が許す限りこの契約労働を繰り返し、鉱山地帯と出身地の二拠点を契約期間ごとに往還する。青年期には婚姻に備えて婚資を稼ぐために移民労働に赴き、婚姻後は家屋税を納め、生計を立てるために契約を繰り返す。男児があれば青年期に達したのち、父親の契約を引き継ぐ形で移民労働に就く。南部アフリカ地域でこうした移民労働システムが確立され、一九世紀末以来、移民労働は数世代にわたって繰り返された。かつて南アフリカの鉱山へ移民労働を繰り返した高齢の男性は、郷里の村で次のように語っていた。

ジョニ〔ジョハネスバーグ〕、あれを造ったのは、わしらだ。(3)

四、移民労働システムがもたらした社会変容

ジェンダー規範の強化と福祉の負担

南部アフリカでは、すでに一九二〇年代には移民労働を経験することは成人男性が「一人前の男」として社会的立場を確立する「第二の通過儀礼」とみなされ、現地社会の規範に内面化されていた(網中 二〇一四)。それというのもラント鉱山地帯の労働市場が男性のみに開かれているという特徴が、送り出し社会の家父長的なジェンダー規範と相互に影響を及ぼしていたためである。

経済活動年齢にある男性は移民労働を通じて労働市場にアクセスする一方で、女性と経済活動年齢外の子どもや高齢者は郷里に残る。その際に、各家計が移民労働者の賃金に依存する度合いは、生産手段である土地の有無によって大きく左右される。南アフリカのアフリカ人は、前述の一九一三年の土地法と三六年の原住民土地信託法によって国土の僅か一三%に過ぎない居留地の外での土地所有を禁じられた。人口過密となった居留地ではすでに一九三〇年代までに農業生産性が急速に減少し、自給自足は不可能となり、賃金労働に依存することになった。その結果、鉱山労働を中心とした労働市場へのアクセスが開かれている男性が家計へ貢献する度合いと経済的決定権は高くなり、それ以外の成員の経済的決定権は低下した。また、居留地の経済環境の悪化に伴い、村落共同体と大家族によって肩代わりされていた社会扶助はもはや不可能となっていた。こうした状況を受け、南アフリカでは一九四〇年代半ば以降、従来は白人と「カラード」と呼ばれる混血層のみを対象としていた老齢年金や障害者手当が、白人よりも低い支給額ではあるもののアフリカ系およびインド系南アフリカ人にも支給されるようになった(Van der Berg 1997)。

南部アフリカ地域の中でも南アフリカのように入植が進まず、アフリカ人居留地が設置されなかった地域ではアフリカ人社会に土地が残され、自給自足が可能であり、余剰生産やその加工品の取引を通じて得られる可処分所得が存在した。その場合には、鉱山労働を通じて得られる現金収入への依存度は相対的に低く、鉱山労働者となる男性以外の構成員の経済的決定権は相対的に高い。つまり、農村社会が残された地域では必然的に移民労働者が生まれるわけではない。しかし、やはり数世代にわたって移民労働者を送り出している。そこには、移民労働者を押し出す要因として、移民労働の経験を男性の「第二の成人儀礼」とみなすジェンダー規範や、ポルトガル領植民地のように死亡率が高い強制労働制度が存在した(網中 二〇二〇)。

南部アフリカ地域一帯では、各民族言語で奴隷労働、強制労働、契約労働を指す言葉として「シバロ」(ishibalo, cibalo, shibaru, chibaro)という語が広く使われていた(Van Onselen 1980: 99)。この言葉の用いられ方は、使用者側からみて労働の形態がいかに異なろうとも、労働者となるアフリカ人の側からみれば、それらの労働が強制を伴う一連のものと認識されていたことを示している。

農村社会は将来の移民労働者となる人口を養育する一方で、退職者もしくは失業者に対する社会保障的役割を提供し、労働力人口の再生産を担ってきた。雇用者側はむしろこうした農村の社会的機能を利用し、社会保障を移民労働者の郷里の農村社会に負担させてきた。移民の送り出し地域の負担はそれだけに留まらない。移民労働者が健康を損なった場合には再契約を結ぶことができず、世帯の現金収入が途絶えるだけでなく、健康を害した家族の世話をする負担が生じる。

さらに金鉱での労働は落盤事故など鉱山業の一般的な危険性に加えて、金鉱石の採掘の過程で出る石英の粉塵を吸い込むことで珪肺症《けいはいしょう》に罹るリスクがある。予防措置なく地下の閉鎖的空間で掘削するアフリカ人労働者が罹患するリスクは一層高い。珪肺症は急性の場合には数週間から数年以内に、急性でない場合には数年から数十年の潜伏期間を経て発症、呼吸困難を引き起こし、治療法はなく、死に至る。珪肺症を発症しない場合でも石英の暴露を受けた人の結核感染率はそうでない人に比べて三倍から五倍と高く、他の合併症を併発する可能性も高い。空気感染する結核は近親者にも感染を広げる。南部アフリカ地域で現代に至るまで続く結核やＨＩＶ／エイズ感染の広がりは、この地域の移民労働システムと深く結びついている。他方、移民労働者が郷里で再契約を結ぶ際には、健康診断によって珪肺症や結核症状のある者は排除されるため、就労地では移民労働経験者の罹患・発症率が適切に把握されることはなかった(McCulloch 2012)。

労働運動にみる連帯と分断

南部アフリカ地域の移民労働システムは、移民労働者の出身地社会の負担のみならず、労働現場にも特有の問題を引き起こした。それは労働運動にみられる労働者の間の利害の不一致に起因する対立である。鉱山業における労働運動は鉱山開発の初期、一八八〇年代からすでにみられ、当初は白人労働者が中心的役割を担いつつも、人種横断的なストライキが実施されたこともあった。しかし、一八九〇年代以降のアフリカ人移民労働者の組織的な徴募と、一九一〇年代以降の労働現場における人種別の職種規制やアフリカ人労働者の交渉権の拒否、さらには労働運動自体が禁止される中で、人種横断的な連帯は失われていった。一九四〇年代初頭にはアフリカ人労働者は独自の労働組合を組織するに至り、後述する四六年のストライキもそうした労働組合の一つが率いたものであった。

ただし、出自の異なるアフリカ人労働者の中でどの集団がストライキを主導するかは、その時々の労働者集団の構成を反映している。例えば、鉱山開発の初期から一九二〇年代まではモザンビーク出身者が最大の労働者集団であったが、一九一三年の原住民土地法の直後、世界恐慌、そして一九三六年の原住民土地信託法の後には南アフリカ出身者が増加し、最大集団となった。こうした政策的影響に加え、一九三〇年代から五〇年代にかけて金鉱開発の中心地がジョハネスバーグ近郊の旧金鉱地帯からオレンジ自由州の新金鉱地帯に移ったことに伴い、新規開発の好景気に沸く新興鉱山では、労働運動対策としてアフリカ人労働者の組織化を一定程度許容する鉱山会社もみられた。

その中で起きた最大規模のストライキが、一九四六年のストライキである。このストライキでは、最低賃金と食事の改善、退職金、コンパウンドの廃止と家族用住宅の供給を要求、つまり当時の移民労働システムの廃止を要求して、八カ所の金鉱を四日間の操業停止に追い込んだ。このストライキは南アフリカ領内の東ケープ出身のムポンド人や、イギリス保護領バストランド(レソト)出身のソト人が積極的に参加したのに対して、マラウイやモザンビーク出身者は消極的であり、特に後者はスト破りをしたとして他集団から襲撃されている(Moodie 1992)。

既存の研究はそれを「民族対立」と呼ぶが、対立の軸は民族的属性ではなく、移民労働者の出身地域の社会経済状況と直結している。この時期までに南アフリカの土地法の影響を受けた農村部では、人々は生産手段を奪われて鉱山の労働市場に参入せざるを得ず、モザンビーク出身者と同等かそれ以上の規模の労働者集団を形成していた。ムポンド人やソト人は賃金労働への依存度が高いために、コンパウンドの廃止や家族用住宅の供給という要求を掲げてストライキを決行した。他方、南アフリカ領外出身の移民労働者にとって、それらの要求は直接関係するものではない。さらにストライキが実施された一九四六年にはモザンビーク南部で旱魃が発生しており(Liesegang 1982)、同地域出身者はこうした過酷な状況から脱するため、さらには家族を支えるための生活戦略として移民労働に赴いている。そのような移民労働者が賃金の減額に繋がりうるストライキに参加する動機は低い(網中 二〇一四)。

南アフリカにおける労働運動、とりわけ移民労働システムの廃止を求める鉱山労働者組合の活動は、反アパルトヘイト運動の重要な歴史の一部として言及されてきた(トンプソン 二〇〇九)。しかし、南部アフリカの各地から募集される移民労働者たちが利害の一致をみることは極めて困難であった。南アフリカ領内出身のアフリカ人が反アパルトヘイト運動との連携を強める過程は、移民労働システムの中で鉱山地帯に一時的に流入する周辺植民地出身のアフリカ人移民労働者との差異化が進む過程でもあった。

おわりに

入植植民地が独立に至るのは困難を極めた。それは一九五〇年代の北アフリカにおけるフランス植民地の独立の過程からも明らかであった。相対的に入植者人口が小規模であった植民地チュニジアおよびモロッコが一九五六年に独立を達成したのに対して、行政上、フランスの一州として位置づけられていたアルジェリアが独立に至る過程では、激しい暴力の応酬が引き起こされた。アルジェリア戦争(一九五四—六二年)が始まった時点で現地の総人口の一割を占めていたヨーロッパ系住民の大半はアルジェリアで生まれ育ち、フランスを知らない「フランス人」であった。現地の住民に対する差別、収奪、暴力を前提として特権を享受していたヨーロッパ系住民、さらには入植者の側について植民地統治に協力してきた現地人にとって、独立は全ての生活基盤の喪失を意味した。そのため、これらの人々が独立に強固に反対し、独立戦争は激化した。

アルジェリアの独立後、ヨーロッパ系住民はフランスへ「引揚げ」た。フランス側に従軍していた「ハルキ」と総称されるアルジェリア人の数は独立時で推計二六万三〇〇〇人いた。アルジェリアに残ったハルキはフランスによって十分に保護されることなく虐殺の対象となる一方で、フランスに渡ったハルキとその家族は長期にわたって収容所での生活を強いられた(平野 二〇〇九)。

アルジェリアが一九六二年の独立に至る困難な道のりを歩む最中、アフリカ諸国の独立の波に逆行して南アフリカがコモンウェルスから脱退したのは一九六一年、南ローデシアが脱退したのは六五年である。南アフリカおよび南ローデシアは、同時期のアルジェリアにおける激しい独立解放闘争を、入植植民地における脱植民地化の先行事例として受け止め、脱植民地化の阻止を選択したのである。入植植民地はいずれも、独立に際して激しい武力紛争を経験した。暴力的支配に対抗するために暴力によって達成された独立の過程は、独立解放闘争を率いた組織が独立後の国家権力として独占する暴力のあり方にも影響を及ぼしている(小倉 二〇二二)。

さらに入植植民地主義の遺制は現代に至るまで禍根を残している。その最たるものは土地問題であろう(Potts

2012)。フランスにルーツを持つ入植者が独立後に「引揚げ」たアルジェリアと比較して、ジンバブウェ、南アフリカでは、それぞれ一九八〇年の独立および一九九四年の民主化後にも白人入植者の大半が残った。ジンバブウェの土地問題は内政のみならず、旧宗主国をはじめとする国際社会における外交・国際関係においても政治的争点となり、時に蹂躙《じゅうりん》されてきた(吉國 二〇〇九)。南アフリカに至っては、アパルトヘイトの廃絶後に土地改革政策が導入されたものの、二〇一七年時点でも実際に白人所有の農地がアフリカ系南アフリカ人に移転された規模は一〇%程度に留まっている(佐藤 二〇一七)。

注

(1) 第二次世界大戦前の時点でイタリア領リビア、エリトリアにはそれぞれ一〇万人規模、ソマリアには五万人規模の入植者および軍人が駐留していたが、イタリアの敗戦に伴い、撤退している(Castagno 1975; Bruce 2014; Connell 2019)。

(2) 植民地支配初期の各地の抵抗については、歴史学研究会編『世界史史料 帝国主義と各地の抵抗I』第八巻、特に第三章第二節「帝国主義下の支配と抵抗」に所収されている一連の史料を参照されたい(歴史学研究会 二〇〇九)。後者の事例として、イタリアによる五年間の支配の前後で社会が大きく変動したエチオピアの事例がある(眞城 二〇二一)。

(3) ジェルミナス・ニャノンベ(Jerminas Nhanombe)、一九二〇年生まれ・男性、二〇〇五年六月二三日、モザンビーク・イニャンバネ州モルンベネ郡カンビネにおける著者による聞き取りより。なお、今日の南アフリカの一大都市ジョハネスバーグは、ラント鉱山の開発に伴い生み出された都市である。ラント金鉱地帯は一八八七年には人口三〇〇〇人程度を抱える採掘キャンプに過ぎなかったが、一九〇三年には人口一〇万人を超える国際都市へと変貌を遂げている(網中 二〇一四)。

参考文献

網中昭世(二〇一四)『植民地支配と開発――モザンビークと南アフリカ金鉱業』山川出版社。
網中昭世(二〇二〇)「市場の表裏とジェンダー――二〇世紀初頭南部アフリカにおける還流型移民を中心に」浅田進史・榎一江・

竹田泉編著『グローバル経済史にジェンダー視点を接続する』日本経済評論社。

小倉充夫（二〇一二）『自由のための暴力――植民地支配・革命・民主主義』東京大学出版会。

佐藤千鶴子（二〇一七）「南アフリカにおける慣習的土地保有改革をめぐる争点と課題」武内進一編『現代アフリカの土地と権力』アジア経済研究所。

柴田暖子（二〇一二）「「移民問題」「難民問題」の起源――ドイツ領南西アフリカ／ナミビアを中心に考える」児玉谷史朗・佐藤章・嶋田晴行編著『地域研究へのアプローチ――グローバル・サウスから読み解く世界情勢』ミネルヴァ書房。

トンプソン、レナード（二〇〇九）『最新版 南アフリカの歴史』宮本正典他訳、明石書店。

永原陽子（二〇〇一）「報告：南アフリカのアフリカーナー（ブール人）」『史学雑誌』一一〇－八。

永原陽子編（二〇〇九）「「植民地責任」論とは何か」『「植民地責任」論――脱植民地化の比較史』青木書店。

平野千果子（二〇〇九）「「人道に対する罪」と「植民地責任」――ヴィシーからアルジェリア独立戦争へ」永原陽子編『「植民地責任」論――脱植民地化の比較史』青木書店。

眞城百華（二〇一二）『エチオピア帝国再編と反乱（ワヤネ）――農民による帝国支配への挑戦』春風社。

松野妙子（一九九六）「南部アフリカ――アパルトヘイトの生成と解体」歴史学研究会編『講座世界史一一 岐路に立つ現代世界――混沌を恐れるな』東京大学出版会。

吉國恒雄（二〇〇九）「「ジンバブウェ問題」とは何か――土地闘争と民主化」永原陽子編『「植民地責任」論――脱植民地化の比較史』青木書店。

歴史学研究会編（二〇〇九）『世界史史料 帝国主義と各地の抵抗Ⅰ』第八巻、岩波書店。

Ally, Russell (1994), *Gold and Empire: The Bank of England and South Africa's Gold Producers 1886–1926*, Johannesburg, Witwatersrand University Press.

Balachandran, Gopalan (2008), "Power and Markets in Global Finance: the Gold Standard, 1890–1926", *Journal of Global History*, 3-3.

Bruce St. John, Ronald (2014), *Historical Dictionary of Libya*, Lanham, Rowman & Litlefield.

Castagno, Margaret (1975), *Historical Dictionary of Somalia*, Metuchen, Scarecrow Press.

Connell, Dan (2019), *Historical Dictionary of Eritrea*, Lanham, Rowman & Littlefield.

Elkins, Caroline, and Susan Pedersen (eds.) (2005), *Settler Colonialism in the Twentieth Century: Projects, Practices, Legacies*, New York, Routledge.

Liesegang, Gerhard (1982), "Famines, Epidemics, Plagues and Long Periods of Warfare, their Effects in Mozambique 1700-1975", Paper presented at the conference on Zimbabwean History: Progress and Development, Harare.

Lützelschwab, Claude (2013), "Settler Colonialism in Africa", Christopher Lloyd, Jacob Metzer and Richard Sutch (eds.), *Settler Economies in World History*, Leiden, Brill.

Lloyd, Christopher, Jacob Metzer and Richard Sutch (eds.) (2013), *Settler Economies in World History*, Leiden, Brill.

Moodie, Dunbar (1992), "Ethnic Violence on South African Gold Mines", *Journal of Southern African Studies*, 18-3.

McCulloch, Jock (2012), *South Africa's Gold Mines and the Politics of Silicosis*, Oxford, James Currey.

O'Meara, Dan (1975), "The 1946 African Mine Workers' Strike and the Political Economy of South Africa", *Journal of Commonwealth & Comparative Politics*, 13-2.

Penvenne, Jeanne Marie (2006), "Settling against the Tide: The Layered Contradictions of Twentieth-Century Portuguese Settlement in Mozambique", Caroline Elkins and Susan Pedersen (eds.), *Settler Colonialism in the Twentieth Century*, New York, Routledge.

Potts, Deborah (2012), "Land Alienation under Colonial and White Settler Governments in Southern Africa", Tony Allan, Martin Keulertz, Suvi Sojamo, and Jeroen Warner (eds.), *Handbook of Land and Water Grabs in Africa, Foreign Direct Investment and Food and Water Security*, Routledge. (Accessed on: 21 August 2022 https://www.routledgehandbooks.com/doi/10.4324/9780203110942-3)

Van der Berg, Servaas (1997), "South African Social Security under Apartheid and Beyond", *Development Southern Africa*, 14-4.

Van Onselen, Charles (1980), *Chibalo: African Mine Labour in Southern Rhodesia 1900-1933*, London, Pluto Press.

Weigend, Guido G. (1985), "German Settlement Patterns in Namibia", *Geographical Review*, 75-2.

コラム｜*Column*

現代によみがえる南アフリカのコイサン

佐藤千鶴子

南アフリカには現在、集合的にコイサンと呼ばれる先住民がいる。歴史上、彼らは二つの集団として理解されてきた。

ひとつは牧畜民のコイコイである。彼らは今から二〇〇〇年前ごろに南アフリカの南西部一帯に移動してきたと考えられており、一五世紀には現在の東ケープ州西部からナミビア南部へと至る地域において、伝統的首長(チーフ)を長とする複数の集団に分かれて生活するようになっていた。

コイコイは植民地支配の衝撃を最も早く経験した集団である。当初は一七世紀中葉にケープタウンに要塞を築いたオランダ東インド会社に食料を提供する交易相手だったが、ヨーロッパ人の入植者が増加し、領土的支配が強まるにつれ、入植者の下で労働者や情婦となるコイコイが増加した。一八世紀初頭には入植者が持ち込んだ天然痘が流行し、免疫を持たないコイコイに甚大な被害をもたらした。一八世紀中葉までにケープの伝統的なコイコイ社会は崩壊し、その後、入植者が内陸へと移住を進めるにつれ、各地のコイコイは集団としての自立性や文化を失い、植民地社会のなかで誕生した混血の人びとの一部となっていった。

もうひとつは狩猟採集民のサンである。狩猟採集民がかつて南部アフリカの広い地域に暮らしていたことは考古学的証拠により裏付けられており、今日の西ケープ州に存在する最古のロックアートは七〇〇〇年前のものとされる。クワズール・ナタール州でも二五〇〇―三〇〇〇年前のものとされるロックアートが発見されている。しかしながら、彼らの生業形態が農牧民であるバントゥ系アフリカ人やコイコイとの間で対立を生んだため、サンの居住地域は徐々に狭められていった。その後、一八世紀後半にヨーロッパ人の入植が内陸へと拡大すると、サンを「人間以下」とみなした入植者により狩りの対象とされ、捕獲された子どもや女性は農場の労働者として植民地経済に組み込まれた。一部のサンはカラハリ地域(ボツワナ、ナミビア)などへ逃れたが、多くはコイコイと同様の運命をたどった。

二〇世紀中葉に誕生したアパルトヘイト政権は、人口登録法(一九五〇年)を制定し、全国民を白人、黒人、カラード(混血)のいずれかの「人種」に分類した。そして、人種ごとに居住地域や就職・昇進の機会、利用可能な公共施設、結婚相手などを制限した。同法でカラードに分類された人びとには、コイコイやサンのみならず、オランダ東インド会社時代に東南アジアや南アジア、アフリカ東部から導入された奴隷、東ケープ州にあたる地域からケープ植民地に移住してきたアフリカ人、白人入植者、そしてさまざまな組み合わせの異人種間性交・結婚を通じて誕生した人びとの子孫が含まれていた。つまり、きわめて多様な祖先をもつ人びとに対して、カラードというカテゴリーがアパルトヘイト政権によって「上から」課されたのである。

他方で、オランダ東インド会社による統治の開始以来、三〇〇年にわたるケープ地方の歴史的展開を通じて、社会における地位や共通言語、生活空間の近接性により、カラードのあいだで集団としてのアイデンティティが形成されてきたことも事実である。

カラードの人びとが話すアフリカーンス語は、二〇世紀には支配者である白人の言語とみなされ、反アパルトヘイト運動の対象となったが、もともとは一七世紀のケープタウンにおいてオランダ系入植者とコイコイや奴隷とのあいだの意思疎通のなかから生まれたクレオール語だった。さらに、人種により権利の内容が制限される社会においては、外見が白人に近いことが美の基準とされたため、カラードの多様な祖先のなかで白人の祖先とのつながりが強調される一方で、他の祖先の存在は意図的に忘れ去られることになった。こうして、コイコイやサンは歴史書において「絶滅した」と記述されるのみならず、二〇世紀においては人びとの意識の上でももはや存在しないものとなっていた。

ところが、一九九四年にアパルトヘイト体制が終焉を迎えると、カラードに分類されてきた人びとのなかに、コイサンと自称する人びとが現れた。彼らは、「カラードというアイデンティティを受け入れることは自分が歴史を持たないことを意味することになる」と述べ、コイサンこそが真のアイデンティティであり、自分たちは南アフリカの先住民である、と主張した。

ケープタウンを中心に発展してきたポスト・アパルトヘイト時代のコイサン復興運動には、二つの側面がある。

ひとつは、コイサン・アイデンティティの受容と主張が、自らのルーツと帰属意識への渇望を満たし、自己肯定と自己発見の過程となっていることである。ケープタウンでは、コイサン活動家により、クリック(舌打ち)音が特徴的なコイコイ語の市民講座が開催され、賑わいを見せている。

もうひとつの側面は、先住民性の主張が、社会経済的資源に対する権利の主張と結びついていることである。アフリカ人の土地所有を制限し、アパルトヘイト体制の基礎を作った原住民土地法(一九一三年)から一〇〇周年にあたる二〇一三年には、同法制定のはるか前に土地を奪われたコイサンへの土地返還を政府に対して要求する声が高まった。

コイサン復興運動の興隆を受けて、政府は二〇一九年にコイサンの首長やコミュニティを認定するための法律を制定した。コイサンを自称する人びとの意識の上のみならず、現代の南アフリカにおいてコイサンは集団としてもよみがえりつつある。

問題群｜Inquiry

中部アフリカ
──ポストコロニアル国家の生成史

武内進一

一、ポストコロニアル国家

本章では、アフリカ中央部における国家形成を、特に植民地化以降の経験に着目して分析する。紛争や独裁など、現代の統治をめぐる問題を念頭に置きながら、そうした国家が生成された来歴を辿ることが本章の主たる目的である。

国家をめぐる諸問題は政治学をはじめ社会科学、人文科学の主要課題だが、アフリカにおいては特に一九七〇年代頃から主要な研究課題として議論されてきた。ここには、経済危機や紛争といったアフリカの主要な問題が、総じて国家（の機能不全）に由来するという認識に基づく研究関心があった。ヨーロッパ列強による線引きに沿って誕生したアフリカ国家をめぐる問題は、植民地統治との関係を抜きに論じることができない。本章では、植民地化以降の時期に主たる焦点を当てて、ポストコロニアル国家の生成と変容を考えたい。

現在のアフリカにおける国家統治に関わる問題を考える上で、植民地期に注目する意義と重要性は疑いない。とはいえ、独立から半世紀以上が過ぎた現在、今日的課題を一律に植民地期の影響として捉えることはできない。実際、特に一九九〇年代以降アフリカ国家のパフォーマンスは多様であり、独立以降の経験を加味して考察する必要がある。

今日のアフリカ中央部においても、コンゴ民主共和国(1)のように紛争によって限定的な統治能力しか持てない国もあれば、ルワンダのように国土全体に実効的な統治制度を機能させている国もある。本章では、きわめて対照的なこの二つの国を中心に、ポストコロニアル国家の来歴を振り返りながら、この領域の国家統治をめぐる問題を検討したい。

二、自然環境と植民地化以前の社会

中部アフリカ

本章が対象とするアフリカ中央部の領域を、さしあたり「中部アフリカ」と称する。これは英語の Central Africa に相当する日本語で、中央アフリカ共和国との混同を避けるため、この呼称を用いる。この地域概念に厳密な定義があるわけではない。準地域機構である「中部アフリカ諸国経済共同体」(Economic Community of Central African States)の加盟国は、旧フランス領赤道アフリカの五カ国(チャド、中央アフリカ、コンゴ共和国、ガボン、カメルーン)、旧ベルギー統治領三カ国(コンゴ民主共和国、ルワンダ、ブルンジ)、そしてサントメ・プリンシペ、赤道ギニア、アンゴラの計一一カ国である。このうちアンゴラはふつう南部アフリカに分類されるが、残る一〇カ国、特にかつてフランスおよびベルギーの統治を受けた国々を中部アフリカと見なすことは一般的であろう。

ここに自然環境と歴史の要素を加えてみよう。中部アフリカの中心に位置するのは、アマゾン川に次ぐ世界第二位の流域面積を持つコンゴ川と、その流域北部に重なるアフリカ最大の熱帯雨林である(杉村 二〇一八)。歴史的に見れば、この熱帯雨林の周辺部には、植民地期以前数多くの国家が出現してきた。中央アフリカ共和国北方のサヘル地域には、カネム・ボルヌ、バギルミ、ワダイといった国々が成立した。カネムの成立は九世紀以前に遡るが、後に成立したボルヌによって一四世紀頃に吸収された。バギルミやワダイの成立と拡大は、一六－一七世紀のことである。イスラームを受容したサヘル地域の国々は、現在中央アフリカ共和国の北辺を画するシャリ川の南方で奴隷を調達した。

コンゴ川流域の東部はアフリカ大地溝帯の影響で海抜が上がり、アルバート湖、エドワード湖、キヴ湖、タンガニーカ湖などの大湖が連なる。大湖地域には、一三―一四世紀以降、ブニョロ、ブガンダ、ルワンダ、ブルンジ、ハヤなどの国々が成立した。コンゴ川流域南部にも多くの王国が出現した。コンゴ川河口付近ではコンゴ(Kongo)が栄え、一五世紀末以降ポルトガル商人と交易した。現在キンシャサとブラザヴィルが位置するマレボ・プール付近にはティオ、その東側のカサイ川支流にはクバ、さらに東側にはルバ、ルンダ、チョクエといった国々が成立した。しかし、一六世紀以降、大西洋奴隷貿易が本格化すると、奴隷獲得のための戦争や政治的混乱が広がり、これらの国々はその影響を受けて衰退した。

一方、カメルーン南部およびガボンからコンゴ盆地北部に至る広大な熱帯雨林では、もともと狩猟採集を生業とするピグミーが生活していたが、紀元五〇〇―一〇〇〇年頃にバントゥ語話者が居住するようになった。熱帯雨林は非常に人口希薄であり、「バンド」と呼ばれる小集団で移動生活を送るピグミーはもとより、バントゥ語話者も小規模な単系的出自集団(リネージ)を基盤とする社会を形成し、集権的な王国は成立しなかった(Vansina 1990)。

本章における中部アフリカは、このコンゴ盆地と周辺部を指す。今日この領域の中心に位置するのは、コンゴ民主共和国である。アフリカ大陸第二位の面積を持つこの巨大な国はコンゴ川流域の過半を占め、中部アフリカをそのまま体現するとさえ言えるかもしれない。ただし、冒頭で述べたように、本章ではコンゴだけではなく、隣国のルワンダと比較しつつ話を進める。対照的な二つの国家に目配りすることで、中部アフリカという領域の近代を多面的に理解できるであろう。

ルワンダ

一四—一六世紀頃に誕生したとされるルワンダは、一七世紀頃から徐々に領土を広げ、一九世紀後半のルワブギリ王(Kigeri Rwabugiri 在位一八六〇—一八九五年)の下で対外的に拡張した。その勢力圏は現在のコンゴ民主共和国東部に及び、当時大湖地域で最大の軍事国家であった。とはいえ、この時期のルワンダが近代国民国家とは根本的に異なっていたことに注意する必要がある(武内 二〇〇〇)。ルワブギリ期の勢力圏は、近代国家の領域と同一視できない。コンゴ東部にはルワンダ王に貢納を支払うコミュニティもあったが、この地域がルワンダ王国の領土になったわけではなく、人々がルワンダ人だという自己認識を持っていたわけでもない。コンゴ東部には数多くのコミュニティが存在し、それぞれが様々な形で複数の権威と結びついていた。また、後にルワンダの国土となる領域においてさえ、ルワンダ王に服属しないグループが二〇世紀前半まで存在した。

トゥチとフトゥ(2)の関係は、二〇世紀末になってルワンダを揺るがす内戦とジェノサイドのなかでクローズアップされることになるが、そうした区分が植民地化以前から存在したことについては異論がない。元々は民族というより社会階層を含意する言葉で、統治者や支配層にトゥチが多く、彼らは主として牧畜に依存した生業を営んでいた。これに対して、一般の農民にはフトゥが多かった。王族は前者で占められていたが、人口全体で見れば後者が圧倒的多数であった。両者は固定的な区別ではなく、トゥチがウシを失って貧困化すればフトゥと呼ばれ、フトゥが豊かでウシを持つようになればトゥチと呼ばれた。そもそもルワンダ語話者のなかでトゥチ、フトゥというアイデンティティを強く持っていたのは、王国中央部に限られ、周辺部の人々がそうした自己認識を強く持つことはなかった。キヴ湖に近いルワンダ西部での調査によれば、その地域ではかつてルワンダ王国中央部からやってきた人は「誰であれトゥチと呼ばれた」という(Newbury 1988: 253 [fn. 34])。

一九世紀後半のルワブギリ期には、対外的な拡張とともに、国内統治の集権化が進められた。特徴的なのは、イギキンギ（*igikingi*）と呼ばれる土地制度を通じてトゥチによる支配が強まったことである。これは王がローカルな有力者（チーフ）に与える放牧地で、チーフは農民に賦役や貢納を課した。イギキンギは一九世紀前半に成立しルワブギリ期に広がるが、これに伴って、王国中心部ではトゥチとフトゥとの集団間対立が起こるようになった。

三、植民地統治と社会変容

コンゴ自由国の誕生

植民地化以前の中部アフリカでは、広大な熱帯雨林を核として、その周辺に王国が発達していた。北部にはイスラームを受容した王国が多数存在したが、熱帯雨林地域へのイスラームの浸透は限定的だった。また、コンゴ川の河口付近に数多くの急流や滝があって船舶による遡行ができなかったため、ヨーロッパ勢力の侵入も遅れた。ヨーロッパ人として初めてこの川を踏破したのはスタンレー（Henry Morton Stanley）で、一八七七年のことであった。この探検を契機として、植民地化への歯車が動き出す。

それを主導したのは、ベルギー国王レオポルド二世（Leopold II 在位一八六五―一九〇九年）であった。植民地獲得に強い意欲を燃やす彼はスタンレーの探検を支援し、コンゴ川流域のチーフとの間で数多くの保護条約を結ばせた。一八八二年、フランスが送り込んだ探検家のド・ブラザ（Pierre Savorgnan de Brazza）がコンゴ川右岸でバテケ人の王と保護条約を結び、ガボンからコンゴ川に至る地域に対するフランスの領土的野心が明らかになると、レオポルド二世は植民地の獲得へと舵を切る。ベルギー国内は植民地獲得に冷淡だったため、王はコンゴ国際協会（Association Internationale du Congo）を設立し、自由貿易の維持を掲げて、「コンゴ自由国」の承認を訴えた。

広大な中部アフリカを列強のいずれかが支配することへの警戒感もあって、まず米国が一八八四年四月にコンゴ自由国を承認した。コンゴ国際協会は、一八八四―八五年に開催されたベルリン会議に列強の一つとして参加し、他の国々も続々とコンゴ自由国を承認するに至った。一八八五年四月、ベルギー議会がレオポルド二世を新国家の主権者として認め、彼の野望は現実となった。コンゴ国際協会の設立や運営は彼ひとりのイニシアティヴで行われたから、コンゴ自由国は事実上彼の私有物であった。一八九〇年に公開された遺言状で、彼は死後コンゴの主権をベルギーに遺贈すると記した(Stengers 1989: 93)。

ブーラ・マタリ

コンゴ自由国は、一九世紀後半までヨーロッパ人が近づけなかった領域から構成された国家だった。その後、ほぼそのままの領域がコンゴ民主共和国として今日に至っている。レオポルド二世の野望によって一つの国家となったコンゴでは、人口や資源が国土の周辺部に集中しており、遠心的な構造は政治的統合の阻害要因だと指摘されている(Herbst 2000)。一方、コンゴ政治研究の泰斗ヤングは、コンゴ自由国が「ブーラ・マタリ」と呼ばれていたことに注意を促している(Young 1994: 1)。「ブーラ・マタリ」とは、もともとスタンレーの異名であった。武装した小集団を率いてコンゴ川を踏破したスタンレーの姿は、アフリカ人に強い印象を与えた。彼が通過したコンゴ川河口地域の住民たちは、「岩をもたたき割る男」という意味で、彼を「ブーラ・マタリ」と呼んだ。時が経つにつれ、この「ブーラ・マタリ」は、植民地当局を意味する言葉になる。

恐怖をまき散らす、情け容赦ない異人というイメージは、コンゴ自由国そのものであった。通商の自由を謳って列強の支持を取り付けたにもかかわらず、コンゴ自由国が成立すると、レオポルド二世は主要輸出品のゴムと象牙の買い付け独占政策を導入した。同時代の作家コンラッドが『闇の奥』(一八九九年)で描いたとおり、いずれもアフリカ人に狩猟・採集をさせ、低価格で買い付ける政策である。特に一八九〇年代以降、世界市場でゴムの需要が高まると、野生ゴムの採集は労働税という形で義務化され、アフリカ人に厳しいノルマが課された。一八九〇年に数百トンだったゴムの輸出量は一九〇一年に六〇〇〇トンに達し、世界総生産の一割を占めるまでに急増したが、この背景には著しい人権侵害を伴う強制があった。ノルマを達成するために、人々は野生ゴムを探して何日も森の奥深くに入らねばならず、定められた量を集められなければ容赦ない刑罰が科せられた。

イギリス領事のケイスメント(Roger Casement)が一九〇三年に刊行した報告書は、コンゴ自由国の暴虐を白日の下にさらし、世界の注目を集めた。作家トゥエイン(Mark Twain)による『レオポルド王の独白』(一九〇五年)やジャーナリストのモレル(Edmund D. Morel)の手による『赤いゴム』(一九〇六年)などの著作によって、レオポルド二世のコンゴ自由国統治を糾弾する国際世論が勢いを増していった。結局、ベルギーがコンゴ自由国を正式な植民地とすることに落ち着き、一九〇八年にベルギー領コンゴが成立した。

特許会社から開発へ

アフリカ植民地の初期段階においては、民間企業に事実上の主権を与えて統治を担わせ、対価として貿易独占権を付与する例がしばしば見られた。特許会社や特定領域(コンセッション)の独占的開発権を与えられたコンセッション企業がこれにあたり、英領では、王立ナイジャー会社、英領東アフリカ会社、英領南アフリカ会社などが代表的な例である。こうした企業に依存する傾向は中部アフリカ全域で顕著であり、搾取的な取引が横行した。レオポルド二世自身もコンセッション企業の所有者で、コンゴの天然資源から巨富を得た。仏領赤道アフリカでは、一八九八―一九〇〇年の段階で、モワイヤン・コンゴ(現コンゴ共和国)とウバンギ・シャリ(現中央アフリカ共和国)の領域の七割が四一の特許会社に占められていた(Young 1994: 105)。

両大戦間期になると、あからさまな暴力は少しずつ減少した。アフリカ人への人道的配慮を求める国際世論の盛り上がりはその理由の一つだが、植民地当局が「開発」を意識するようになったことも重要な変化であった。植民地経済活性化のためにアフリカ人労働力の必要性が高まり、優れた労働力を確保するために植民地当局がアフリカ人の文明化、近代化に努めるべきだというパターナリスティックな認識が強まった。こうした文脈で初等教育の普及が進み、農民に対する輸出向け作物の導入や農法近代化の取り組みが開始された。同じ時期、鉱工業の発展に伴って労働者が増加し、労働運動が活発化していった(Cooper 2019)。

ベルギー領コンゴでは、一九三〇年代半ば以降、鉱業部門と農業部門が牽引する形で急速な経済成長が見られた。東南部のカタンガ州で一九一〇年に始まった銅鉱山開発は第一次世界大戦後に急速に発展し、コンゴを世界有数の銅生産地域に押し上げた。カタンガの銅生産を一手に担っていたのが、ベルギー金融資本が出資したユニオン・ミニエール(UMHK)社であった。同社は労働力確保のために「安定化政策」を実施し、アフリカ人労働者の職場定着を促した(Higginson 1989)。農業部門を牽引したのは、白人入植者とヨーロッパ資本であった。気候が比較的冷涼な東部地域にはヨーロッパ人入植者が流入し、コーヒーなどの商品作物生産に従事した。また、多国籍企業ユニリーバ社の子会社ベルギー領コンゴ搾油会社(HCB)の活動により、第二次世界大戦後コンゴはナイジェリアに次ぐ世界第二のパームオイル輸出国となった。

「現住民政策」とエスニシティ

ベルギー領コンゴでは、コンゴ自由国時代の反省から、アフリカ人の保護と彼らの生活改善が謳われた。植民地憲章(一九〇八年)には、総督が「原住民(populations indigènes)の保護とその精神的、物質的条件改善に留意する」(第五条)との文言が盛り込まれた。ただし、実際の政策的取り組みが始まるのはもっと後のことである。一九一八―二四年にベルギー植民地相を務めたフランク(Louis Franck)は、一九二一年の寄稿のなかで、コンゴ統治の目的として、文明を広めること、ベルギーの市場を広げて経済活動を発展させること、の二点を挙げている。フランクは、これら二つの目的は不可分であり、より労働に適した「原住民」なくしてベルギーの市場拡大は不可能だと主張した(Franck 1921: 189)。「アフリカ人を文明化する」という名目で植民地化を擁護するのはベルリン会議以来の論理だが、両大戦間期にはアフリカ人労働力に対する需要の高まりを受けて、アフリカ社会に対する様々な政策介入が導入された。

この時期、「現住民政策」(politique indigène)として当局の関心を集めたのは、アフリカ人統治の再編であった。ベルギーは英国植民地をモデルにした間接統治政策として、一九三三年一二月五日付けデクレ(政令)で、チーフダム(chef-ferie)、セクター(secteur)、および慣習外センター(centre extra-coutumier)という統治機構を導入した。いずれも、慣習の尊重を旨とする、アフリカ人による領域的な統治機構である。チーフダムは人口規模や凝集性の面で強力なエスニック集団に対応し、セクターはそれが脆弱な集団を統合したもの、慣習外センターは都市などで多様な出自の人々をまとめる統治機構という位置づけであった。チーフダムとセクターは、現在に至るまでコンゴの地方行政機構として残存している。

一九三三年デクレに代表される「現住民政策」は、エスニシティの変容に重大な影響を与えた。第一に、この政策はエスニシティに基づく集団を特定の領域と結びつけた。多くの集団が移動を繰り返してきたことを考えれば、これは大きな変化である。領域の土地利用権は公的には当該集団の成員に限定されたから、集団と領域の関係が明確化、強化されたことになる。第二に、これらは下位行政機構としての機能を持つとともに、特定領域における「最高権力」と位置づけられた。特に、チーフダムとセクターは、州や県のような地方行政機構とは違って、チーフに代表される政治権力を有し、他の統治機構に従属しないものとされた。第三に、チーフの権限は総じて強化された。チーフダム制度はコンゴ自由国期に既に導入されていたが、このデクレでは、それらを再編強化し、チーフの権限を強めることが目指された。それがアフリカ人社会の安定につながり、植民地の社会的基盤を強化すると考えられたからである(Franck 1921: 192)。中部アフリカでは多様なエスニック集団が歴史的に生成され、移動を繰り返しながら、様々な形の政治秩序をつくりあげてきた。「現住民政策」で目指されたのは、そうした多様な政治秩序をチーフダムとセクターの枠組みに押し込めることだった。領域とメンバーシップが固定化され、ひとりのチーフによって代表されるこれらの統治機構は、元々中部アフリカに存在したエスニシティのあり方とは大きく異なる。

エスニック・アイデンティティの形成や強化、エスニック集団間の競合や紛争は、総じて近代の社会変容にともなう現象である(ロスチャイルド 一九八九)。コンゴにとって戦間期は、鉱工業や農業が社会に大きな衝撃を与え始めた時期であった。カタンガ州で発展した鉱業は経済を牽引し、都市化を促した。都市には多様なエスニック集団が集まり、雇用をめぐる競争が次第に激化した。鉱山開発やコーヒー農園の経営に必要な労働力を調達するため、一九三〇年代以降、相対的に人口稠密な地域から東部コンゴへの移民が組織された。カタンガ州北部やカサイ州に居住するエスニック集団ルバやルワンダのフトゥが、組織的に鉱山や農園に送られた。こうした動きは、後にエスニック集団間の緊張や紛争の原因となった。

ドイツ領東アフリカの一部だったルワンダとブルンジは、第一次世界大戦後は国際連盟委任統治領ルアンダ＝ウルンジ(Ruanda-Urundi)としてベルギーが統治することとなり、その「現住民政策」の対象となった。ベルギーの「現住民政策」や間接統治は、アフリカ人社会の慣習に配慮し、社会の安定を維持することを謳ったが、政策にベルギー人のアフリカ社会観が反映されていたため、深刻な結果をもたらした。ベルギーに限らずヨーロッパでは、ルワンダとブルンジに関して、「北方から移住したトゥチが、元々居住していたフトゥを征服して国家が成立した」という歴史観が流布していた。そして、トゥチとフトゥは「人種」が異なり、前者が後者を支配する関係が成立していると考えられていた。こうした社会観は今日の研究では基本的に否定されているが、当時のヨーロッパでは当然のように受容されていた。社会の安定のためには、「トゥチがフトゥを支配する」構造の維持に努めなければならない。ベルギーは委任統治領において、トゥチとフトゥを明確に区別し、前者に行政ポストや近代教育を与える一方、後者はそこから排除した。この政策はフトゥ・エリートの反発を呼び、植民地期末期の紛争につながっていく(武内 二〇〇九)。

植民地末期から独立直後の紛争

戦間期に始まったコンゴの経済成長は第二次世界大戦後も続き、アフリカ屈指の工業国へと変貌を遂げた。しかし、急速な近代化と経済成長によって蓄積した矛盾が、独立が視野に入るにつれて噴出することになる。

一九五〇年代後半になるまで、ベルギーはコンゴの独立に向けた準備を全く行っていなかった。こうしたなか、五五年にはスーダン、五七年にはガーナが独立するなど、アフリカ大陸に独立に向けた動きが広がった。この時期、コンゴでも政党が結成されて独立を訴え始め、ルムンバ(Patrice Lumumba)のように、五八年にガーナで開催された「全アフリカ人民会議」に招かれて大きな刺激を受ける指導者も現れた。五九年の年頭、独立を要求する政治集会が首都で開かれ、それが暴動に発展すると、驚愕したベルギーは独立を認める方針を急遽打ち出し、六〇年六月末の独立が決まった。五月に行われた選挙でルムンバ率いる「コンゴ国民運動」(MNC)が勝利し、彼の首相就任が決まったものの、独立に向けた交渉では、国内で調整が必要な問題はことごとく先送りされた。

そのつけは、コンゴ動乱という未曽有の混乱となって現れた。独立からわずか数日のうちに、兵士の反乱、カタンガ州の分離独立宣言、ベルギーの軍事介入、そして国連平和維持部隊「コンゴ国際連合活動」(ONUC)の導入と、事態は急速に展開した(三須 二〇一七)。動乱の重要な背景は、カタンガ州の銅採掘業――具体的にはUMHK――の権益が独立国家の手に渡ることを恐れたベルギー資本が、カタンガ州の政治指導者チョンベ(Moïse Tshombe)を焚きつけて、分離独立を支援したことである。ルムンバは国連の支援によってこの動きを抑えようとしたが、彼の態度を東側陣営寄りだと判断した米国の関与もあって、モブツ(Mobutu Sese Seko)のクーデタにより失脚し、一九六一年初めに暗殺されてしまう。

コンゴ動乱はいくつものエスニックな対立の引き金になった。重要なものとして、カタンガ州におけるルバ人とルンダ人の対立がある。ルンダ人はカタンガ州南部に居住するが、UMHKがルバ人を移民労働者として多数雇用したために、植民地期末期には同州都市部で少数派となり、ルバ人への対抗意識を募らせた。独立に際して、ルンダ人コミュニティは、チョンベの指導の下で結成された「カタンガ部族協会連合」(Conakat コナカ)で中心的役割を担い、白人入植者と結んで分離独立を主導した。一方、カタンガ州北部に居住するカタンガ・ルバ人は、独自の政党(Balubakat バルバカ)を組織し、ルムンバ派と親密な関係を築いてコナカと激しく対立した。この構図のなかで、植民地期末期からコンゴ動乱期にかけて、カタンガ州各地でルンダ人とルバ人の暴力が頻発した(Kennes and Larmer 2016)。両者の対立は、その後も折に触れて噴出する(Vinckel 2015)。

もう一つの重要な例は、バニャムレンゲなどルワンダ系住民をめぐる問題である。彼らはもともと一九世紀にルワンダからコンゴ東部に移動したのだが、ベルギー統治下では外国人と見なされ、チーフダムを与えられなかった。牧畜を生業としていたが、コンゴ動乱のなかで反乱軍にウシを略奪され、政府側に保護を求めたことで、反乱軍側に立った周辺コミュニティとの関係が悪化していった。一九九〇年代以降のコンゴ内戦のなかで、彼らはルワンダ政府に動員され、紛争の中心となっていく(Verweijen and Vlassenroot 2015)。

カタンガ州の分離独立は一九六三年にようやく終止符が打たれたが、スミアロ(Gaston Soumialot)、ベニエ(Christophe Gbenye)、ギゼンガ(Antoine Gizenga)、ムレレ(Pierre Mulele)などのルムンバ派の指導者が各地で反乱を継続した。六五年には、チェ・ゲバラ(Ernesto "Che" Guevara)がキューバ兵を率いてコンゴ東部に潜入し、反政府武装闘争を支援した。後にモブツを内戦で打倒するカビラ(Laurent-Désiré Kabila)は、六〇年代にはゲバラとも共闘し、東部コンゴに潜伏しつつ八〇年代まで武装闘争を続けた。

ルワンダもまた、植民地末期に武力紛争を経験する。政党活動が解禁されると、トゥチを主たる支持層とする「ルワンダ国民連合」(UNAR)とフトゥの支持を集めた「フトゥ解放運動党」(PARMEHUTU)の間で緊張が高まり、一九五九年一一月に支持者間の衝突から全国規模の紛争に発展した。このときベルギー当局はPARMEHUTUを支援した。政治権力が一部のトゥチに独占されていることはベルギー当局にとって好ましくなかったし、早期の独立とベルギーの即時撤退を求めるUNARは、当局との関係を悪化させていた。かつて「支配する人種」としてトゥチを優遇した植民地当局は、この時期PARMEHUTUとの親密な関係を築いていた。当局の支援を受けたPARMEHUTUが全土でUNARの支持者を襲撃、追放したために、一〇万人を超えるトゥチが国外に放逐され、植民地期の政治秩序は崩壊した。二〇〇〇年以来ルワンダ大統領を務めるカガメ(Paul Kagame)も、一九五九年、わずか二歳の時に祖国を追われてウガンダに逃れた。これは「社会革命」と呼ばれる政治権力構造の大転換であった(武内 二〇〇九)。

四、冷戦下のポストコロニアル国家

モブツの時代

コンゴ動乱を収拾し、新たな国家建設を主導したのはモブツである(武内 二〇一二)。彼は独立の際ルムンバの秘書だったが、兵士反乱を受け、国軍参謀長に任命された。コンゴ動乱のなかで米国はモブツに接近し、一九六〇年九月のクーデタを支援した。この時モブツは、長く政権を握ることなく文民統治を復活させた。しかし、またも政治情勢が混迷した一九六五年一一月、彼は再びクーデタを起こし、長期政権に踏み出すことになる。

モブツの政権奪取は、西側から好意的に受け止められた。米国は一貫してモブツを支援してきたし、混迷するコンゴに多くの国が強力なリーダーシップを期待した。モブツは西側の資金的援助、そして外国人傭兵の助けを得て国内反政府勢力を鎮圧し、自らを頂点とする統治制度をつくりあげていった。政治面でモブツの個人支配体制を支えたのは、彼が創設した政党「革命人民運動」(MPR)による一党体制である。すべての国民がMPR党員とされ、国家の行政組織、そして労働組合や女性団体、経営者団体などあらゆる既存の団体がMPRの内部組織として位置づけられた。各省庁はMPRの部会、大臣は部会長となった。そして、モブツが党総裁として国家のトップに君臨した。

この政治体制の下で、モブツは国家の統一を最優先課題とし、ナショナリズムに基づく政策を次々に打ち出した。一九六七年にはUMHKを国有化し、銅の収益を掌握した。また、国名をコンゴ民主共和国からザイール共和国に、首都名をレオポルドヴィルからキンシャサに変えるなど、地名や人名を「アフリカ風」に改めた。背広の着用を止めて、アバコス(*abacos*——A bas costume,「背広反対」の意)と呼ばれる人民服風の正装を奨励した。七三年には、「ザイール人民族資本家」の育成を掲げて、農業プランテーションや中小企業などの外国資本を接収して国民に分配する「ザイール化政策」を実行した。

一九七三年はモブツ政権の転換期をなした。この年、銅価格が急落して経済に大きな打撃を与え、またナショナリズムに基づく「ザイール化政策」が完全な失敗に終わったからである。この政策において実際に外国資本の配分を受けたのは、議員などの政治エリートやモブツの取り巻きだった。企業経営の経験もない彼らはたちまち事業を行き詰まらせ、国家全体が国際的な信用を失った。これ以降この国では、経済危機が常態化することになる。国民所得はマイナス成長が続き、債務増大とともにインフレが昂進した。呻吟する国民に対してモブツは、"Débrouillez-vous."(「自分で何とかせよ」)と演説した。国民生活の悪化に伴って、モブツを頂点として構造化された汚職が露わになった。賃金がまともに支払われないため、警官や兵士、そして役人は市民に賄賂を強要して暮らしを立てた。その一方で、政治エリートは国営企業の収益など公金を私物化し、欧米の銀行に資産を蓄えた。モブツはヨーロッパにいくつもの別荘を持ち、故郷に巨大な宮殿を建ててパーティーに明け暮れた。

モブツ期の国家については、その個人支配的性格と近代初期(early modern)的性格を強調する議論がある(Callaghy 1984)。モブツがつくりあげた統治制度は、MPRを通じて彼個人が国家を操作する仕組みであり、その個人支配的側面は明らかである。一方、それは全体主義的な統制とは評価できないし、全国民が党員だというMPRの規定にもかかわらず、全国民に等しく権力を投射する近代国家の能力を備えてもいない。モブツ政権下においてもチーフダムとセクターからなる農村部の統治構造は変わらず、国民はチーフを介して国家に接続された。ザイールという国家は、モブツを頂点とするパトロン・クライアント関係に国民の一部が組み込まれ、そのネットワークを通じて統治されたと考えるべきであろう。この理解は、「新家産制国家」(neo-patrimonial state)の議論とも共通する(Chabal and Daloz 1999)。ただし、従来の議論では強調されないが、モブツ期の国家がグローバルな国際関係のなかで存立し得たことに注意すべきである。「共産主義への砦」と位置づけられたモブツ政権は、冷戦という国際政治の文脈のなかで、米国をはじめとする西側諸国の支援によって存続したのである。

一党制の広がり

同じ時期、中部アフリカでは軍のクーデタと一党制化が広がった。ルワンダの独立を率いたPARMEHUTUは、一九六〇年代半ばから野党の活動を制限して事実上の一党制となった。一九七三年、ハビャリマナ国防相のクーデタによって政党政治が終焉し、五年後に彼がモブツのMPRをモデルとして設立した政党「開発国民革命運動」(MRND)による一党体制が成立した(3)。

指導者が軍を率いてクーデタを起こし、一党制を樹立する動きは、中央アフリカのボカサ(一九六五年)、ブルンジのミチョンベロ(一九六六年)、コンゴ共和国のングアビ(一九六八―六九年)と、モブツ政権の周辺で同じ時期に頻発している。いずれも政治情勢が不安定化するなかで軍の介入を招き、指導者が一党制を確立した。他方、軍によるクーデタはなかったが、チャドは一九六三年、カメルーンは六六年、ガボンは六七年に一党制に移行している。これらの国々は、いずれも基本的にモブツ政権と同様の性格を持っている。政治エリートが国家の資源を私物化し、パトロン・クライアント・ネットワークを通じて分配することで政治秩序を創り出す、寄生的な統治である。そして冷戦体制のなか、これら諸国は先進国から支えられることで存立が可能になった。

それは、逆に言えば、国際政治の変化がこれらの国々に大きな影響を与えることを意味する。実際、これらの国々は、一九八〇年代―九〇年代にかけてのグローバルな政治環境の変化から重大なインパクトを受けることになる。八〇年代に導入された構造調整政策は、累積債務危機(一九八三年)の影響とも相まって、経済危機を深刻化させた。冷戦終結の影響はより甚大であった。西側諸国が援助と民主化を結びつけ、「民主化しない国には援助を供与しない」政策を打ち出したことで、一党制を放棄して複数政党制に移行する国々が続出した。先に挙げた中部アフリカ諸国では、内戦によって一九九〇年に政権交代したチャドを除くすべての国で、九〇―九二年の間に一党制が放棄された。こうした政治経済の急速な変化は、政治秩序を不安定化させ、重大な武力紛争を引き起こす背景要因となった。

五、冷戦終結とポストコロニアル国家の変容

一九九〇年代の政治的混乱――ルワンダからザイール／コンゴへ

中部アフリカでは、一九九〇年代に大規模な紛争が頻発した。ルワンダ、ブルンジ、ザイール(コンゴ・キンシャサ)、コンゴ共和国、チャドなど多くの国がこの時期に大規模な紛争を経験している。ここではルワンダとザイールに絞って状況を略述しておこう。両国の紛争は膨大な犠牲者を生み、相互に連関し、そして今日まで連続している点で特に

重要だからである。

事の発端はルワンダで起こった。一九九〇年一〇月、三〇年前の「社会革命」でウガンダに亡命したルワンダ難民の第二世代が反政府武装勢力「ルワンダ愛国戦線」(RPF)を結成し、祖国に侵攻した。これに対してハビャリマナ政権はフランスやザイールの支援を仰ぎ、攻撃を食い止めた。国連など国際社会は仲介の努力を続け、九三年八月には両者の間に和平協定が結ばれた。これに伴い国連平和維持部隊である「国際連合ルワンダ支援団」(UNAMIR)が派遣され、協定の履行を監視したが、緊張はむしろ激化の一途を辿った。RPFとの和平に反対するハビャリマナ政権内の急進派が、様々な形で協定の履行を妨害したからである。彼らは、新聞やラジオ放送を使ってエスニックな煽動を行ったり、党青年部を民兵として訓練し、民間人のトゥチを襲撃したりと、RPFをトゥチと同一視して社会の緊張を高めていった。

こうしたなか、一九九四年四月六日夜、ハビャリマナ大統領の搭乗機がロケット砲で撃墜されるという衝撃的な事件が起こった。大統領暗殺の首謀者は現在に至るまで特定されていないが、近年では政権内急進派による犯行説が有力である。しかし、撃墜の報を受けて、ハビャリマナ政権側の指導者は、RPFが大統領を暗殺したと主張し、トゥチをその支持者と見なして報復を訴えた。これに呼応する形で、民兵らを中心にトゥチ市民への無差別殺戮が始まった。この大量殺戮によって、少なくとも五〇万人が殺害された。注意すべきは、このとき、RPFとの和平協定履行を訴えたフトゥ政治家も多数暗殺されたことである。つまり、エスニックな憎悪から大量殺戮が引き起こされたのではなく、RPFと交渉するかどうかの政治的対立が、エスニックな装いを纏って急進化したのである。大統領暗殺に伴う混乱と大量殺戮の開始のために停戦合意は破棄され、戦闘が再燃した。トゥチ民間人の殺戮が進むなかであったが、RPFは七月に首都を制圧して新政権を樹立した。

敗北した旧ハビャリマナ政権側の勢力は、民間人を伴って周辺国、特に西側のザイールと東側のタンザニアに逃亡した。それぞれ二〇〇万人、一〇〇万人規模の難民流出があったと推計される。特にザイールには旧政府軍兵士や民兵が武装解除されずに流れ込み、国境沿いに多数の難民キャンプが建設された。彼らは国際社会の手厚い支援の対象となりながら、モブツの援助も受けてルワンダ領内への攻撃を繰り返した。RPF新政権は難民の武装解除を国際社会に要請したが、その危険性とコストを恐れてどの国も要請に応えなかった。

一九九六年九月、モブツが前立腺癌の手術を受けたとの報道が広がるなか、ザイール東部ルワンダ国境付近で武力衝突が発生した。RPF政権がザイール国内のルワンダ系住民を動員して、難民キャンプの掃討作戦に踏み切ったのである。同年末になると、この武装勢力は「コンゴ・ザイール解放民主勢力連合」(AFDL)と自称し、モブツ政権打倒を掲げて西部に向け進軍を開始した。AFDLのトップには長く反モブツ武装闘争に従事してきたカビラが座ったが、その軍事部門を支えたのはルワンダとウガンダの軍、そしてバニャムレンゲなどルワンダ系住民であった。ザイール軍兵士の士気は低く、AFDLは破竹の進軍を続けて翌年五月には首都キンシャサに入城。モブツ体制は崩壊した。政権を握ったカビラは国名をコンゴ民主共和国に戻し、モブツ色を一掃した。

コンゴの新政権は、ルワンダとウガンダが軍事部門を掌握する奇妙な体制であった。当初、現職のルワンダ軍参謀長がコンゴ国軍参謀長を兼任するなど、その影響力は明白だった。カビラはその影響を排除しようとして、両国と衝突する。一九九八年八月、新政権発足からわずか一年余り後に、東部で親ルワンダ・ウガンダ勢力が蜂起し、内戦が再発した。この紛争では反政府勢力にルワンダ、ウガンダ、ブルンジが、カビラ政権側にジンバブウェ、アンゴラ、ナミビアなどが軍事介入し、「アフリカ大戦」と呼ばれた(Reyntjens 2009)。国際社会の仲介で二〇〇二年一二月に和平合意が結ばれ、公式には紛争が終結したものの、東部の治安は現在に至るまで回復していない。周辺国からの支援や資金源になりやすい鉱物資源の存在もあって、武装勢力が群雄割拠する状態が続いている。二〇二二年初めの段階で、この地域では一〇〇を超える武装勢力が活動しており、政府はごく限定的な領域しか統治できていない。二〇年以上も国連平和維持部隊が派遣されているが、人道状況は依然劣悪である。

開発国家ルワンダ

紛争が続くコンゴとは対照的に、内戦後のルワンダは政治的に安定し、急速な経済成長を実現している。二〇〇三年には新憲法を制定し、内戦期に総司令官であったカガメが大統領に選出された。カガメ政権下のルワンダは、内戦の荒廃から急速な復興を遂げて、世界の注目を集めている。この国は汚職を厳格に抑制するなど高い政策実行能力を持ち、自らの努力で投資環境を整備してきた。二〇二〇年以降の新型コロナウイルス感染症のなかでも、ルワンダはアフリカ最高水準のワクチン接種率を誇っている。一方で、この国では、民主的な政治制度が憲法で定められているにもかかわらず、政権の脅威となる勢力の排除、抑圧が日常的に行われてきた。加えて、コンゴ東部紛争への関与も繰り返し指摘されている。RPFは反政府武装組織から政権与党に変わったが、その統治下で、国家全体が軍事的性格を強く帯びるようになった。急速な経済成長が、権威主義体制の下で続いている。

内戦後ルワンダのもう一つの特徴は、社会変革への強烈な指向性である。前述の反汚職政策もそのひとつだが、行政改革を通じて厳格な人事評価制度を導入し、女性の登用を積極的に進めた。今日ルワンダは、国会議員に占める女性の比率が世界最高水準にある。社会変革の波は農村にも及んでいる。二〇一〇年代半ばまでに全土で土地登記が実施され、土地権利証書が配布された。女性に土地相続権を認め、行政や司法によるサポートを通じて、その実効性を担保した。また、農村部に化学肥料や改良品種を浸透させ、低湿地開発を進めて、トウモロコシや米などの食料作物を大幅に増産した。こうした政策が政府の強いイニシアティヴで遂行され、社会を急速に変えている(Harrison 2016)。

六、国家像の変遷

一九世紀末のベルリン会議は、中部アフリカにコンゴ自由国という巨大な国家を現出させた。本章ではこの国とルワンダに焦点を当てて、一九世紀末以降の来歴を辿ってきた。コンゴ自由国期を含む植民地期前期は、「ブーラ・マタリ」に象徴される苛烈な国家統治の時代であった。この異人支配の国家は、反抗する者を容赦なく弾圧し、天然資源を奪い取る一方、アフリカ人を搾取するだけで社会を変えようとはしなかった。同じ植民地期の国家でも、戦間期とりわけ一九三〇年代以降になると、社会を近代化し、労働力の生産性を上げようという動機から、労働政策や開発政策と呼びうる施策が少しずつ導入されるようになる。国家が被統治者に対して、父権主義的な態度で能力向上を図るようになった。

中部アフリカ諸国が独立した一九六〇年代から八〇年代において、この地域の国々は総じて一党制化を進め、モブツ政権に典型的に見られるように、大統領を頂点とする集権的なパトロン・クライアント・ネットワークを通じて政治秩序が維持された。政党間競争を許さず、長期の個人支配を正当化する政治体制は、冷戦という時代背景のなかで、大国によって国際的に支援された。集権的なパトロン・クライアント・ネットワークの維持は、当時の国際政治環境において可能になったのである。アフリカの指導者は開発や近代化を唱えたが、自らが利益を享受できる既存の政治秩序の維持には熱心でも、社会変革には熱心でなかった。

こうした国家は、冷戦終結とともに動揺を余儀なくされ、一九九〇年代の中部アフリカでは深刻な武力紛争が頻発した。その後、この地域には、ポストコロニアル国家という名称で一括できないほど対照的な国家群が出現している。一方には、コンゴ民主共和国や中央アフリカ共和国のように、中央政府の統治能力が首都を含む国土の一部にとどまり、地方には複数の武装勢力が群雄割拠するケースがある。武装勢力は周辺国やグローバル市場とのつながりを通じて、中央政府からの自律性を確保している。中央政府にせよ、武装勢力にせよ、パトロン・クライアント・ネットワークによって支えられている点では変わらないが、それぞれのネットワークがカバーする領域は国土全体に遠く及ばない。ネットワークはより細分化し、周辺国やグローバル市場と結びついて複雑な様相を呈している。

他方では、ルワンダのような開発主義国家が出現している。カガメ政権は、権威主義的な性格を持ちつつも、政治的安定を達成したうえ、社会変革を指向して成果を上げている。短期間に急速な社会変革が可能になった理由として、RPFが内戦で軍事的勝利をあげて反対勢力を国内から完全に放逐したことや、独立前後にチーフ制が消失しており行政機構が社会の動員を行いやすいことが指摘できるが、より多面的な検討が必要である。トゥチという少数派を支持基盤とするRPFは本質的な不安定性を抱えており、それが継続的な社会改革の動機になっているとの議論(Behuria 2015)は興味深いが、この仮説が正しいとすれば、政権が安定するにつれて社会改革への動機が薄れることになる。カガメ政権に評価を下すのは時期尚早だが、現段階でその安定性を自明のものと見なすことはできない。

本章では、中部アフリカという地理的領域を対象として、現存する諸国家、特にコンゴとルワンダの歴史過程を一望することを試みた。紙幅の制約のため、十分に議論を深められていないが、この地域の多様な国家形成史から、今日の国家や統治のあり方を考えるうえで多くの学びが得られることは疑いない。

注

(1) 本章において、コンゴ民主共和国については、文脈に応じて、コンゴ、ザイール、コンゴ(キンシャサ)などと略記する。コンゴ共和国(旧仏領。首都ブラザヴィル)については、略さず表記する。

(2) ルワンダには、トゥチとフトゥの他に先住民のトゥワがいる。トゥワは全人口の一%に満たない存在だが、歴史的、社会的に重要な役割を担ってきた。しかし、紙幅の関係で本章では触れることができない。

(3) この一件に象徴されるように、ハビャリマナは巨大な隣国のトップであるモブツに敬意を払い、親密な関係を結んだ。後にハビャリマナが暗殺された際、モブツは激怒し、RPF政権の不安定化を工作した。

参考文献

杉村和彦(二〇一八)「コンゴ川世界」宮本正興・松田素二編『改定新版 新書アフリカ史』講談社現代新書。

武内進一(二〇〇〇)「ルワンダのツチとフツ――植民地化以前の集団形成についての覚書」武内進一編『現代アフリカの紛争――歴史と主体』アジア経済研究所。

武内進一(二〇〇九)『現代アフリカの紛争と国家――ポストコロニアル家産制国家とルワンダ・ジェノサイド』明石書店。

武内進一(二〇一一)「個人支配の形成と瓦解――モブツ・セセ・セコが安全な悪役になるまで」真島一郎編『二〇世紀〈アフリカ〉の個体形成――南北アメリカ・カリブ・アフリカからの問い』平凡社。

三須拓也(二〇一七)『コンゴ動乱と国際連合の危機――米国と国連の協働介入史、一九六〇~一九六三年』ミネルヴァ書房。

ロスチャイルド、ジョセフ(一九八九)『エスノポリティクス――民族の新時代』内山秀夫訳、三省堂。

Behuria, Pritish (2015), "Between party capitalism and market reforms: Understanding sector differences in Rwanda", *The Journal of Moderm African Studies*, 53-3.

Callaghy Thomas M. (1984), *The State-Society Struggle: Zaire in Comparative Perspective*, New York, Columbia University Press.

Chabal, Patrick, and Jean-Pascal Daloz (1999), *Africa Works: Disorder as Political Instrument*, Oxford, James Currey.

Cooper, Frederick (2019), *Africa Since 1940: The Past of the Present*, 2nd ed., Cambridge, Cambridge University Press.

Franck, Louis (1921), "La politique indigène, le service territorial et les chefferies", *Congo*, Tome I.

Kennes, Erik, and Miles Larmer (2016), *The Katangese Gendarmes and War in Central Africa*, Bloomington, Indiana University Press.

Harrison, Graham (2016), "Rwanda: an agrarian developmental state?", *Third World Quarterly*, 37-2.

Herbst, Jeffrey (2000), *States and Power in Africa: Comparative Lessons in Authority and Control*, Princeton, Princeton University Press.

Higginson, John (1989), *A Working Class in the Making: Belgian Colonial Labor Policy, Private Enterprise, and the African Mineworker, 1907-*

1951, Madison, The University of Wisconsin Press.

Newbury, Catharine (1988), *The Cohesion of Oppression: Clientship and Ethnicity in Rwanda, 1860-1960*, New York, Columbia University Press.

Reyntjens, Filip (2009), *The Great African War: Congo and Regional Geopolitics, 1996-2006*, Cambridge, Cambridge University Press.

Stengers, Jean (1989), *Congo: Mythes et réalités, 100 ans d'histoire*, Paris/Louvain-la-neuve, Duculot.

Verweijen, Judith, and Koen Vlassenroot (2015), "Armed Mobilization and the Nexus of Territory, Identity, and Authority: The Contested Territorial Aspirations of the Banyamulenge in DR Congo", *Journal of Contemporary African Studies*, 33-2.

Vinckel, Sandrine (2015), "Violence and everyday interactions between Katangese and Kasaians: Memory and elections in two Katanga cities", *Africa*, 85-1.

Vansina, Jan (1991), *Paths in the Rainforests: Toward a History of Political Tradition in Equatorial Africa*, London, James Curry.

Young, Crawford (1994), *The African Colonial State in Comparative Perspective*, New Haven/London, Yale University Press.

焦　点　Focus

集点｜*Focus*

歴史言語学からみるバントゥ系民族の移動

米田信子

はじめに

バントゥ諸語はアフリカ最大の言語群である。その数は約五〇〇—六〇〇言語と言われ(米田他 二〇一二：一五一頁)、アフリカ大陸の赤道以南に広く分布する。この分布域はアフリカ大陸の二十以上の国を横断している。バントゥ諸語の共通祖先である「バントゥ祖語」は、西アフリカのベヌエ川下流域、現在のナイジェリアとカメルーンとの国境付近で話されていたと考えられている。今から約五〇〇〇年前、そこから話者が南東に移動を始め、カメルーン南部とケニアをつなぐライン以南全域に広がる現在のバントゥ諸語圏ができあがった(Bostoen 2018; Watters 2018 他)。

言語の拡散には、ある言語が支配的になり、それまで話されていた言語がその支配的になった言語に取り替えられていくことで拡散する場合と、話者の移動に伴って言語が拡散していく場合がある。バントゥ諸語の拡散は後者であり、話者の移動と密接に関係している。さらにこの移動は、言語だけでなく、森林地帯での狩猟採集生活とは根本的に異なる定住的な生活様式や農耕などの新しい技術も広めたと言われている(Diamond and Bellwood 2003: 599; Grollemund et al. 2015: 13296)。したがって、バントゥ諸語拡散の歴史は、新しい生活様式の伝播の歴史でもある。本章では、バントゥ諸語の拡散の歴史をとおして、それらの話者であるバントゥ系民族の移動の歴史を探る。

一、バントゥ諸語と歴史言語学

バントゥ諸語

アフリカ大陸の言語は、アフロアジア大語族、ナイル・サハラ大語族、ニジェール・コンゴ大語族、コイサン大語族という四つの大語族に分けられる(コイサン大語族については第三節を参照のこと)。この中で言語数が最も多いのはニジェール・コンゴ大語族で、その数はアフリカ大陸で話されている約二〇〇〇言語のおおよそ四分の三を占める。バントゥ諸語は、そのニジェール・コンゴ大語族に属するベヌエ・コンゴ語派の中の「バントイド」と呼ばれる語群のさらに下位に分類される言語群である。したがって「バントゥ諸語」というのは、大語族の中の下位分類、しかもかなり下の方の分類にすぎないが、アフリカ諸語の中で最大規模の言語群であり、**図1**が示すようにアフリカ大陸の赤道以南に広く分布している。

バントゥ諸語に共通して見られる特徴は、名詞の分類システムと膠着的な動詞構造である。前者はバントゥ諸語の最も際立った特徴である。名詞は「名詞クラス」と呼ばれる一五種類前後のグループに分かれていて、これが文法の基盤となっている。各クラスには、バントゥ諸語の比較研究のために祖語を基にして一定の順番で番号がふられている。スワヒリ語の例を挙げると、名詞は一五種類の名詞クラスに分かれていて、(1a)の chungu「土鍋」は七クラス、(2a)の sahani「皿」は九クラスに属する。「新しい」という修飾語は被修飾名詞が属している名詞クラスに呼応して異なる形(それぞれ kipya と mpya)で現れる。バントゥ諸語の「バントゥ」という名称も、「人々」を意味する bantu という二クラスの名詞に由来する。

高度に膠着的な動詞構造がバントゥ諸語のもうひとつの特徴である。動詞は決まった順番に並べられたいくつかのパーツ（これを「形態素」という）で構成されている。たとえば、(1b)の kimevunjika と(2b)の imevunjika はいずれも「割れた」という意味を表す動詞だが、それぞれカッコに示したような五つの形態素で構成されている。動詞にも名詞クラスが関係しており、語頭には主語名詞に呼応した形態素（それぞれ ki-と i-）が付く。

(1) a. chungu kipya「新しい土鍋」 b. Chungu kipya kimevunjika. (ki-me-vunj-ik-a)「新しい土鍋が割れた。」

(2) a. sahani mpya「新しい皿」 b. Sahani mpya imevunjika. (i-me-vunj-ik-a)「新しい皿が割れた。」

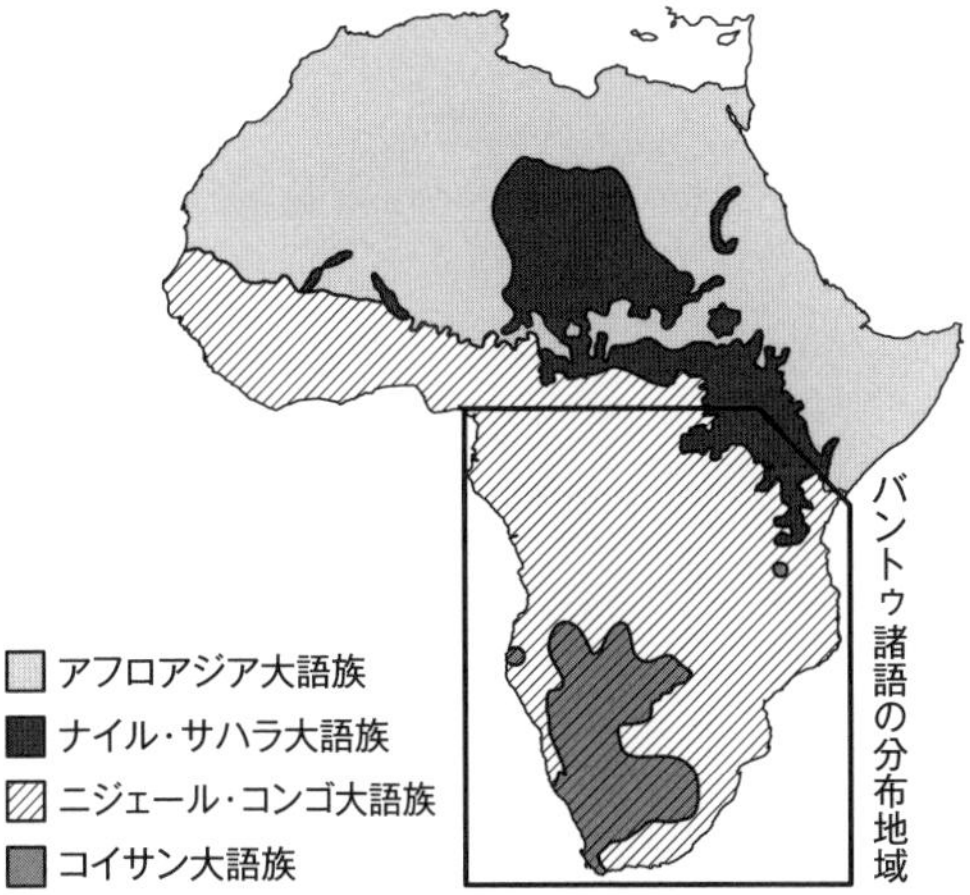

図1 アフリカ四大語族の分布

これらの特徴を有しているということが、バントゥ諸語をそれ以外の言語と区別する基準にもなっている。

バントゥ諸語は、慣例的にN13、R31のようにローマ字と二桁（あるいは三桁）の数字を用いて分類される。これは英国の言語学者ガスリーが始めた分類である（Guthrie 1948）。ガスリーは、バントゥ諸語が話されている地域を一五のゾーンに分け、そこにAからRまでのローマ字をあてた。さらに各ゾーン内の言語を10番台、20番台といった語群にまとめた。ガスリー以降いくらかの改訂が加えられ、現在では**図2**のような一七のゾーンに分けられるのが一般的である（米田他 二〇一二：一五一頁）。

ガスリーの分類は基本的に地理を基にしたものであるが、系統と分岐の歴史という点からは、バントゥ諸語は大きく西部バントゥ諸語と東部バントゥ諸語に分けられる。これはグロラムントたちによる語彙に基づく系統分類（Grollemund et al. 2015）で、西部バントゥ諸語はさらに、北西部バントゥ諸語、中西部バントゥ諸語、西西部バントゥ諸語、南西部バントゥ諸語に分けられる（**図2**参照）。このうち北西部バントゥ諸語は、祖地に近いカメルーン、赤道ギニア、ガボン北部のバントゥ諸語である。この地域では近縁のバントゥ諸語以外の言語も話されており、バントゥ諸語圏の中でも言語的に最も多様性に富んでいる（Bostoen 2018: 581）。**図3**が示しているように、バントゥ諸語はこの北西部の段階、すなわち移動の初期の段階ですでに分岐を重ねてい

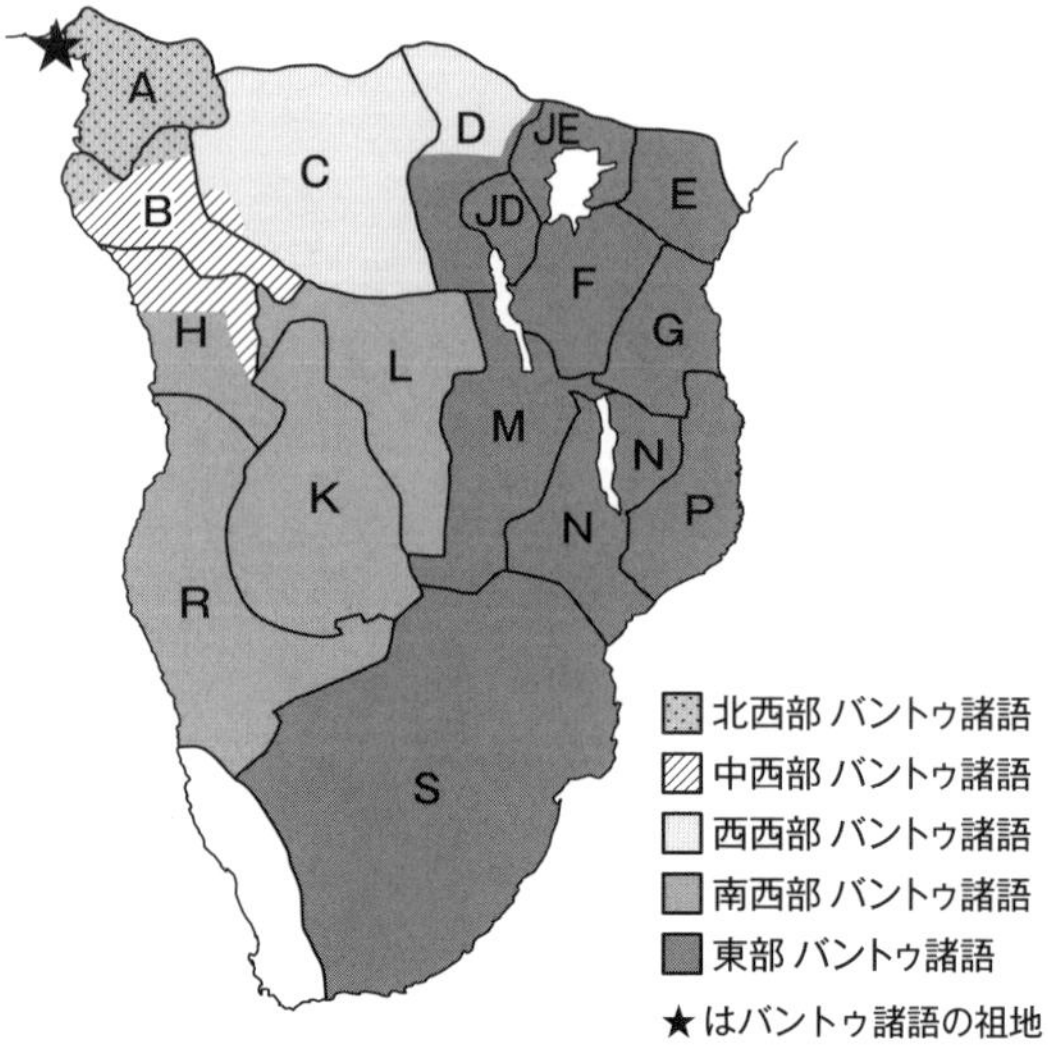

図2　バントゥ諸語の分類

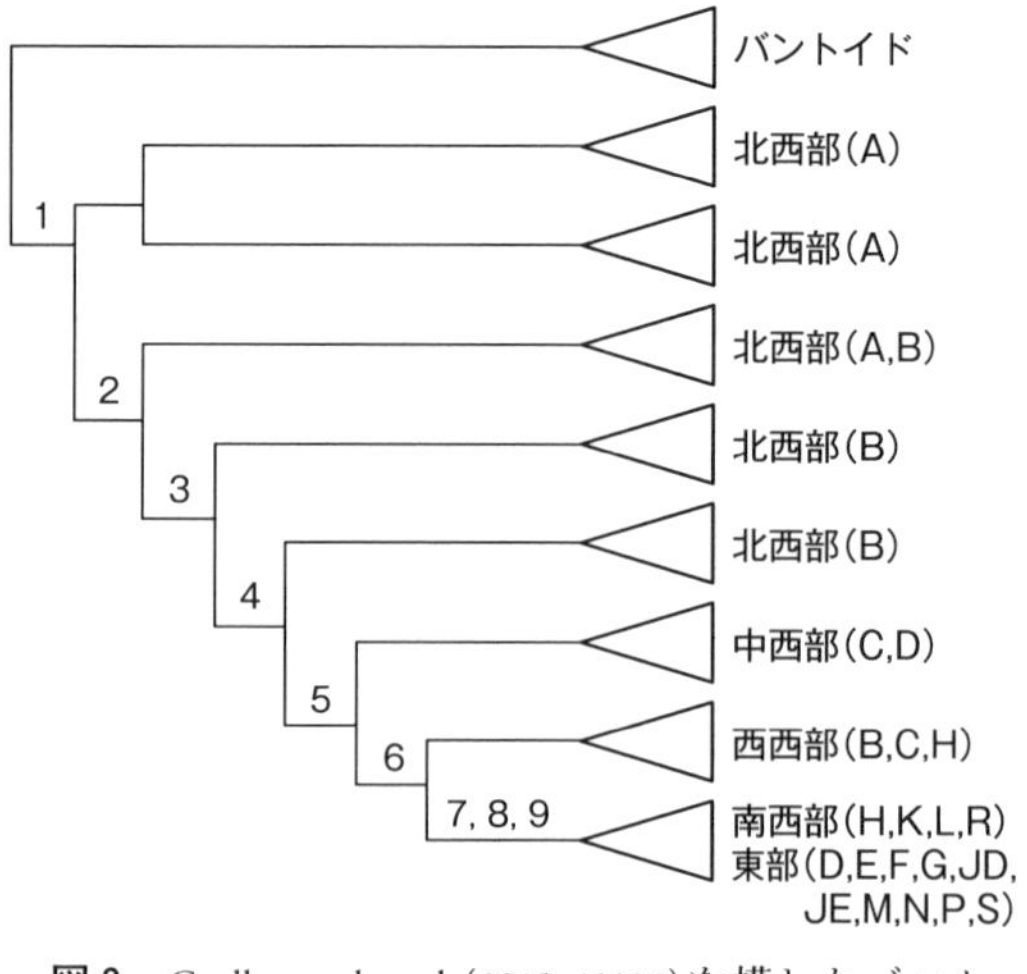

図3　Grollemund et al.（2015: 13297）を模したバントゥ諸語の系統図（Pacchiarotti & Bostoen 2020: 157）

る。その後の話者の移動によって、さらに、中西部、西西部、南西部、東部という分派が出現した。東部バントゥ諸語の中には、東アフリカだけでなく、南部アフリカで話されているM、N、P、Sゾーンの言語まで含まれる。

先に述べたようにバントゥ諸語話者の移動は言語だけでなく農耕も広めたと言われているが、バントゥ祖語において*-dim-（*は再建された形であることを示す）であったと推定される「（鍬で）耕す」という意味を持つ動詞語幹は、**表1**が示すように現在も各地域のバントゥ諸語でそれに由来する形を残している。

表1　「耕す」を表す動詞語幹の分布

	バントゥ祖語	*-dim-
B85b	ヤンス語	-lịm-
C53	テンボ語	-lem-
E61	ルヮ語	-rem-
F21	スクマ語	-lim-
G42	スワヒリ語	-lim-
JD62	ルンディ語	-rim-
JE11	ニョロ語	-lim-
K14	ルウェナ語	-lim-
L31c	ルバ語	-dim-
M42	ベンバ語	-lim-
N13	マテンゴ語	-lɪm-
N31	チェワ語	-lim-
P21	ヤオ語	-lim-
R21	クヮニャマ語	-lim-
S33	南ソト語	-lẹm-
S41	コサ語	-lim-
S42	ズールー語	-lim-

バントゥ諸語の文献資料

バントゥ諸語は、他の多くのアフリカ諸語と同じく書記言語としての伝統を持たない。そのため文献資料の数は極めて少ない。現在確認できている最も古いバントゥ諸語の文献資料は一七世紀に書かれたもので、現在のコンゴ共和国およびコンゴ民主共和国で話されているコンゴ語に関するものである(Bostoen 2019: 308)。しかしこれは例外的で、バントゥ諸語の研究が本格化してきたのは一九世紀末の植民地時代になってからである。これはキリスト教の宣教が始まった時期でもあり、宣教師たちが赴任地やその周辺で話されている言語の語彙収集や文法調査を行ったのが始まりである。聖書翻訳が行われた言語もある。

言語学の訓練を特に受けているわけではない宣教師たちが残している資料には、当然ながら質的にばらつきが見られる。また聖書を現地の言語に翻訳するにあたって行われた書記化によって起きた弊害もある。言語は、はじめから個別の「言語」として独立して存在しているわけではなく、ゆるやかな「方言」の連続体として存在していたはずであるが、文法書を書いたり聖書の翻訳を行うということは、この連続体の一部を「切り出す」、つまり連続体を意図的に個別の「言語」にしていくことでもある(米田 二〇一二:四八頁)。

このような側面もあるが、絶対的に文献資料が不足しているバントゥ諸語にとっては、研究者による資料だけでなく宣教師による記述や聖書翻訳も、言語の歴史を知るための貴重な資料である(米田 二〇一二:二一六頁)。

歴史言語学

歴史言語学とは、その名のとおり歴史的に言語を検討する学問であり、言語の通時的変化や分岐のプロセスの解明を目的とする研究分野であるが、その中で本章に最も関係するのが比較言語学である。比較言語学は、共通の起源を持つと考えられる同系の言語間に見られる規則的な音韻対応を手掛かりに、その源となる祖語を再構築し、祖語から分岐した諸言語の歴史を辿るという手法である。これは、もともと一八世紀末にインド・ヨーロッパ語族の歴史研究から始まり、一九世紀に発展してきた学問で、バントゥ諸語の祖語再建にもこの比較言語学の手法が用いられてきた。ベルギーの言語学者メウセンによって一九六七年にバントゥ祖語の文法(Meeussen 1967)、一九八〇年にバントゥ祖語の語彙(Meeussen 1980)がそれぞれ再建されている。

比較言語学の基盤となっているのが音韻変化に見られる規則性の原理である。言語は常に変化していくが、その変化は決して無秩序に起きているわけではなく、そこには規則性がある。とりわけ音形の変化には明確な規則性が現れる。そこで、起源的に繋がっていると考えられる複数の言語の比較を通して、それらの祖語を理論的に再建していくのである。たとえば、インド・ヨーロッパ語族の例を挙げると、**表2**が示すように、サンスクリット語、ギリシャ語、ラテン語、ゴート語、英語の語頭子音の p と f には規則的な対応が見られる。祖語の再建の基準になるのは、多数決の原理、すなわち対応において最も多く見られる音が祖語に遡るという考え方と、音変化の自然性、すなわち起きやすい変化の方向性である。**表2**では、pが祖語に遡る音であり、ゴート語や英語の語頭のfは、p→fという音変化の結果である。

表2　インド・ヨーロッパ語族の音対応

サンスクリット語	ギリシャ語	ラテン語	ゴート語	英語
pitá́	patḗr	pater	fadar	father
pra	pro	proo	fra-	forth

比較言語学の手法は、祖語の再建だけでなく分岐の歴史や言語の下位分類にも用いられる。言語が共有している特徴には、祖語から継承されている「残存」と、新たに変化した「革新」がある。前者は、祖語が持っていた特徴がその子孫に当たる言語に残存している場合である。一方後者は、直近の親言語で起こった変化を娘言語が受け継いだ場合である。言語群を下位分類する上で唯一の有効な方法は、共通の革新を見つけることである。しかしながら、革新が見られる場合でも、それらの言語が話されている地域や系統樹の中での位置づけなどを考えると、いくつかの可能性が考えられる。たとえば、語彙や音韻や文法に起きた歴史的変化を二つの言語が共有している場合、もしそれらの言語が近縁であれば、直近の親言語の段階で革新が起きた可能性が高い。もしそれらの言語が話されている地域は近いけれど系統的に近縁ではない場合には、一方の言語に起きた革新が接触によってもう一方に広がった可能性が考えられる。系統に関係なく共通の文法的・音韻的特徴を持っているバルカン半島の言語が「バルカン言語連合」として分類されているのはその典型的な例である。さらに、それらの言語が系統的にも地理的にも離れている場合は、おそらく別個に独立して起きた革新であると考えられる。

音の規則的な対応は、共有している特徴が祖語からの残存なのか、それとも借用したものかを区別するためにも用いることができる。たとえば、**表2**で見たようにラテン語の**p**は英語の**f**に対応する。したがって、英語の**palm**は、祖語からの残存ではなくラテン語**palma**からの借用であることがわかる。

語彙の音変化だけでなく、語彙自体から分岐の歴史を探ろうとするのが語彙統計学と呼ばれる手法である。これはアメリカの言語学者スワデシュによって考案された手法で、語彙の共通残存率から分岐の歴史を遡るというものであり、基盤にあるのは、「基礎語彙はあらゆる言語においてほぼ同じ速度で変化する」というスワデシュの発見である（亀井他　一九九五：四六九頁）。何を基準に「基礎語彙」と認定するかということについては議論もあるが、一般的には、使用頻度が高く、日常生活に欠かせない、どの言語にも存在するような語彙、具体的には、身体名称、親族名称、衣食住、自然事象、数字といった語彙である。これら基礎語彙は借用による変化が少ないこともわかっている。十数言語について現代語と文献による古語の調査の結果、スワデシュが基礎語彙として挙げた二一五項目のうち一〇〇〇年後に残存するのは平均して約八〇％であるという結果が出ている（亀井他　一九九五：二七一頁）。この方法論の有効性については批判も多いが（Campbell 1998 他）、バントゥ諸語のように古い文献資料が存在しない場合にはこの手法に頼らざるを得ず、バントゥ諸語の歴史的研究ではこの手法を基にした系統樹が研究者たちの間で広く共有されてきた。

二、バントゥ諸語話者の移動(1)

バントゥ諸語話者が彼らの祖地から移動を始めたのは約五〇〇〇年前であるが、その移動には、極めて速度の遅い小距離の移動、それに続く急速で大規模な移動という二つの段階があったと考えられている。

第一段階：ベヌエ・コンゴ語派からの分岐と移動開始

ニジェール・コンゴ大語族の歴史は一万年から一万二〇〇〇年と推定されるが、その下位に位置するベヌエ・コンゴ語派から「バントゥ諸語」という分派が始まったのは今から六〇〇〇－七〇〇〇年前であり、その歴史は比較的新しい。現在のナイジェリア南東部ニジェール川とベヌエ川の合流域を祖地とするベヌエ・コンゴ語派から分岐し、その後長い時間をかけて何度かの分派を経たのちに、現在のカメルーン西部サナガ川の流域にいたってバントゥ系の祖集団が形成されたと考えられている(Watters 2018: 4-7 他)。今から約五〇〇〇年前、そこから移動が始まった。

バントゥ諸語話者が現在のカメルーン中央部の首都ヤウンデ周辺に最初に現れたのは、今から三〇〇〇—三五〇〇年前のことである。そこは彼らの祖地からわずかに二〇〇キロメートルほど南下したところに位置する。つまり、一五〇〇—二〇〇〇年かけて二〇〇キロ程度しか移動していないということである。前述したとおり、このあたりはバントゥ諸語圏の中でも言語の多様性が極めて高い地域である。この言語の多様性は、バントゥ諸語拡散の初期の段階において、この地域で極めて速度の遅い小規模な移動しか行われていなかったことを示している。今から二三〇〇—三五〇〇年前の期間にカメルーン中央部からコンゴ川下流とコンゴ盆地中央部にかけて定住型の土器文化が広がったことを示す遺跡が見つかっており、初期段階のゆっくりとした狭い範囲の移動は考古学的にも裏付けられている。

このように、約五〇〇〇年前に移動を始めたバントゥ移民であるが、三〇〇〇—三五〇〇年前には、まだ中部アフリカの熱帯雨林の手前にまでしか到達していなかった。この熱帯雨林こそが彼らの移動を阻んだと言われているが、バントゥ諸語の拡散が本格化したのは、これ以降のことである。

第二段階：南東への移動

今から三〇〇〇—三五〇〇年前には、バントゥ諸語話者の移動は熱帯雨林の手前あたりまでであったが、その後、紀元前五〇〇年頃には、話者集団は現在のコンゴ民主共和国、アンゴラ、ザンビアにほぼ同時に到達していたと考えられている。さらに紀元三〇〇年には、最も先駆的なグループが、現在の南アフリカ共和国東海岸沿いのクワズールー・ナタール州に到達し、さらに紀元五〇〇年には内陸部、現在の南アフリカ北東部のリンポポ州に現れている。カメルーンのヤウンデまで移動したのが三〇〇〇−三五〇〇年前であるから、その後一五〇〇−二〇〇〇年ほどの間にカメルーンから南アフリカまでの移動が行われたということである。現在バントゥ諸語が話されているエリアは、北西はカメルーン南西部、北東はソマリア南部、南端は南アフリカの大陸最南端という広大さである。カメルーンの祖地からヤウンデ地域への最初の二〇〇キロほどの南下は、そこからバントゥ諸語の現在の分布域の南端に到達するまで、すなわちカメルーンと南アフリカを結ぶ四〇〇〇キロ以上の移動にかかった時間の、少なくとも二倍以上の時間を要したことになる。

バントゥ諸語と話者の拡散は、その広大さにおいても速さにおいても際立っているが、さらにもうひとつ注目すべき点がある。それはこの移動が主に南北方向であったという点である。人類の移動は、南北の縦方向に比べ、東西の横方向のほうが速い速度で移動できることがわかっている。東西方向の移動は気候などの自然環境が似ているため、移動先に適応するにあたってストレスが少ないからである（ダイアモンド 二〇〇〇：三四一−三四六頁）。ところがバントゥ諸語の分布域は、南北の広さが東西の広さの一・五倍以上であり、バントゥ移民の移動は圧倒的に縦方向が大きい。この移動の方向を考えると、バントゥ諸語の拡散の広さと速さはさらに際立ってくる。

移動経路 一：初期分岐説と後期分岐説

バントゥ諸語話者が自分たちの祖地である現在のカメルーン南西部から約五〇〇〇年前に移動を始めたという説については、研究者の意見はほぼ一致するところである。しかしながら、その後の経路については意見が分かれている。最初の分岐については、初期分岐説と後期分岐説に大別される。初期分岐説は、バントゥ移民は熱帯雨林の手前で分岐し、一つのグループは熱帯雨林の北の境界に沿って東アフリカ方面に向かった後に南下、もう一つのグループは大西洋沿岸を南下し、その後、ガボン、コンゴ民主共和国、アンゴラに向かうグループと、コンゴ川に沿って内陸へ向かうグループに分かれたという仮説である［図4(a)］。一方の後期分岐説は、バントゥ移民は熱帯雨林を南下し、その後、東に向かうグループと南に向かうグループに分かれたとする仮説である［図4(b)］。経路に関する初期の研究で出されたのは初期分岐説であるが、研究が進むにつれ、後期分岐説のほうが様々なデータとの整合性が高いことがわかってきた。特にバントゥ移民の移動の障害となっていたアフリカ中部の熱帯雨林が干ばつによって破壊されたことが考古気候学のデータから明らかになったことは、後期分岐説を裏付けることとなった。

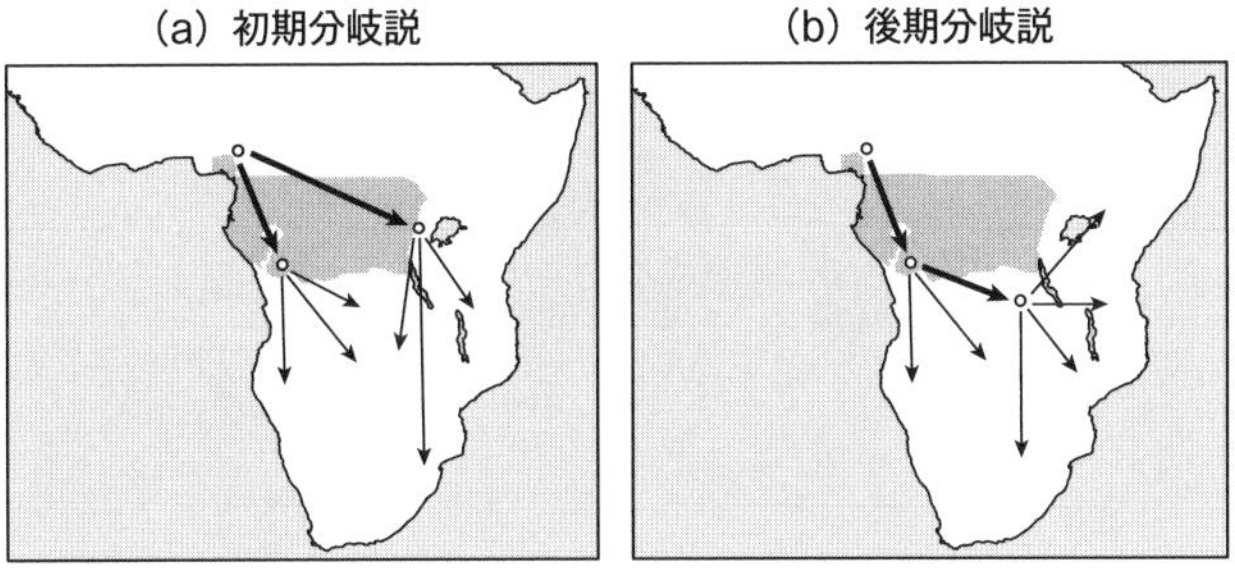

図4　初期分岐説と後期分岐説．グレーは熱帯雨林を示す
(De Filippo et al. 2012: 2)

移動経路 二：サバンナ回廊

考古気候学の研究によると、今から約四〇〇〇年前に大規模な気候変動によってコンゴ熱帯雨林の周辺部が縮小し始め、干ばつによって二五〇〇年前までには熱帯雨林にサバンナが出現していた。バントゥ移民は熱帯雨林によって移動を妨げられたために最初の二〇〇〇年は熱帯雨林の手前までの移動に留まっていたが、熱帯雨林に出現したサバンナ回廊を通ることで熱帯雨林の南側への移動が可能となり、バントゥ拡散に拍車がかかった可能性が高いことが、グロラムントたちの研究(Grollemund et al. 2015)をはじめとする最近の研究で指摘されている。熱帯雨林にサバンナが出現したことが明らかになったことで、後期分岐説はより有力視されるようになってきた。

グロラムントたちは、この考古気候学の研究成果に、ベイズ統計学の手法によって分析した基礎語彙のデータおよび現在のバントゥ諸語の分布に関する地理学

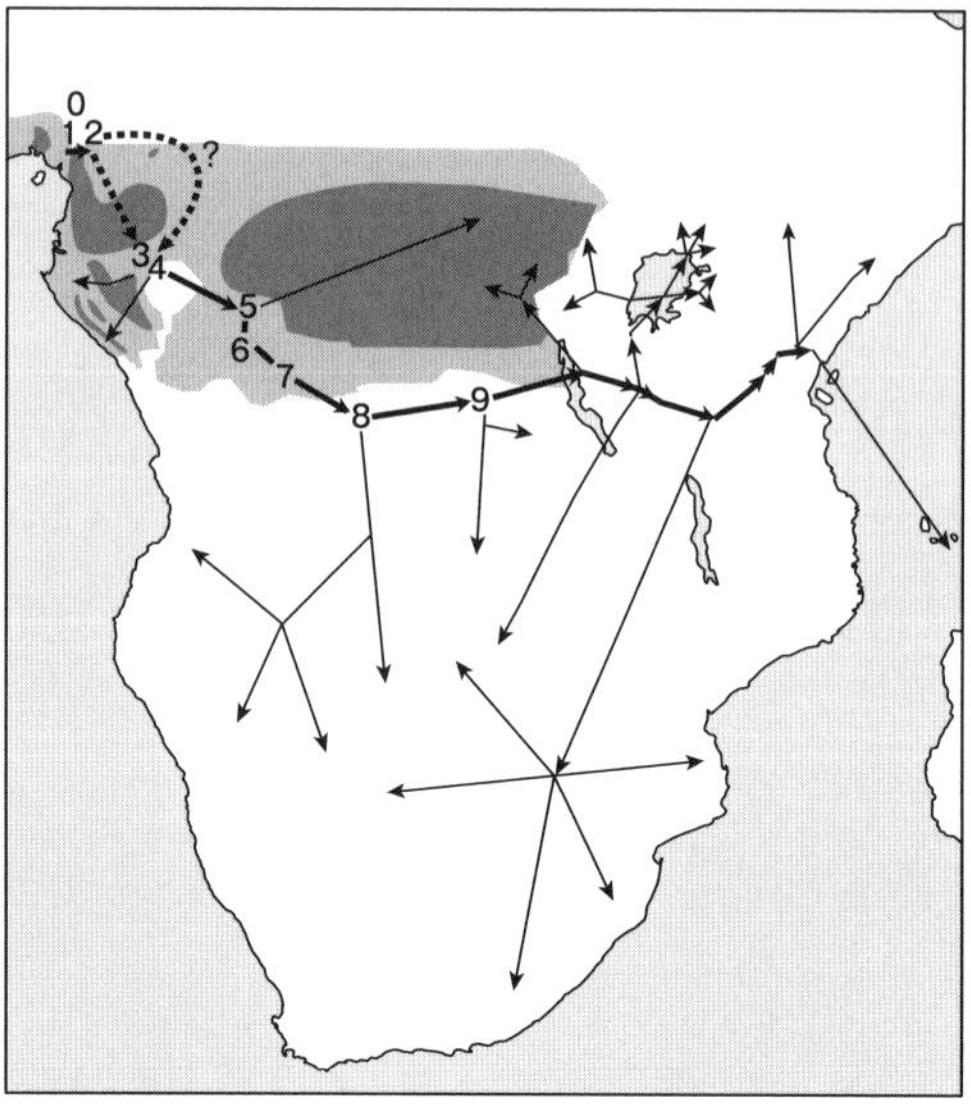

図5　熱帯雨林に出現したサバンナを通る後期分岐説．濃いグレーは縮小した今から約2500年前の熱帯雨林を示す（Grollemund et al. 2015: 13298を基に作成）

的データを組み合わせることで、バントゥ移民の移動経路とその時期の推定を試みている。それによると、第二段階の主要な拡散経路は、まず熱帯雨林の中に出現したサバンナ回廊を南下し（**図5**の?のルート）、その後、熱帯雨林の南側境界に沿って東方向に向かったとされる［**図5**］。後期分岐説では、現在の東部バントゥ諸語話者の祖先は、今から約二〇〇〇年前までには西部バントゥ諸語から分離したと考えられている。つまり、初期分岐説では、東アフリカのヴィクトリア湖周辺のバントゥ諸語話者の祖先は熱帯雨林の北側を移動してきたと考えるのに対し、後期分岐説では、熱帯雨林の南側境界沿いを通って東に向かい、そこから北上してきたということになる。グロラムントたちの後期分岐説では、東に進む途中でいくつかのグループが基幹集団から枝分かれし、そのうちのいくつかのグループが南に向かい、その最後のグループが南部アフリカで話されているバントゥ諸語の祖先となったと考えられている。

移動経路　三：初期分岐の別説

後期分岐説が有力になってきているとはいえ、初期分岐説にも新たな仮説が提案されている。湯川（二〇一一）は、バントゥ諸語に特化した独自の基礎語彙二〇〇項目を用い、一〇八言語の共通残存率を独自の方法で算出して移動経路を推定した。これまでの語彙統計学に用いられた言語データは、言語によって収集した研究者（あるいは宣教師）も時期もまちまちだったが、湯川のデータはすべて湯川本人が集めたものである。したがって、湯川の研究は、これまでの語彙統計学に比べると分析対象になっている言語数は少ないが、言語データ自体の信頼度は極めて高い。

　これによると、バントゥ諸語の移動は大きく四つのグループに分けられる。第一グループは初期に分岐して熱帯雨林の北縁に沿って東に進み、ヴィクトリア湖西岸付近に定着した。その後、一部はヴィクトリア湖を右回りに移動、一部は左回りにケニアとタンザニア南部および海岸部に移動、さらに南下して南部アフリカに至った。第二グループはカメルーン東部から川沿いにコンゴ川に達し、その上流にも広まった。第三グループはカメルーンから大西洋岸沿いに南下、第四のグループはカメルーンの祖地近くに留まったとされる［**図6**］（湯川 二〇一一：五九頁）。

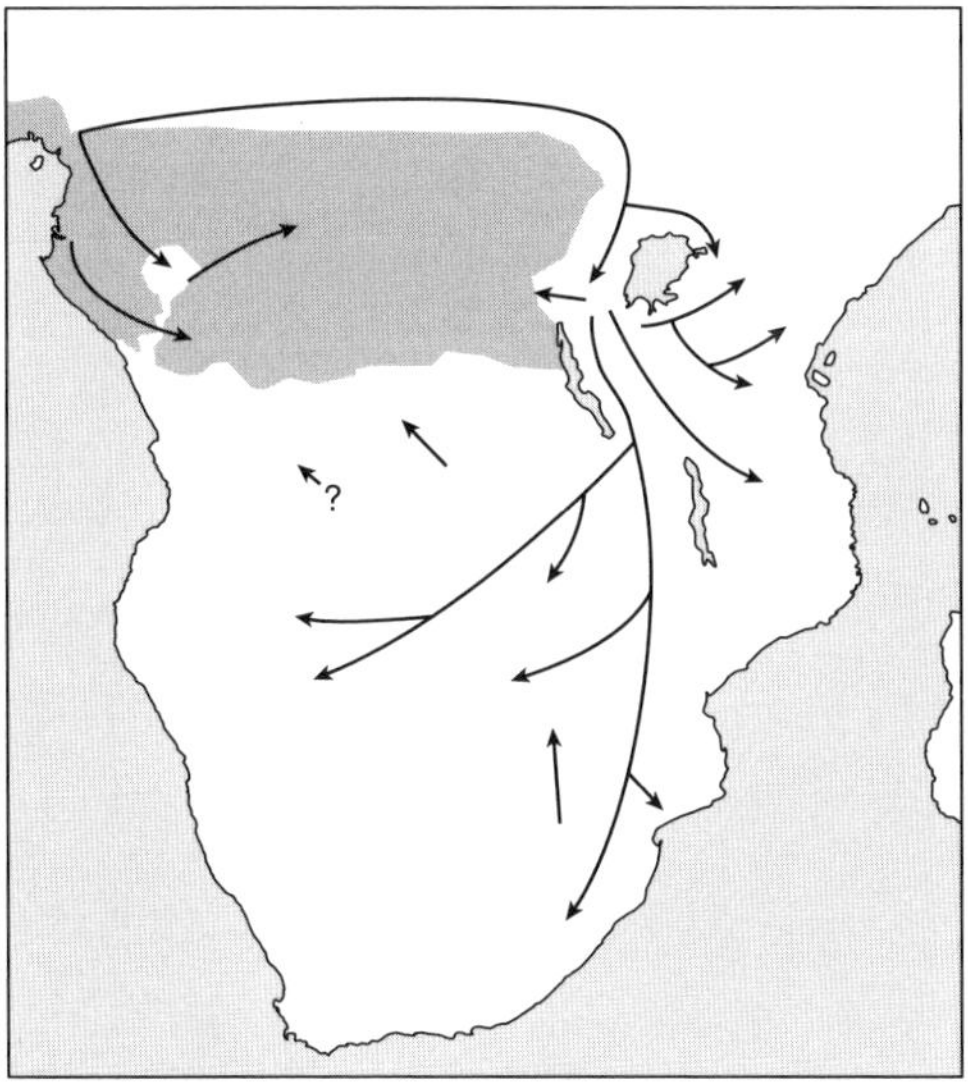

図6　初期分岐別説の経路（湯川 2011: 61 頁を基に作成）

　湯川によるグループ分けをグロラムントたちの分類（**図2**参照）に重ねると、第一グループのヴィクトリア湖までが中西部バントゥ諸語の一部、ヴィクトリア湖以降が東部バントゥ諸語、第二グループが中西部バントゥ諸語と西西部バントゥ諸語、第三グループが南西部バントゥ諸語、第四グループが北西部バントゥ諸語に相当する。これまでの初期分岐説との違いは、南部アフリカに広がる分岐点である。湯川の仮説では、南部アフリカへの拡散は東に移動した第一のグループからの分岐であり、これはむしろ熱帯雨林の中にできたサバンナ回廊を通ったとする仮説と重なる。ただし、湯川は東アフリカに到着した後に南部に移動したとしているのに対し、サバンナ回廊の仮説では、東アフリカに向かう途中に枝分かれをしていると考えている点で決定的に異なっている。

このように、移動経路についてはいろいろな仮説が出されている。言うまでもなく、歴史言語学によって導き出されるのはあくまでも「推測」である。複数存在する仮説のいずれも実証できるわけではない。また分岐についても、分岐したグループが常に明確に分かれるわけではなく、移動の過程において、分岐したグループが接触や融合や分岐を繰り返したり、言語取り替えが起きる場合も少なくない。そうなると分岐の歴史を辿るのはますます難しくなる。しかしながら、時代とともに言語の比較研究は確実に発展しており、それに伴って仮説の検討は精密化している。この精密化は、今後もさらに進むはずである。

三、他言語との接触

言語は、他の言語との接触によってさまざまな影響を受ける。現在の言語に見られる他言語からの影響は、我々に様々な歴史を教えてくれる。

アフリカ中央部に住んでいる「ピグミー」と呼ばれる人々は、「バントゥ諸語」に分類される言語を話す。しかしながら、彼らが話す言語の基礎語彙には、バントゥ諸語に由来しない語彙が含まれている。このことは、彼らがもともとバントゥ諸語以外の言語を話していたが、バントゥ移民との接触によって言語が取り替えられてしまった歴史を示している。ピグミーがバントゥ系民族ではないことやバントゥ系民族との接触によって混血が進んだことは、遺伝学的にも裏付けられている(これについては本巻所収の寺嶋論文を参照されたい)。

バントゥ諸語圏の北端はナイル・サハラ大語族の言語と接している。タンザニア北部のバントゥ諸語に接するナイル・サハラ大語族のクシ系の言語には、「杵」、「臼」、「鍬」といった農耕に関する語彙にバントゥ諸語に由来すると思われる単語が見られる(Gibson and Marten 2019: 66)。このような借用語は、バントゥ移民が言語とともに農耕も伝えたと言われていることを裏付ける。一方、東部バントゥ諸語に広く共通する「トウジンビエ」を表す単語の起源は西ナイル語群の語彙に由来する。これは、東部バントゥ諸語が南に拡散する前にバントゥ移民がナイル・サハラ系民族から穀物栽培の文化を取り入れ、それが拡散した可能性が高いことを示している(Bostoen 2006/07: 190-191)。

バントゥ諸語が最後に到達したのが現在の南アフリカである。バントゥ諸語が持ち込まれるまでその地で支配的だったのはコイサン大語族の言語である。この大語族の特徴は「クリック」と呼ばれる独特の舌打ち子音である。バントゥ諸語の中でクリック子音を持つのは南アフリカやナミビアなど南部アフリカで話されている言語に限られていることから、これはコイサン諸語との接触の結果であると考えられる。バントゥ諸語圏の南端で話されているバントゥ諸語は「ングニ語群」と呼ばれるグループ(図2のSゾーンの一部)に属するが、言語学的・考古学的な推定によれば、ングニ語群の話者の祖先がこの地に到達したのは今から約一〇〇〇年ほど前であったとされている。そこから分岐して拡散していったのであるが、比較言語学の研究結果からは、クリック子音は分岐する前のングニ語群にすでに導入されていたと考えられる(Gunnink 2022: 36)。したがってバントゥ移民は、分岐の前、すなわちその地に到着して比較的早い段階から、コイサン系言語の話者と婚姻などの密接な交流をしていたことがわかる。また、歴史言語学の比較方法で導き出したングニ祖語のクリック子音を含む単語の中には、その語源がバントゥ諸語にもコイサン諸語にも存在しないものがある。これらは、すでに消滅したコイサン諸語から取り込まれた語彙である可能性が高く、多くのコイサン諸語が消滅してきた歴史も見えてくる。なおコイサン大語族は、第一節で述べたようにアフリカ四大語族のひとつとされてきたが、他の三つの大語族とは異なり、系統的なものではなく、クリック子音という共通の特徴によるところが大きい。コイサン大語族は、「コイコイ」と呼ばれる人々と「サン」と呼ばれる人々が話している言語である。これらの言語が系統的に同じかどうかということについて明確な答えが見つからないまま、「南部アフリカ(および東アフリカの飛び地)で話されるクリック子音を持つバントゥ諸語以外のすべての言語」が「コイサン大語族」としてまとめられた(米田他 二〇一一:五三頁)。しかしながら最近の研究で、これらは少なくとも五つの異なる系統の語族からなることがわかってきた(Güldemann 2014; Güldemann and Fehn 2017; Gunnink 2022: 2)。

バントゥ諸語圏の東端はインド洋である。陸続きの場合に比べると言語の接触は限られてくるが、バントゥ諸語はインド洋での交易を通じて他言語と接触している。その最も顕著な例がスワヒリ語である。七世紀初頭にアラビア半島から移住や交易を目的として東アフリカ沿岸地域にやってきたアラブ人との接触によって、その地域で話されていたバントゥ系の言語にアラビア語やペルシャ語といった他の言語の語彙を取り込んでできたのがスワヒリ語の古語であると言われている(竹村・小森 二〇〇九:三八七頁)。文法は紛れもなくバントゥ諸語の文法であり、第一節で述べたバントゥ諸語の特徴を有しているが、語彙の半数近くがバントゥ系以外の言語を語源とし、そのうちの八割以上がアラビア語起源であると言われている(Zawawi 1979; Lodhi 2000)。スワヒリ語はインド洋沿岸とザンジバルなどの島嶼部で発展したが、タンザニアのタンガニーカ湖近くの町ウジジなど内陸部にもスワヒリ語コミュニティが存在している(日野 二〇〇六他)。スワヒリ語の発展は、本章で述べてきたバントゥ移民による言語の拡散とはまったく別ものであるが、アラブ商人のキャラバン隊のルートを知る手がかりとなる。

四、バントゥ諸語研究と歴史言語学の限界と可能性

バントゥ諸語の起源と歴史については、一九世紀から多くの研究が行われてきた。二〇世紀までは、語彙統計学的分類、語彙の比較と音韻変化の分析が中心であり、主に論じられてきたのはバントゥ諸語の主要な分岐と拡散ルート

である。その先の、それぞれの地域内での分岐や拡散ルートについては、論じられることも少なく、ほとんどわかっていなかった。しかしながら二一世紀に入り、よりローカルなエリア内での分岐の解明が目指されるようになってきた。また、語彙や音韻の比較だけでなく、文法項目の比較研究も行われるようになってきた。現時点でバントゥ諸語の拡散について研究者の意見が一致しているのは、およそ五〇〇〇年前にカメルーン南西部から移動が始まったということだけであり、その後の経路については今も意見が分かれるところであるが、現在盛んに行われるようになったローカルな比較研究によって、主要な経路に加えて各地域での分岐の歴史が明らかになることが期待されている。

ところで、当然のことながら歴史言語学から明らかにできることには限界がある。インド・ヨーロッパ語族の系統関係が研究の早い時期から明らかになっていた理由のひとつは、サンスクリット語、ギリシャ語、ラテン語といった紀元前に遡る文献資料を持つ言語が存在したことである(吉田 二〇一八：七六二頁)。ところが無文字文化のバントゥ諸語の場合は、紀元前どころか、文献資料そのものがほとんど存在しない。第一節で述べたとおり、例外的に一七世紀の文献が存在するコンゴ語を除けば、バントゥ諸語の参照文法書や語彙集や聖書といった文献資料が存在するのは、せいぜいここ一〇〇―二〇〇年のことである。しかも、そのような資料ですら、有しているのは極めて限られた言語にすぎない。したがってバントゥ諸語の場合には、基本的には、現在の言語から五〇〇〇年の歴史を推定することになる。第一節で述べた比較言語学の手法も、分析の対象となるのは基本的に現代語である。だが、これは悲観すべきことではなく、むしろこれまでのバントゥ諸語の研究成果は、古い文献に頼らずとも、共時的に観察される言語事実に対して歴史言語学の方法論を適用することで、バントゥ諸語やその話者の過去についての興味深い洞察にたどり着くことができる(Schadeberg 2003: 143)、ということを説得的に示していると言えるだろう。

古い文献資料が存在しないバントゥ諸語の歴史的研究とは、現在の言語から言語学的に導き出された仮説を、考古学や文化人類学などによって導き出された仮説と突き合わせ、それぞれが互いを根拠として支えあいながら推測するという作業でもある。それらが食い違うこともある。たとえば、考古気候学と言語学のデータから導き出されたサバンナ回廊の仮説は、植物学のデータとはうまく合致するが、考古学データとは食い違っている。考古学的には東アフリカの大湖沼地域の最古の土器の出現は約二六〇〇年前であると推定されており、これは東部バントゥ諸語の最初の話者集団と繫がっていると考えられているが、もし二五〇〇—三〇〇〇年前に熱帯雨林に出現したサバンナ回廊を通ってきた人たちが熱帯雨林の南側を東に移動し、そこから北上してきたということになれば、年代的には相容れない。また熱帯雨林にできたサバンナ回廊からは、そこをバントゥ移民が通ったという考古学的な証拠は出てきていない(Bostoen 2018: 582)。

いずれにしても、自然科学とは違い、出てくるのは「仮説」であって「事実」ではない。しかしながら、歴史言語学のデータから導き出された仮説を、考古学、文化人類学、気候地理学などの仮説やデータと照らし合わせることで見えてくることは決して少なくない。特に、湿度が高く土壌が酸性の赤道付近の熱帯雨林では、栽培植物や鉄の農具といった考古学の直接的な証拠がほとんど残っていないことから(Bostoen 2006/07: 183)、言語学のデータが果たす役割は極めて大きい。さらに最近では、言語データの分析に系統学で用いられるコンピュータアルゴリズムを利用するなど、他分野の研究成果を援用することで、言語データの検証や裏付けは確実に精緻化している。本章で述べたことも、今後の研究成果や新たな発見によって修正される可能性は十分に考えられるが、それは歴史言語学の発展であり、大いに歓迎されるところである。

注

(1) この節の執筆は Grollemund et al. (2015)、Bostoen (2018, 2020) を参考にしている。これら以外を参考にしているところのみ個別に参考文献を記す。

参考文献

亀井孝・河野六郎・千野栄一編（一九九五）『世界言語学大事典 第六巻 術語編』三省堂。

ダイアモンド、ジャレド（二〇〇〇）『銃・病原菌・鉄――一万三〇〇〇年にわたる人類史の謎』上巻、倉骨彰訳、草思社。（Diamond, Jared (1997), *Guns, Germs, and Steel: The Fates of Human Societies*, New York, Norton.）

竹村景子・小森淳子（二〇〇九）「スワヒリ語の発展と民族語・英語との相克――タンザニアの言語政策と言語状況」梶茂樹・砂野幸稔編『アフリカのことばと社会――多言語状況を生きるということ』三元社。

日野舜也（二〇〇六）「都市人のこころ――スワヒリ都市ウジジの事例から」関根康正編『〈都市的なるもの〉の現在』東京大学出版。

湯川恭敏（二〇一一）『バントゥ諸語分岐史の研究』ひつじ書房。

吉田和彦（二〇一八）「比較言語学」『日本語大辞典』東京堂出版。

米田信子（二〇一二）「アフリカにおける識字を考える」『ことばと社会』編集委員会編『ことばと社会（特集 リテラシー再考）――多言語社会研究』一四。

米田信子（二〇二二）「バントゥ諸語の参照文法書――バントゥ諸語研究における参照文法書の位置づけ」『アジア・アフリカ言語文化研究別冊』二、東京外国語大学アジア・アフリカ言語文化研究所。

米田信子・若狭基道・塩田勝彦・小森淳子・亀井伸孝（二〇一一）「アフリカの言語」『アフリカ研究』七八。

米田信子・小森淳子・神谷俊郎（二〇一二）「バントゥ諸語概説」塩田勝彦編『アフリカ諸語文法要覧』渓水社。

Bostoen, Koen (2006/07), "Pearl millet in early Bantu speech communities in Central Africa: A reconsideration of the lexical evidence", *Afrika und Übersee*, 89.

Bostoen, Koen (2018), "The Bantu expansion", *Oxford Research Encyclopedia of African History*, Oxford, Oxford University Press.

Bostoen, Koen (2019), "Reconstructing Proto-Bantu", Mark van de Velde, Koen Bostoen, Derek Nurse, and Gérard Philippson (eds.), *The Bantu Languages*, 2nd ed., Oxon, Routledge.

Bostoen, Koen (2020), "The Bantu expansion: Some facts and fiction", Mily Crevels and Pieter Muysken (eds.), *Language Dispersal, Diversification, and Contact*, Oxford, Oxford University Press.

Campbell, Lyle (1998), *Historical Linguistics*, Edinburgh, Edinburgh University Press.

De Filippo, Cesare, Koen Bostoen, Mark Stoneking, and Brigitte Pakendorf (2012), "Bringing together linguistic and genetic evidence to test the Bantu expansion", *Proceedings of the Royal Society B* (Biological Sciences), 279.

Diamond, Jared, and P. Bellwood (2003), "Farmers and their languages: The first expansions", *Science*, 300.

Gibson, Hannah, and Lutz Marten (2019), "Probing the interaction of language contact and internal innovation: Four case studies of morphosyntactic change in Rangi", *Studies in African Linguistics*, 48-1.

Grollemund, Rebecca, Simon Branford, Koen Bostoen, Andrew Meade, Chris Venditti, and Mark Pagel (2015), "Bantu expansion shows that habitat alters the route and pace of human dispersals", *PNAS*.

Güldemann, Tom (2014), "'Khoisan' linguistic classification today", Tom Güldemann and Anne-Maria Fehn (eds.), *Beyond 'Khoisan': Historicai Relations in Kalahari Basin*, Amsterdam/Philadelphia, John Benjamins.

Güldemann, Tom, and Anne-Maria Fehn (2017), "The Kalahari Basin area as a 'Sprachbund' before the Bantu expansion", Raymond Hickey (ed.), *The Cambridge Handbook of Areal Linguistics*, Cambridge, Cambridge University Press.

Gunnink, Hilde (2022), "The early history of clicks in Nguni", *Diachronica*, 39-3.

Guthrie, Malcolm (1948), *The Classification of the Bantu Languages*, London, Oxford University Press.

Lodhi, Abdulaziz (2000), *Oriental Influences in Swahili: A Study in Language and Culture Contacts*, (Orientalia et Africana Gothoburgensia 15), Göteborg, Acta Unversitatis Gothoburgensis.

Meeussen, A. E. (1967), "Bantu grammatical reconstructions", *Africana Linguistica*, 3.

Meeussen, A. E. (1980), *Bantu Lexical Reconstructions*, Tervuren, Musée Royal de L'Afrique Centrale.

Pacchiarotti, Sara, and Koen Bostoen (2020), "The Proto-West-Coastal Bantu velar merger", *Africana Linguistica*, 26.

Schadeberg, Thilo (2003), "Historical linguistics", Derek Nurse and Gérard Philippson (eds.), *The Bantu Languages*, London, Routledge.

Watters, John R. (2018), "East Benue-Congo", John R. Watters (ed.), *East Benue-Congo: Nouns, Pronouns, and Verbs*, Berlin, Language Science Press.

Zawawi, Sharifa M. (1979), *Loan Words and Their Effect on the Classification of Swahili Nominals*, Leiden, E. J. Brill.

コラム | *Column*

一皿の料理が問いかけるもの

——アフリカの主食用作物と歴史研究

石川博樹

ドイツの高名な哲学者ヘーゲル(一七七〇—一八三一年)は、アフリカ研究では否定的に取り上げられることが多い。それは彼のベルリン大学における講義内容をまとめた『歴史哲学講義』(原著一八三七年刊、岩波文庫版一九九四年刊)に示されているアフリカへの辛辣な評価の故である。「世界は理性によって支配され、それゆえ世界の歴史は理性的に進行する」というヘーゲルの確信に基づく世界史観が示されている同書において、アフリカ大陸はナイル川流域、地中海沿岸部、そしてサハラ砂漠の南に位置する「本来のアフリカ」に分類される。ヘーゲルは「本来のアフリカ」を「歴史を欠いた閉鎖的な世界」と評し、その住民について「発展することもなければ文化を形成することもなく、過去のどの時点をとっても今と変わらない」と述べる。そして「本来のアフリカ」を「世界史に属する地域ではない」と切り捨てたうえで「世界史」を論じる。

さて、ヘーゲルの言う「本来のアフリカ」の一画に位置する東アフリカでは、「ウガリ」と呼ばれる食べ物が食べられている。これはトウモロコシ粉を熱湯で練り上げた蕎麦がき状の食品で、熱いうちに手でちぎりながら煮込み料理などをおかずにして食べる。日本では「固粥《かたがゆ》」とか「練粥《ねりがゆ》」と訳されてきたこの食べ物は、名称は様々であるが、西アフリカ、中部アフリカ、東アフリカ、南部アフリカにおいて広く食べられている。

現在、これらの固粥はトウモロコシ粉またはキャッサバというイモ類の粉でつくられることが多い。トウモロコシはメキシコにおいて、マンディオーカ、マニオクとも呼ばれるキャッサバはブラジルにおいて栽培化された作物である。

コロンブスの航海以降の新世界と旧世界の間のモノや感染症などの行き交いを「コロンブス交換」と呼ぶ。トウモロコシとキャッサバは「コロンブス交換」によってアフリカにもたらされた主要な作物である。

「コロンブス交換」以前にアフリカでは長い農耕の歴史があった。ソヴィエト連邦の植物学者ヴァヴィロフ(一八八七—一九四三年)などによる研究の結果、アフリカではサハラ砂漠の南縁に位置するサヘル地域やエチオピア高原において、モロコシ、トウジンビエ、シコクビエ、テフ、フォニオ、アフリカイネなどの穀類、ギニアヤムなどのイモ類が栽培化されたことが明らかにされている。さらに他地域で栽培化された多くの作物がアフリカにもたらされた。西アジアからはコムギやオオムギが、アジアの熱帯地域からはプランテン(リョウリバナナ)やヤムイモ、タロイモといったイモ類が到来した。

このようにアフリカにおいて栽培化された作物に加えて、他地域で栽培化された作物を古代から受け入れつつ、アフリカの人々は農業を営み、食文化を築いてきた。すでに述べたとおり、アフリカでは広い範囲で固粥が主食として食べられているものの、固粥以外の食品を主食としている地域も多い。西アフリカから中部アフリカにかけての地域では茹でたイモ類を臼でついて餅状にしたフフが、エチオピアではテフの粉でつくられる酸味のあるパンケーキ状のインジェラが非常に好まれている。

大航海時代以前、固粥はモロコシやトウジンビエなどでつくられていたが、現在ではトウモロコシやキャッサバでつくられることが多くなっている。同じく「コロンブス交換」でアフリカにもたらされたものの、キャッサバとトウモロコシでは普及の仕方に相違が見られた。前者が導入直後から熱帯地域で着実に栽培地を拡大していったのに対して、後者の栽培が盛んになったのはヨーロッパ諸国による植民地支配期以降であった。またアフリカイネを食べる習慣のあった西アフリカでは、フランスによる植民地支配の結果、東南アジアのフランス領からコメの輸入が増加し、現在に至っている。このように主食用作物を見るだけでも、アフリカが経験した幾多の変化と他地域との交流が浮かび上がってくる。

『歴史哲学講義』が出版された時代と比べて、我々が入手し得るアフリカに関する文字記録の量ははるかに増加している。また過去を窺い知るための手段が文字記録や石造建築物しかなかったヘーゲルの時代と異なり、過去を研究する手法は多彩になっている。文字が発明されてから現在までに文字で残された記録が人類の活動の一部を伝えているに過ぎないことを思い起こせば当然であるが、文字以外の事物を分析するそれらの研究手法は、時に歴史学研究が明かし得ない人類の過去を鮮明に映し出す。

現在、我が国においてアフリカについてヘーゲルのように「世界の他地域から孤立し、変化も発展もなかった地域」と言う人はいないであろう。しかし世界史を語る際に、アフリカ大陸のなかではナイル川流域と地中海沿岸部のみを取り上げればよしとする風潮は根強い。そのような世界史像、あるいは歴史認識がはらむ幾多の問題点を、アフリカの街角や農村で供される一皿の料理は問いかけているのである。

焦点 Focus

アラビア語史料から見るアフリカ

苅谷康太

文字史料と非文字史料の別を問わず、アフリカ史研究に利用できる史料は多様である。それらの中でもアラビア語史料群は、八世紀頃から現代に至る長い歴史のいずれの時期に関しても、貴重な情報を提供してくれる稀有な史料群である。特に、相対的にムスリムが多かったアフリカの北部や西部、東部の歴史を検討する際には、この史料群に向き合うことが不可欠の作業となる。本章の目的は、アフリカ史研究に資するアラビア語史料を概観することであるが、質・量ともに豊かなこの史料群をある程度整理された形で見渡すために、以下ではサハラ以南アフリカに視座を置き、同地域の外部(西アジア、北アフリカ、イベリア半島、サハラ砂漠など)で書かれた史料を「外部史料」、内部で書かれた史料を「内部史料」と呼ぶ。ただし、アフリカ全域の全ての時代に関する内部史料と外部史料にくまなく言及することは筆者の能力を超える作業であり、紙幅の制限からも不可能であるため、本章で触れられるのは、これまでの研究で注目されてきた史料の一部に限られる。以下、第一節で外部史料を、第二節で内部史料を扱うが、それぞれの節では、最初に史料群を概観した上で、各節の史料群に関連する論点を一つ提示し、短い考察を行う。

アフリカ史研究に資するアラビア語史料群についての充実した概説は、西アフリカ史研究の泰斗であったJ・O・ハンウィックによって既になされているため(Hunwick 2005a)、本章においても史料群の概観に関しては、この先行研究を参照しながらまとめる。なお、以下の論述において特段の説明なしに単に「アフリカ」と記した場合、サハラ以南アフリカが指示対象となる[1]。

一、外部史料

概観

サハラ以北の人々は、八世紀頃からアラビア語の地理書や歴史書、旅行記などにおいてアフリカに関する情報を提示してきた。こうした外部史料群の概要は、例えばT・レヴィツキの研究(Lewicki 1974)などに示されているが、より具体的にこれらの史料の叙述内容を通観するために適しているのは史料集や抄訳集であろう。史料集として最もよく知られているのは、『アフリカ・エジプト地図大成』(*Monumenta cartographica Africae et Aegypti*)であろう(Youssouf Kamal 1987)。全六巻のうち、第三巻以降に数多くの外部史料の抜粋と仏訳が掲載されている。また抄訳集としては、西アフリカ史関連の外部史料を広く扱った仏語および英語の抄訳集がよく知られている(Cuoq 1985; Levtzion and Hopkins 2000)。

アフリカに言及した最も古い外部史料は、ワフブ・ブン・ムナッビフ(Wahb b. Munabbih、七二八/九年もしくは七三二/三三年歿)やムハンマド・アル＝ファザーリー(Muhammad al-Fazārī、九世紀前半歿)の著作であるとされるが、これらは現存していない。しかし、アフリカに関する言及箇所がイブン・クタイバ(Ibn Qutayba、八八九年歿)やアリー・アル＝マスウーディー(ʻAlī al-Masʻūdī、九五六年歿)といった後代の著名な学者によって引用されているため、その存在が知られている(Ibn Qutayba 1969: 26; al-Masʻūdī 2005: vol. 2, 180-182)。

現存する最初期の外部史料としてまず注目されるのは、プトレマイオス(Ptolemaios、一六八年歿)の『地理学』(*Geographia*)に依拠してまとめられた、ムハンマド・アル＝フワーリズミー(Muhammad al-Khuwārizmī、八四六/七年以降歿)

の『大地の姿』(*Ṣūra al-arḍ*)や、スフラーブ(Suhrāb、歿年不詳)の『七イクリームの驚異』(*'Ajā'ib al-aqālīm al-sab'a*)といった地理書である(Mžik 1992)。プトレマイオスは、『地理学』の第一巻において、天体観測や数学などを駆使して人間の可住域の全体像を描き出す「地理学」と、世界各地の様相をそれぞれ仔細に記述する「地誌学」とが異なる学的領域であることを強調している(プトレマイオス 一九八六:一一二頁)。それゆえ、『地理学』の第二巻以降では、世界各地の山河などの自然物や町などの人工物の経緯度が列挙されている。こうした内容の『地理学』をもとにしているため、『大地の姿』や『七イクリームの驚異』も、その内容の大半は、アフリカを含む世界中の自然物や人工物の経緯度の記述に割かれている。また、フワーリズミーやスフラーブが世界を描写する際に「イクリーム」(iqlīm)という概念を用いた点も注目に値する。ギリシア語の「クリマ」(klima)をアラビア語化したイクリームという語は、二本の緯線に挟まれた、赤道と平行に広がる帯状の空間を意味する。歴史的なアラブの地理学では、基本的に赤道以南の大部分の土地は人間の可住域とは考えられておらず、赤道から北に向かって第一イクリーム、第二イクリーム、第三イクリームといった順で、人間の可住域となる複数のイクリーム(主に七イクリーム)が広がっていると考えられた。語の由来からも分かるように、このイクリーム論もギリシアの地理学に端を発する理論であるが、アラブの地理学においては、後の時代、各イクリームの気候条件がそこに住む人々の肉体的・精神的性質を本質的に決定するという考え方が醸成されていった。この点については本節の後半で詳述する。

以上のようなギリシアの地理学に基づいた地理書とは別に、九世紀後半頃から、西アジアや北アフリカ、イベリア半島などのムスリムは、アフリカ各地の地誌学的情報を含んだ書を著すようになる。その嚆矢は、街道沿いの地域や町を進む旅程とともに、各地の政治・経済・社会状況などを記述した、イブン・フッラダーズビフ(Ibn Khurradādhbih、九一一年歿)の『諸道と諸王国』(*al-Masālik wa-l-mamālik*)である(Goeje 1992)。著者がアッバース朝の駅逓・情報局長であったことなどから、この著作は、アッバース朝の中央と地方との間でなされる情報伝達とその管理に携わった役人のための教本もしくは手引書として書かれたと考えられている(Levtzion and Hopkins 2000: 16)。『諸道と諸王国』のアフリカに関する記述は僅かであるものの、この著作以降、同形式の著作が続々と執筆された。そうした過程でアフリカに関する記述量も徐々に増えていったが、一一世紀のアブド・アッラーフ・アル゠バクリー('Abd Allāh al-Bakrī、一〇九四年歿)が著した、イブン・フッラダーズビフの著作と同じ書名の『諸道と諸王国』(*al-Masālik wa-l-mamālik*)は、特に西アフリカ史研究において重要な外部史料である(Slane 1965)。バクリー自身はアフリカを訪れたことがなかったが、現在では散逸した先達の著作や口述の情報などを幅広く参照したその著作は、それまでの地理書には見られなかった、西アフリカ史に関する豊かな情報を提供してくれる。

なお、バクリーを含め、八世紀以降の外部史料の著者は、実際にアフリカを訪れることなく執筆を行っていたが、一〇世紀のマスウーディーは、こうした従来の著述方法に変化をもたらした点で注目に値する。彼は、九一六/七年に東アフリカを訪れて見聞した情報を踏まえ、九四七年に『黄金の牧場』(*Murūj al-dhahab*)をまとめた(al-Mas'ūdī 2005)。この著作は、東アフリカの沿岸地域と島嶼部に言及した、最も重要な初期の外部史料の一つである。なお、同じ一〇世紀には、ペルシアのブズルグ・ブン・シャフリヤール(Buzurg b. Shahriyār、歿年不詳)が水夫や交易商人などからインド洋世界の逸話を蒐集し、『インドの驚異』(*'Ajā'ib al-Hind*)をまとめたが、この著作も、東アフリカ史研究の貴重な外部史料の一つである(Lith and Devic 1883-1886)。

マスウーディーのようにアフリカを実際に訪れた人物の外部史料としては、一四世紀の大旅行家イブン・バットゥータ(Ibn Baṭṭūṭa、一三六八/九年歿)の旅行記『観察者達への贈物』(*Tuḥfa al-nuẓẓār*)も忘れてはならない(Defrémery and Sanguinetti 1922-1949)。彼は、東西のアフリカ各地を踏査し、他の著述家の著作には現れなかった極めて多様な情報を提示しているが、一四世紀に最盛期を迎えた西アフリカの巨大国家であるマリ帝国についての詳細な記述などはそうした事例の一つと言えるだろう。マリ帝国については、やはり一四世紀のイブン・ファドル・アッラーフ・アル゠ウマリー（Ibn Faḍl Allāh al-ʻUmarī、一三四九年歿）の『洞察の諸道』（*Masālik al-abṣār*）やイブン・ハルドゥーン（Ibn Khaldūn、一四〇六年歿）の『実例の書』（*Kitāb al-ʻibar*）といった著名な著作にもまとまった記述があり、当時のサハラ以北の人々のマリ帝国に対する大きな関心を窺い知ることができる（al-Munajjid 1963: 41-70; Ibn Khaldūn 1971）。なお、マリ帝国の衰退とともに一五世紀後半から西アフリカに巨大な版図を築いたソンガイ帝国については、特にマグリブの著述家による外部史料が注目される。一六世紀末にマグリブのサァド朝がサハラ砂漠を越えてソンガイ帝国に侵攻し、同帝国を実質的に滅亡させた事実は、マグリブの歴史家にとって重大な歴史的関心事であったため、一七世紀以降、彼らの著した歴史書には、サァド朝による侵略に関連したソンガイ帝国についての記述が見られる（e. g., al-Fishtālī n.d.; Houdas 1888-1889; al-Nāṣirī 1997）。

アフリカ像の形成

アフリカ史研究に資する多様な情報を提供してくれる外部史料であるが、そこには、サハラ以北の人々のアフリカに対する歴史的な認識の在り方も刻まれている。以下ではそうした認識の一例を見るために、一二世紀以降の一群の外部史料を検討する。(2)

前述の通り、八世紀以降の外部史料には、ギリシアの地理学に依拠した著作群と、「諸道と諸王国」型の地誌学的な著作群が存在したが、一二世紀頃から、これらが融合した著作、つまり世界を複数のイクリームに整然と分割し、それぞれのイクリーム内の詳細な地誌学的情報を順に紹介していく地理書が数多く著された。こうした地理書群に共通して見られる興味深い主張は、各イクリームに特有の気候や環境などの影響から、それぞれのイクリームに住む人々の肉体的・精神的性質が画一的になるというものである。これ以前にも、旧約聖書に見られる血統の逸話や黄道十二宮の影響などを理由にアフリカの人々に特定の性質を見出そうとする言説は存在したが、一二世紀頃からの一群の外部史料は、世界全体を経緯度線で囲まれた複数の固定的な地域に切り分け、それぞれの地域とそこに住む人々に画一的な性質を付与することによって地域間の差異と優劣を「科学的」に論証しようとした点で——そしてこの過程でアフリカとそこに住む人々を劣った存在と見做す思想がより強固になっていった点で——注目に値する。

こうした外部史料の最初期の著作は、著名な地理学者ムハンマド・アル＝イドリースィー(Muḥammad al-Idrīsī、一一六五年頃歿)の『熱望者の散策』(*Nuzha al-mushtāq*)である。彼は、「第一イクリームと第二イクリーム、そして第三イクリームの一部の人々は、激しい暑さと太陽の暑熱のため、第六イクリームや第七イクリームの人々の(肌の)色とは反対に、その色が黒く、毛髪が縮れている」と述べている(al-Idrīsī n.d.: vol. 1, 18)。彼の分類における第一イクリームと第二イクリームの一部がおおよそ赤道以北のサハラ以南アフリカに相当するが、ここで注目すべきは、イクリームの気候条件によって、そこに住む人々の肉体的性質が画一的に定まるという考え方であろう。『熱望者の散策』は、これ以降、多くの地理学者や歴史家の著作に典拠として登場するが、例えば、一三世紀の地理学者イブン・サイード(Ibn Sa'īd、一二八六／七年歿)は、地理書『大地の広がり』(*Basṭ al-arḍ*)における各イクリームの説明の冒頭でそこに住む人々の肌の色を提示しており、イクリームの差異が肌の色という人間の肉体的性質の差異によって特徴づけられることを強調している(Ibn Sa'īd 1958: 23, 45, 57, 71, 99, 111)。そして、この『大地の広がり』や『熱望者の散策』などに依拠した著名な歴史家アブー・アル＝フィダー(Abū al-Fidā'、一三三一年歿)も、一四世紀前半にまとめた地理書『諸国の測量』(*Taqwīm al-buldān*)で、先人が人間の可住域を七イクリームに分割したのは一つのイクリームを構成する複数の地域の状態が互いに通っているためだと述べ、イクリームごとの画一性を明示している(Reinaud and Slane 1840: 7)。そして、地理学者ムハンマド・アッ＝ディマシュキー(Muḥammad al-Dimashqī、一三二七年歿)は、以上のような先達の著作を典拠にまとめた地理書『時代の精選』(*Nukhba al-dahr*)において、人間の外的性質のみならず内的性質もイクリームごとの気候条件によって画一的に決まると論じた。ディマシュキーによれば、赤道付近に住む人間は、強烈な太陽の暑熱によって外面においては肌が黒くなり、髪の毛が縮れ、内面においては動物に似た野蛮な性向、鈍重な知性、脆弱な思考力しか持ち合わせなくなる(Mehren 1994: 15, 273)。更に彼は、イクリーム間の気候の違いゆえに、あるイクリームに生まれた人間が別のイクリームで生活することはできないとも述べている(Mehren 1994: 17)。つまり、彼の主張に従えば、アフリカの人々は出生地のイクリームの気候条件によって劣った内的性質が付与され、それを改善する術もないということになる。こうした極端な環境決定論に基づいたアフリカ像の描写は、著名な歴史家イブン・ハルドゥーンの『実例の書』にも明確に現れる。彼は、イドリースィーの著作などを参照しながらイクリーム論を展開し、人間の可住域の南端と北端(第一・二・六・七イクリーム)に住む人々の性質は、その気候条件のため「言葉を知らない動物に近く」、更に「第一イクリームの民である黒人の多くについては、洞穴や密林に住み、草を食べ、人間のような社会性を持たず、野蛮な状態のままで共食いをすると伝えられている」と述べている(Ibn Khaldūn 1971: vol. 1, 70)。加えて、万物の生成にとっては寒さよりも暑さの方が有害であると述べていることからも(Ibn Khaldūn 1971: vol. 1, 42-43)、彼が、アフリカを人間の可住域の中で最悪の土地と見做していたことは明らかであろう。

以上、サハラ以北の地理学の発展に伴って展開したイクリーム論が軸となって、劣った存在としてのアフリカ像が「科学的」に形成される過程の一端を辿った。既述の通り、外部史料はアフリカ史そのものを研究する上で欠かせない史料群であるが、同時に、アフリカを取り巻く世界の思想や認識の歴史を繙く重要な史料群であるとも言えよう。

二、内部史料

概観

アフリカ各地の特にムスリム社会においては、公的な文書の言語として、また知識人の著作や書簡に用いられる共通言語として、古くからアラビア語が使用されてきた(3)。そのため、アラビア語、もしくはアラビア文字によって表記された現地諸語(アジャミ)の史料群はアフリカ各地に広く存在しており、これまで世界的に研究が進められてきた。しかし、この膨大な量の内部史料の全容解明に至る道の終わりはまだ遠く、地域によっては研究の端緒が開かれたばかりのところもあり、校訂を経て出版されたものや、翻刻によって活字化されたものの数は決して多くない。従って、これらの史料群を利用するアフリカ史研究では、基本的に、アフリカ内外の文書館、図書館、研究機関、宗教施設、個人宅などが所蔵する手稿史料にあたる必要がある。アフリカ内部について言えば、例えばスーダンやタンザニアのザンジバル、マリ、ナイジェリア、セネガルなどにある諸施設の所蔵史料群がよく知られているが、もちろんこれら以外の国や地域にもアラビア語史料やアジャミ史料を所蔵する数多くの施設が存在する。これまでの研究で明らかになった内部史料群を概観する上で最も充実した文献一覧は、ブリル(Brill)社から出版されている『アフリカのアラビア語文献』(*Arabic Literature of Africa*)であろう。一九九四年の第一巻(O'Fahey 1994)の刊行以来、このシリーズと同じ水準でアフリカの広域を射程に収めた詳しい文献一覧は他に見あたらない(4)。

紙幅の関係上、この巨大な史料群の詳細に分け入ることはできないが、以下では、アラビア語の原文やその翻訳が出版されている叙述史料(歴史書や伝記など)をいくつか紹介し、更に、文書史料の例として、スーダンとソマリアに関する研究を紹介する。なお、内部史料群の中で大きな割合を占めるのは、イスラームの宗教的・知的体系に関連する著作、つまり、法学を始めとしたイスラーム諸学やタサウウフ(スーフィズム、イスラーム神秘主義)関連の著作である。本章ではこれらを概観する余裕はないが、本節の後半で、こうした史群料を利用した研究の一端を紹介する。

さて、現存する内部の叙述史料のうち最も成立年代が古いのは、著者不詳の『キルワの情報に関する慰めの書』(*Kitāb al-sulwa fī akhbār Kilwa*)である(*al-Sulwa* 1985; Strong 1895)。一五二〇年頃に書かれたと考えられているこの著作は一般に「キルワ年代記」(Kilwa Chronicle)と呼ばれており、一二―一五世紀にタンザニア沿岸の島キルワ・キシワニで繁栄した王国キルワの年代記である。東アフリカのスワヒリ文化圏ではアラビア語やスワヒリ語のアジャミなどで多くの歴史書が書かれてきたが(e. g., Tolmacheva 1993)、現存するものの多くは一九世紀以降に書かれた著作であるため、「キルワ年代記」の成立年代の古さは突出している。

アフリカ東部の叙述史料としては、もう一つ、青ナイル川流域で一六世紀初頭に建国されたフンジュの歴史書に触れておこう。一般に「フンジュ年代記」(Funj Chronicle)と呼ばれるこの史料は、複数の著作の複合体であることが分かっているが、フンジュの建国からエジプトによる統治期までの三五〇年以上に及ぶ歴史が叙述されている(Holt 1999)。

次に、西アフリカの現存する叙述史料を見てみよう。「キルワ年代記」の成立からしばらく後の一五七〇年代後半、チャド湖周辺に存在した大国ボルヌのアフマド・ブン・フルトゥワ(Aḥmad b. Furṭuwa、歿年不詳)という人物が同国の支配者イドリース・アラウマ(Idrīs Alawma、一六〇二/三もしくは一六一七年歿?)の軍事遠征の事績を中心に、歴史書『ボルヌによる軍事遠征の書』(*Kitāb ghazawāt Barnū*)と『カネムへの軍事遠征の書』(*Kitāb ghazawāt Kānem*)をまとめた(Lange 1987; Redhouse 1862a; 1862b; Palmer 1967; 1970)。西アフリカは、歴史書や伝記集(人名辞典)などの叙述史料が比較的多く見つかっている(もしくは研究されてきた)地域である。例えば、トンブクトゥのマフムード・カアティ(Maḥmūd Kaʿti、一五九三年歿)が著した『探究者の年代記』(*Taʾrīkh al-fattāsh*)やアブド・アッ=ラフマーン・アッ=サアディー(ʿAbd al-Raḥmān al-Saʿdī、一六五五/六年以降歿)の『スーダーン年代記』(*Taʾrīkh al-Sūdān*)は、前述したソンガイ帝国の歴史を知るための最重要史料である(Houdas and Delafosse 1964; Houdas 1964)。また、同じくトンブクトゥの大学者であったアフマド・バーバー(Aḥmad Bābā、一六二七年歿)が著した『愉悦の獲得』(*Nayl al-ibtihāj*)や『必要とする者の充足』(*Kifāya al-muḥtāj*)はアフリカで執筆された最初期の伝記集である(Aḥmad Bābā 2000; 2004)。アフマド・バーバーは、これら以外にも多様な学問領域の著作を数多く残しており、それらは一六世紀後半から一七世紀前半にかけての貴重な内部史料の一部を構成している。西アフリカでは他にも、現在のナイジェリアに相当する地域を始め、各地で歴史書や伝記集が数多く執筆された。

続いて文書史料に目を向けよう。これまでになされた文書史料に関する研究は、叙述史料に関するそれに比べて少なく、詳しい検討がなされたのは既知の文書群のうちのごく一部である。更に言えば、まだ研究者の目に触れていない膨大な量の文書が存在していると考えられ、そうした未知の史料の存在も考慮すると、文書史料の研究は、今後、叙述史料の研究以上に大きな進展を見せるかもしれない。このような現状を念頭に置きながら、以下では、これまでの研究で詳しい検討がなされた二種類の文書史料群を紹介する。

一つ目は、アフリカの文書史料研究としてはよく知られているスーダンの事例である。スーダンの国立文書館館長であったM・I・アブー・サリームを中心に、一九六〇年代以降、前述のフンジュやフンジュに隣接するダール・フールの土地関連文書の翻刻およびその英訳が複数出版された(Abū Salīm 1967; 1975; O'Fahey and Abū Salīm 1983; Spaulding and Abū Salīm 1989)。これらの文書からは、例えば、政治権力者が政治的もしくは宗教的影響力を有する人人に対して土地の移譲や特権の付与を行う慣習の存在などが明らかになったが、同様の慣習はスーダン以外にも存在したことが知られており、アフリカでは広まらなかったワクフ(財産寄進制度)との比較なども含め、土地や権利を軸としたアフリカの歴史的な政治慣習を考える上で、興味深い視点を提示してくれる。

二つ目は、ソマリア南部・ブラヴァのカーディー(イスラームにおける裁判官)の法廷記録に関する研究である(Vianello and Kassim 2006)。ブラヴァは東アフリカとインド洋海域の重要な歴史的商業拠点の一つであるが、この研究は、イタリアによる本格的な植民地化の直前にあたる一八九三年から一九〇〇年までの期間にカーディーが扱った二〇〇〇件弱の訴訟や認証の記録をまとめたものである。二〇〇〇頁を超える二巻本には、アラビア語原文の翻刻に英訳も併記されており、一九世紀後半のソマリアや東アフリカの経済、社会、司法など、多様な領域の歴史研究に資する重要な史料研究と言える。

広域イスラーム圏の中のアフリカ

前述したように、イスラームの宗教的・知的体系に関連する著作群は、内部史料の大きな部分を占める。多様な主題を扱うこれらの著作群を見渡すと、そこには、アフリカで書かれた著作のみならず、西アジアや北アフリカ、イベリア半島、サハラ砂漠などで著された著作も数多く引用されている。換言すると、アフリカのイスラーム知識人は、アラビア語を媒介に、西アジアを中心とした広域イスラーム圏の知的空間の中で先達の見解を吸収していたということである。ただし、これは彼らがアフリカ外部の先達の見解に盲目的に追従していたことを意味しない。彼らは、自らの立場や自身の生きる時代的・地域的文脈を考慮し、吸収した先達の見解に解釈や再編を施しながら持論の形成や強化のために利用していたのである。以下では、一九世紀初頭に西アフリカで成立したソコト・カリフ国のイスラーム知識人のアラビア語著作から、そうした知的営為の一例を紹介する。

一八〇四年、フルベと呼ばれる民族集団のイスラーム知識人、ウスマーン・ブン・フーディー（ʿUthmān b. Fūdī、一八一七年歿）を中心とした勢力が現在のナイジェリア北西部に相当する地域でジハード（聖戦）を開始し、その結果、イスラーム法を統治規範の一つとする国家——一般にソコト・カリフ国と呼ばれる——が成立した。ナイジェリア北部からニジェール南部にかけての一帯は、ハウサと呼ばれる民族集団が多数派を占めるため、一般にハウサランドと呼ばれるが、ウスマーンがジハードを開始した当時、この地域にはハウサが支配する複数の国家が存在していた。ウスマーンらは、こうしたハウサ諸国の支配層がイスラーム法に則った「正しい」統治を行っていないと見做し、それを打倒するためにジハードを展開したわけであるが、そこで問題となったのがジハードに関するイスラーム法の規定である。イスラーム法では、原則的にムスリム同士の交戦が認められていない。つまり、イスラーム法に適ったジハードの交戦相手は、ムスリムからみた「不信仰者」(kāfir)でなければならない。しかし、ウスマーンらが敵と見做したハウサ諸国の支配層の多くは少なくともムスリムを自称していたため、彼らに対するジハードの正当化には、『クルアーン』(『コーラン』)やハディース(預言者ムハンマドの言行の記録)、先達の残してきた著作群といった権威に依拠しながら、ムスリムを自称するハウサの支配層が実際には不信仰者であると断ずるための理論を構築しなければならなかった。そして、この理論構築の過程でウスマーンを始めとした初期ソコト・カリフ国の支配層がとりわけ重視した先達の一人が、一五世紀のマグリブ出身のムハンマド・アル＝マギーリー(Muḥammad al-Maghīlī、一五〇五年頃歿)という人物であった。

マギーリーは、西アフリカの権力者に対して統治の助言を行った人物として知られており、特に、ソンガイ帝国の支配者アスキヤ・ムハンマド(Askiya Muḥammad、一五三八年歿)が発した質問に対する回答状は、ソンガイ帝国史研究の基礎史料の一つにもなっている(Hunwick 1985)。そして、ウスマーンが自らのジハードを正当化するために注目し、利用した先達の著作の一つが、このマギーリーの回答状であった。回答状の中でマギーリーは、不信仰者を「生来の不信仰者」、「背教者」、そして「自らはムスリムであると主張しているが、不信仰者からしか起こらないような外面的な事柄を生じさせているため、我々がその不信仰性を宣告した者」の三つに分類している。ウスマーンは、自らの著作でこの不信仰者分類に繰り返し言及しており、ハウサ諸国の支配層は第三の範疇《はんちゅう》の不信仰者に相当するとしている。ただし、ウスマーンは、マギーリーの言葉を単に引用するだけでなく、そこに自らの解釈を加え、第三の範疇の不信仰者を「混淆者」(mukhalliṭ)と名指し、その様態を詳しく説明している。混淆者とは、つまり、信仰告白や礼拝などのイスラームの諸行と、木石信仰や呪術などの非イスラームの諸行をともに行い、両者を「混淆」(takhlīṭ)する者という意味であるが、これは当時のハウサ諸国の支配者の状態を具体的に知悉《ちしつ》していたウスマーンがそれを糾弾するためにマギーリーの議論を解釈した結果と言えよう(e. g., Hamet 1898: 58-61; ʻUthmān b. Fūdī n.d.a: 141-143; ʻUthmān

b. Fūdī n.d.b: 8-11)。重要な点は、ウスマーンが、北アフリカの先達の言葉を盲目的に敷き写したのではなく、ハウサの支配層の不信仰性を明証するという目的意識に基づいてマギーリーの言葉を再編し、持論を形成していたということである。言い換えれば、彼は、広域イスラーム圏の知的空間の中で獲得した情報を彼自身の生きたハウサランドの時代的・地域的文脈に巧みに落とし込むことで、自らのジハードの正当化を図っていたのである。

注

(1) アラビア語史料を用いたアフリカ史研究のうち、日本語で書かれたものとしては以下のような研究書がある(坂井 二〇〇三、苅谷 二〇一二)。

(2) 外部史料の分析からサハラ以北の人々のアフリカ認識を考察した興味深い論考として以下がある(Hunwick 2005b)。

(3) 本章では詳しく扱わないが、最初期の内部史料としては一一世紀に遡る碑銘を挙げることができる。以下の研究などに詳しい(Moraes Farias 2003)。

(4) イギリスのアル＝フルカーン・イスラーム遺産財団(Al-Furqān Islamic Heritage Foundation)もアフリカ諸国の文書館や図書館所蔵のアラビア語写本一覧を数多く出版しているが(e. g., Sidi Amar Ould Ely et al. 1995-1998)、このシリーズの一部については、記載された情報の信憑性に関して疑義を呈する論考が発表されている(Nobili and Diagayeté 2017)。

参考文献

【史料・翻訳】

プトレマイオス(一九八六)『プトレマイオス地理学』織田武雄監修、中務哲郎訳、東海大学出版会。

Abū Salīm, M. I. (1967), *al-Fūnj wa-l-arḍ: Wathā'iq tamlīk*, Khartoum, Shu'ba Abḥāth al-Sūdān bi-Jāmi'a al-Kharṭūm.

——(1975), *al-Fūr wa-l-arḍ: Wathā'iq tamlīk*, Khartoum, Ma'had al-Dirāsāt al-Ifrīqīya wa-l-Āsiyawīya, Jāmi'a al-Kharṭūm.

Aḥmad Bābā (2000), *Kifāya al-muḥtāj li-ma'rifa man laysa fī al-Dībāj*, 2 vols., [Rabat], Wizāra al-Awqāf wa-l-Shu'ūn al-Islāmīya (Morocco).

—— (2004), *Nayl al-ibtihāj bi-taṭrīz al-Dībāj*, 2 vols., Cairo, Maktaba al-Thaqāfa al-Dīnīya.

Cuoq, J. M. (1985), *Recueil des sources arabes concernant l'Afrique occidentale du VIIIe au XVIe siècle (Bilād al-sūdān)*, Paris, Centre National de la Recherche Scientifique.

Defrémery, C., and B. R. Sanguinetti (1922-1949), *Voyages d'Ibn Batoutah*, 4 vols., Paris, Imprimerie Nationale.

al-Fishtālī, 'Abd al-'Azīz (n. d.), *Manāhil al-ṣafā fī ma'āthir mawālī-nā al-shurafā*, [Rabat], Wizāra al-Awqāf wa-l-Shu'ūn al-Islāmīya wa-l-Thaqāfa (Morocco).

Goeje, M. J. de (1992), *Kitâb al-masâlik wa'l-mamâlik (Liber viarum et regnorum) auctore Abu'l-Kâsim Obaidallah ibn Abdallah ibn Khordâdhbeh et excerpta e Kitâb al-kharâdj auctore Kodâma ibn Dja'far quae cum versione Gallica edidit, indicibus et glossario instruxit*, Frankfurt am Main, Institute for the History of Arabic-Islamic Science at the Johann Wolfgang Goethe University.

Hamet, I. (1898), "Nour-el-eulbab (*Lumière des cœurs*) de Cheïkh Otmane ben Mohammed ben Otmane dit Ibn-Foudiou", *Revue africaine*, 42.

Holt, P. M. (1999), *The Sudan of the Three Niles: The Funj Chronicle 910-1288 / 1504-1871*, Leiden, Boston, and Cologne, Brill.

Houdas, O. (1888-1889), *Nozhet-elhâdi: Histoire de la dynastie saadienne au Maroc (1511-1670)*, 2 vols., Paris, Ernest Leroux.

—— (1964), *Tarikh es-soudan*, Paris, Adrien-Maisonneuve.

Houdas, O., and M. Delafosse (1964), *Tarikh el-fettach ou chronique du chercheur pour servir à l'histoire des villes, des armées et des principaux personnages du Tekrour*, Paris, Adrien-Maisonneuve.

Hunwick, J. O. (1985), *Sharī'a in Songhay: The Replies of al-Maghīlī to the Questions of Askia al-Ḥājj Muḥammad*, New York, published for the British Academy by Oxford University Press.

Ibn Khaldūn (1971), *Ta'rīkh Ibn Khaldūn al-musammā bi-Kitāb al-'ibar, wa-dīwān al-mubtada' wa-l-khabar, fī ayyām al-'Arab wa-l-'Ajam wa-l-Barbar wa-man 'āṣara-hum min dhawī al-sulṭān al-akbar*, 7 vols., Beirut, Mu'assasa al-A'lamī li-l-Maṭbū'āt.

Ibn Qutayba (1969), *al-Ma'ārif*, Cairo, Dār al-Ma'ārif.

Ibn Sa'īd (1958), *Kitāb basṭ al-arḍ fī al-ṭūl wa-l-'arḍ*, Tetuán, Ma'had Mawlā-ya al-Ḥasan.

al-Idrīsī, Muḥammad (n. d.), *Kitāb nuzha al-mushtāq fī ikhtirāq al-āfāq*, 2 vols., Cairo, Maktaba al-Thaqāfa al-Dīnīya.

Lange, D. (1987), *A Sudanic Chronicle: The Borno Expeditions of Idrīs Alauma (1564-1576): According to the Account of Aḥmad b. Furṭū*,

Stuttgart, Franz Steiner Verlag Wiesbaden.

Levtzion, N., and J. F. P. Hopkins (2000), *Corpus of Early Arabic Sources for West African History*, Princeton, Markus Wiener.

Lith, P. A. van der, and L. M. Devic (1883-1886), *Livre des merveilles de l'Inde*, Leiden, E. J. Brill.

al-Mas'ūdī, 'Alī (2005), *Murūj al-dhahab wa-ma'ādin al-jawhar*, 4 vols., Beirut and Sidon, al-Maktaba al-'Aṣrīya.

Mehren, A. F. (1994), *Cosmographie de Chems-ed-Din Abou Abdallah Mohammed ed-Dimichqui*, Frankfurt am Main, Institute for the History of Arabic-Islamic Science at the Johann Wolfgang Goethe University.

al-Munajjid, Ṣalāḥ al-Dīn (1963), *Mamlaka Mālī 'ind al-jughrāfiyīn al-muslimīn*, Beirut, Dār al-Kitāb al-Jadīd.

Mžik, H. von (1992), *Al-Ḫwārizmī, the Geographical Tables Extracted from Kitāb Ṣūrat al-Arḍ and Suhrāb, 'Ağā'ib al-Aqālīm as-Sab'a*, Frankfurt am Main, Institute for the History of Arabic-Islamic Science at the Johann Wolfgang Goethe University.

al-Nāṣirī, Aḥmad (1997), *Kitāb al-istiqṣā li-akhbār duwal al-maghrib al-aqṣā*, 9 vols., Casablanca, Dār al-Kitāb.

O'Fahey, R. S., and M. I. Abū Salīm (1983), *Land in Dār Fūr: Charters and Related Documents from the Dār Fūr Sultanate*, Cambridge, Cambridge University Press.

Palmer, H. R. (1967), *Sudanese Memoirs: Being Mainly Translations of a Number of Arabic Manuscripts Relating to the Central and Western Sudan*, 3 vols. in 1, London, Frank Cass.

—— (1979), *History of the First Twelve Years of the Reign of Mai Idris Alooma of Bornu (1571-1583)*, London, Frank Cass.

Redhouse, J. W. (1862a), "Translation from the Original Arabic of a History or Journal of the Events Which Occurred during Seven Expeditions in the Land of Kānim, against the Tribes of Bulala, & c., by the Sultan of Burnu, Idris the Pilgrim, Son of 'Ali; Preceded by Some Details of the Sultan's Ancestors", *Journal of the Royal Asiatic Society of Great Britain and Ireland*, 19.

—— (1862b), "Translation from the Original Arabic of an Account of Many Expeditions Conducted by the Sultan of Burnu, Idris the Pilgrim, Son of 'Alī, against Various Tribes His Neighbours, Other than the Bulāla, & c., Inhabitants of the Land of Kānim", *Journal of the Royal Asiatic Society of Great Britain and Ireland*, 19.

Reinaud, J. T., and W. M. de Slane (1840), *Géographie d'Aboulféda*, Paris, Imprimerie Royale.

Slane, W. M. de (1965), *Description de l'Afrique septentrionale*, Paris, Adrien-Maisonneuve.

Spaulding, J., and M. I. Abū Salīm (1989), *Public Documents from Sinnār*, East Lansing, Michigan State University Press.
Strong, S. A. (1895), "The History of Kilwa", *Journal of the Royal Asiatic Society of Great Britain and Ireland*, 27-2.
al-Sulwa fī akhbār Kilwa (1985), [Muscat], Wizāra al-Turāth al-Qawmī wa-l-Thaqāfa (Oman).
Tolmacheva, M. (1993), *The Pate Chronicle: Edited and Translated from MSS 177, 321, 344, and 358 of the Library of the University of Dar es Salaam*, East Lansing, Michigan State University Press.
'Uthmān b. Fūdī (n. d. a), *Najm al-ikhwān yahtadūna bi-hi bi-idhn Allāh fī umūr al-zamān*, manuscript, National Archives of Nigeria, Kaduna, D/AR36/1.
—— (n. d. b), *Sirāj al-ikhwān fī ahamm mā yuḥtāju ilay-hi fī hādhā al-zamān*, manuscript, National Archives of Nigeria, Kaduna, A/AR9/6.
Vianello, A., and M. M. Kassim (2006), *Servants of the Sharia: The Civil Register of the Qadis' Court of Brava 1893-1900*, 2 vols., Leiden and Boston, Brill.
Youssouf Kamal (1987), *Monumenta cartographica Africae et Aegypti*, 6 vols., Frankfurt am Main, Institut für Geschichte der Arabisch-Islamischen Wissenschaften an der Johann Wolfgang Goethe-Universität.

【研究論文等】

苅谷康太（二〇一二）『イスラームの宗教的・知的連関網——アラビア語著作から読み解く西アフリカ』東京大学出版会。
坂井信三（二〇〇三）『イスラームと商業の歴史人類学——西アフリカの交易と知識のネットワーク』世界思想社。
Hunwick, J. O. (2005a), "Arabic Sources for African History", *Writing African History* (J. E. Philips), Rochester, University of Rochester Press.
—— (2005b), "A Region of the Mind: Medieval Arab Views of African Geography and Ethnography and Their Legacy", *Sudanic Africa*, 16.
Lewicki, T. (1974), *Arabic External Sources for the History of Africa to the South of Sahara*, London, Curzon Press; Lagos, Pilgrim Books.
Moraes Farias, P. F. de (2003), *Arabic Medieval Inscriptions from the Republic of Mali: Epigraphy, Chronicles, and Songhay-Tuāreg History*, Oxford and New York, published for the British Academy by Oxford University Press.
Nobili, Mauro, and Mohamed Diagayeté (2017), "The Manuscripts That Never Were: In Search of the *Tārīkh al-Fattāsh* in Côte d'Ivoire and Ghana", *History in Africa*, 44.

O'Fahey, R. S. (1994), *Arabic Literature of Africa,* vol. 1: *The Writings of Eastern Sudanic Africa to c. 1900,* Leiden, New York, and Cologne, E. J. Brill.

Sidi Amar Ould Ely et al. (1995-1998), *Handlist of Manuscripts in the Centre de Documentation et de Recherches Historiques Ahmed Baba, Timbuktu,* 5 vols., London, al-Furqān Islamic Heritage Foundation.

集点 Focus

女性・ジェンダーからみるアフリカ史

杉山祐子

はじめに

ジェンダーの視点によるアフリカの歴史研究は、女性史の掘り起こしを試みた一九七〇年代に始まる。それは欧米型の近代化論や男性優位社会への異議申し立ての機運が世界的に高まる時期であり、内発的発展論やフェミニズムの展開とも関わりながら進められてきた。これらの研究は、アフリカ女性を弱く受動的な存在とみなす、あるいは存在しないかのように扱うそれまでの一般的見解を排し、政治、経済、社会的活動における主体(エージェンシーをもつ存在)として位置づけなおした。それによって、国家形成や植民地支配、独立後における開発近代化政策の進展といった歴史的過程を、主体相互のダイナミックな交渉過程としてとらえなおし、その結果生み出される格差や権力の構造が明らかにされる。「人種」や「民族」など、文化的に創り出されたにもかかわらず、強大な力となって人びとの差異を固定化する概念の生成過程も視野に入ってくる(富永・永原 二〇〇六、Berger & White 1999; Cornwall 2005; Cooper 2016)。

研究テーマやアプローチは、時期によって変化してきた。たとえば一九八〇年代には、ボズラップの著作(Boserup

1970)に触発されて、近代化や開発が女性の地位に何をもたらしたかを検証する研究が多出する。また開発政策の焦点が「女性と開発」から「ジェンダーと開発」に移る一九九〇年代前後は、ポストモダニズムの影響を受けた構築主義的なアプローチによって、ジェンダーの関係性を問う研究が増加する(Robertson 1984; Hunt 1989; Bryceson 1995など)。さらに、多くの国々が受け入れを余儀なくされた経済自由化が人びとの生活とジェンダー関係をいかに変化させたかという検討をとおして、女性が周縁化される過程も明らかになった。植民地化以前の時期を視野に入れて、長距離交易や農業生産の拡大、地域間抗争などによる諸社会の変容とジェンダー関係の変化の検討も進められている。

二〇〇〇年代前後にはセクシュアリティに関する研究が盛んになり、一九九〇年以前には限られていたホモセクシュアルをテーマとする研究も現れた(Murray & Roscoe 1988; Linsay & Stephan 2003; Epprecht 2013)。それ以降、男女の二元的なジェンダー関係だけでなく、階層や出自など内部の差異に目を向けた枠組みの精緻化が進む一方、LGBTI運動の世界的な高まりやFGC／FGM(女性性器切除)廃絶運動などともからみ、セクシュアリティがさらに主題化される。アフリカの「遅れ」とも位置づけられてきたセクシュアリティとジェンダーにまつわる慣習に関する諸研究は、その背後にある政治性をあらわにした(宮脇ほか 二〇二一)。

これらの蓄積から、サハラ以南のアフリカ(以下「アフリカ」と表記)におけるジェンダーが西欧社会とは異質な特徴をもつことが明らかになった。それには社会の成り立ちの違いも関連する。ヨーロッパやアジアの地域が土地の私的所有を基盤に社会階層や国家を発達させたのに対して、人口密度が低く自然条件が厳しいアフリカ地域では、土地そのものの占有よりも、労働を通じて土地を資源化する「ひと」の確保と組織化が重要な課題でありつづけたからである。クランやリネージなどの親族集団や出自集団を基盤に成立するアフリカ地域社会には、父系社会だけでなく母系社会も多い。父系社会も母系社会も政治の前面に立つのは男性だが、父方で地位や財が継承される父系社会に対して、母系社会では子どもが母方の集団に帰属し、地位や財も母系で継承される。婚姻に伴う居住の慣習や男女の地位も多様である。

父系・母系を問わず、どの社会でも性別役割分業は明確だが、ジェンダーのあらわれは状況対応的で柔軟である。女性は家庭という「私的領域」に囲い込まれず主体的に経済活動を担い、政治的な発言力を保持してきた(Hafkin & Bay 1976)。社会的な地位にはジェンダーだけでなく「年長であること seniority」や「母たる存在 motherhood」に付与された普遍的な権威が深く関わり、ライフステージによる変化もみられる(Clark 1994; Bryceson 1995)。ジェンダーという概念自体が創られたものだという主張もあるように(Oyěwùmi 1997)、アフリカ社会におけるジェンダーは固定化されたものではなく、世代、階層、出自集団などさまざまな差異の標《しるし》と組み合わせられて集団の境界を生み出したり、他者との関係構築に用いられて多層的なネットワークを形成したりする(杉山 二〇〇七)。

これらの特徴は、植民地支配により政治経済的・社会文化的に大きな変容を迫られたあとも現在まで息づいており、ジェンダーという概念の広がりと有効性を問う糸口を提供する。植民地支配とその後の近代化政策の中で不可視化されていた西欧的なジェンダーイデオロギーを相対化する役割も果たす。それはホモセクシュアルや異性装の忌避が植民地化以降に顕在化するという知見にもつながる。経済的自立やリプロダクティブライツの獲得よりも、文化的な連帯によって、公的権力への参与と発言力を求めるアフリカ・フェミニズムの姿勢にも通底する。このような動向をふまえ、以下の節では一九世紀以前と植民地期以降の変化を中心に、女性史とジェンダーの視点からアフリカの歴史を概観し、その特徴を明らかにする。

一、初期人類、狩猟採集社会のジェンダー

狩猟生活を営む小集団で成り立っていた初期人類の社会は、現代の狩猟採集民社会と同様に、富の偏在や絶対的な

権力者をもたない「平等社会」だったと考えられている。現代の狩猟採集社会において狩猟は主に男性、採集は女性が活動を担うという性別役割分業は明確で、食物の調理加工も女性が担う。肉は食物として高い価値を与えられているが、肉を獲る男性が権力を行使するわけではない。入手した食物は集団の成員に等しく分配され、だれもが安定した食料供給を受けられる(本巻第二章寺嶋論文)。このしくみを実質化するのが調理加工を担う女性である。ボツワナの狩猟採集民サンの社会では、作業上の必要がなくても常に複数の女性が採集や調理加工の場に参加している。女性たちは活動を共にし食料を分かち合う。サンの女性にとって採集や調理加工の活動そのものが社会的な交際の場であり、世帯を超えた食物分配の場になっている(今村 二〇一〇)。

子どもの養育も共同でおこなわれる。世代間協力による育児が子どもの生存可能性を高めるという「おばあさん仮説」はよく知られているが、コンゴの狩猟採集民エフェ社会では乳児の世話と授乳をコミュニティの女性たちが一緒におこない、男性も養育活動に参加する。アカ社会の観察では一―四カ月の乳児は常に誰かに抱かれているが、母親が抱くのは四〇%以下で、そのほかの時間は母親以外の養育者に抱かれている(Hewlett 1992)。子どもの養育にコミュニティが関わる傾向は狩猟採集社会以外にも共通する。近年の人類進化に関する研究でも、育児を共同でおこなうことが人類の進化の要件であったことが明らかにされている。「コミュニティにおける養育」についてロゴフ(二〇〇六)が論じたように「自分の子どもの養育は家庭内で(母親が責任をもつ)」というのは、西欧近代社会において成立した独特の文化的観念である。育児が女性を自動的に家庭内に囲い込み、男性より劣位におくという考えは西欧近代的ジェンダーバイアスによることがわかる。

一般に、狩猟採集を基盤とする平等社会が、財や権力の偏在を組み込む社会へと移行するのは、定住農耕や牧畜が開始されてからだといわれる。アフリカ大陸での農耕の開始は紀元前数千年紀に遡るが、サハラ以南の地域に定住農耕はほとんど発達せず、焼畑農耕中心とする農耕民社会が広がった。農耕のほかにも狩猟採集、漁撈《ぎょろう》、牧畜など、それぞれの地域の環境特性に応じた生業を営む多様な社会が分布している。これらの社会は過剰な食料生産を指向しないので、社会内部の格差は限定的で階層化も進まなかった。階層化された社会が誕生するのは王国の形成期以後になる。

二、王国におけるジェンダーと階層化

長距離交易が生んだ王国：階層化と女性の権力

一〇世紀以前から一六世紀までのアフリカは活発な長距離交易活動を軸に、王国や都市国家を形成した（本巻第三章坂井論文）。王国の政治基盤は、土地などの経済的資源配分を政治権力がコントロールすることで構築されたのではなく、リネージを基礎とする親族関係やパトロン・クライアント関係による広域の社会的ネットワークに支えられる。王国の領域には異なる文化背景をもつ人びとがくらしているが、それらの人びとの多様な生産様式と知識、それぞれの地域を律する霊力をも取りこむことによって、多様性を包含した非集権的な政治組織が作られた(McIntosh 1998)。ハウサ諸王国のひとつであるカノ王国（ナイジェリア）では、近隣地域から妻や妾としてやってくる女性たちがこれらの地域に関する情報をもたらし、こうしたネットワークを結ぶ存在として重要な役割を果たした(Nast 2005)。

王国の政治システムでは、王族女性が政治的な権力を与えられ、王母をはじめとする重要な官職を担っていた。王母は王の権力を監視する役割をもち、王が不当な裁可を下した場合には、長老会議の認可を経て、王を追放する権限を与えられている。王母は男性からも女性からもパトロンとみなされ、国中にクライアントのネットワークを張りめぐらせていた。王母を指名するのは「イヤ」とよばれる称号をもつ女性である。イヤは王家の中でももっとも権力ある称号であった。王母となる者は、イヤの宮殿に集まった王族女性たちの合議によって選ばれた。イヤの宮殿は政治

的行為だけでなく、国にとって重要な儀礼をおこなう場でもあった。ボリ信仰とよばれる精霊憑依儀礼は、超自然的な力による災いの除去や生活の安寧に結びつくとされ、国家権力の正統性を提供していた。王子の初婚の際に必須の浄化儀礼や教えを施すのもイヤの宮殿であった(Smith 1978)。このように王母など女性の政治権力は、在来の信仰に支えられた霊的な力と深く結びついており、その力を後ろだてとして権威を付与された女性司祭が、政治に影響力を及ぼしていた。霊的な儀礼を司る男性も女性の装束を身につけ女性的なふるまいをした。

王国は階層化した社会構造から成っている。社会は政治的な権力をもつ王族・貴族などの上層階級と自由民、および奴隷層によって構成され、奴隷は農業生産などに不可欠の労働力であった。奴隷の価値はジェンダーによって異なる。上層階級の男性の妻や妾となって子孫を増やしたり、上層階級の女性の家事などを肩代わりしたりする女奴隷の需要は大きく、価値も高かった(Robertson & Klein 1983)。一五世紀以前の奴隷は、大西洋奴隷交易における奴隷とはちがい、期限つきの「奉公人」といえるような身分の人びとで、労役の提供や穀物の献納はするが厳しい身分的拘束はなく、一種の職業的カーストとみなせる場合が多かったという(宮本 二〇一四)。そうはいっても、王母や女性司祭など上層階級の女性に仕える女奴隷が単に働き手としてだけでなく、上層の女性たちの「財」ともみなされた事実は、階層による差の大きさを物語る。王母や女性司祭が政治的な権力を付与された王国の政治体制は、「女性」内部の格差を前提に維持されていたといえるだろう。

域内交易と農業生産におけるジェンダーと女性商人

活発な対外貿易と域内交易は、奢侈品から日常の食料までさまざまな品物の生産と流通を活性化させたが、一般に長距離交易から利益を得るのは男性である。男性の中には「商人貴族」とも呼べるような新興成金が誕生したという。男性が高価な輸入品や奢侈品など利潤の大きい交易品を扱うのに対し、女性が扱うのは食料とその加工品、運搬が容易な輸入品に限られていた。それでも域内の商業活動が活発化し域内の市場が拡大するにつれて、女性の商業活動がさかんになり、女性商人が食料品を中心とする域内の流通の要となる。定期市に加え常設市も発達する。集団間で戦いがあるときにも、中立地帯で商いをする女性商人によって、域内の流通が保たれていたという(矢内原 一九七三)。こうした蓄積のうえに、西アフリカではアシャンティ王国の王都クマシに代表されるような大規模な市場が発達し、専業の女性商人から一時的に農産物を販売する農民女性まで、幅広い女性の商業活動がそのしくみを支え高度化させた。

父系化と母系選好、アラブ文化の「アフリカ化」

西アフリカの王国ではもともと母系的な地位の継承がおこなわれていたが、一一世紀以降、イスラーム化の進行とともに財をめぐる権利や相続に父系原理が持ち込まれ、一三世紀頃までに多くの国々が父系制に移行した。父系に連なる男性が政治権力と生産資源への支配力を集積し、同時に父子関係の正統性を保つために配偶者となる女性の生殖力の管理が視野に入るようになる。女性が男性の「庇護」のもとに囲い込まれる素地ができる。

しかしイスラーム化と父系化が進んでも、母系による王位継承への選好傾向は根強かった。王位継承に際して母系親族の意向は力をもちつづけた。一四世紀のマリ王国でも父系の王位継承は好まれず、南の森林地帯では父系と母系の双方が混在する双系的継承がおこなわれていたという(ニアヌ 一九九二)。

富永(二〇〇九)は一三世紀以降のスワヒリ都市国家パテ(ケニア沿岸の小島)の年代記に基づいて、スワヒリ都市の形成に女性が果たした二つの役割に注目する。ひとつは婚姻をとおして移民男性に支配の正統性を与える役割である。初代パテ王に就任したのは、パテ首長の娘が移民男性(現オマーン出身の一族)との間にもうけた男子であった。彼が王位につく正統性は母親がパテ首長の娘だった事実によって担保された。母系をとおして与えられる権威が王の地位を支えた例だといえる。もうひとつは、王位継承をめぐる抗争の調停役を王妃が務めたり、女性が王として登場したりする政治上の役割である。支配層の女性にこのような権限が付与されるのはアフリカ的伝統に根ざしており、父権的なアラブ文化のアフリカ化に女性が貢献してきたとみることができるという(富永 二〇〇九)。

父系制と母系制が入れ替わった伝承をもつ王国もある。現在のザンビア北部に住むバントゥ系焼畑農耕民、ベンバの起源地はルンダ・ルバ王国(現アンゴラ・コンゴ国境付近)だと伝えられる。伝承によるとベンバの始祖はルンダ・ルバ王国周辺の王の子どもたちで、聖なる出自の女性を母にもつ兄弟姉妹である。一六世紀以降、父王との軋轢《あつれき》を機に父の国を脱出し、長旅の末にザンビア北部に拠点を構えた彼らが創り上げたのは、父の国のような父系制ではなく母系制の王国であった(Roberts 1973)。母系に移行した理由は詳らかでないが、始祖である兄弟姉妹の母が聖なる出自をもつことから、それを継承する者たちとしての王位の正統性が重要だったのではないかと推測できる。ベンバ王国はアラブやポルトガルとの対外交易を独占して勢力を拡大し、母系制の中央集権的な政治システムを構築したが、王国を構成する各地域の自律性は保たれた。ベンバが勢力を拡大する過程で重要な役割を果たしたのは、それぞれの地域の自然を司る祖霊信仰と習合した精霊憑依儀礼、および成女儀礼だったといわれる。

一九世紀、中央集権化する王国と衰退する女性の権威

一七世紀頃から「近世・近代奴隷制」に基づく大西洋奴隷貿易の発達に伴って、ダホメ王国などが繁栄するが、一九世紀の対ヨーロッパ交易は奴隷ではなく農産物が中心となる。それはヨーロッパにおける奴隷制廃止の機運も反映した変化だった。しかしアフリカ地域では、農産物輸出を拡大するために換金作物栽培への労働力需要が高まり、他国との戦いや略奪によって奴隷を得る奴隷狩りがむしろ拡大した。捕虜のなかでも、女性奴隷は価値が高く男性奴隷より数が多かったという。女性奴隷は農場の労働力となるほか、兵士の妻として子どもを産むことが期待された

(Cooper 2016)。

軍事力の組織化・政治の中央集権化と活発な経済活動を背景に、政治権力をめぐるリネージの序列化と階層化はさらに進む。それは経済的に重要な資源へのアクセスを男性が占有する結果につながったが、一部の女性はこの機に活動域を広げた。ナイジェリア南部のイボ社会では、食料自給を担う女性農民が小商品生産と販売によって域内交易を活発化させたという。商才のある女性は蓄積した財で地位の高い称号を購入した。彼女たちの中には「男性」として女性と結婚する「女性婚」をおこなう者もあった。妻となるのは女奴隷など経済的に低い階層にある女性である。妻となった女性は「夫」である女性が選ぶ男性と性的関係を結び、生まれた子どもは「夫」の子どもとしてリネージの一員とする。このとき社会的に父親と認められるのは「夫」である女性で、妻と性的関係を結んだ男性ではない。イボ社会は父系社会だがそのジェンダー観は柔軟だった。女性婚によって生まれた子どもたちは「夫」である女性の子どもであり、「夫」は妻と子どもの労働力をコントロールし富を得ることができた。また父系リネージに男性の後継者がいない場合、リネージの長である父親が娘を後継として土地や財産を相続させ、娘が男性のようにふるまう「男の娘」の事例も報告されている。こうしたジェンダー越境が、イボ社会におけるジェンダーの柔軟さを示すというアマディウメの指摘は興味深い (Amadiume 1987)。しかし男性が女性になるという逆のジェンダー越境はないので、男性が女性より高い地位を付与されていたことも明らかである。この点からみるとイボ社会の女性婚は男性が有利な立場に位置づけられていた証だとも考えられる (Berger & White 1999)。

奴隷狩りの拡大による女奴隷の増加は女性婚の慣習を支えたが、若年男性の婚姻にも大きな影響を与えた。それまで若年男性は、親族の長老男性たちから婚資の提供を受けて結婚していたが、女奴隷を妻にすることによって婚資の支払いをせず、配偶者を得られるようになった。女奴隷を妻とした男性は、この新しい婚姻形態によって家父長的な親族の絆から離れることができる。逆に、従来の婚姻形態をとりしきることによって若年男性との絆を保持していた長老男性の権力は弱体化した。

ヨーロッパ交易向けの換金作物栽培が拡大するとともに、この地域には土地の個人所有が広がり、男性が土地を所有し相続するようになる。一時は交易活動の拡大を背景に経済力を拡大した女性たちも、生産基盤へのアクセスを制限され不利な立場に追い込まれた。女性が担う自給的農業への社会的評価は低く、高い価値を与えられた換金作物栽培に従事し土地を保有する男性の権力が強まった。

三、植民地時代

植民地支配がもたらした変化

一九世紀末から二〇世紀半ばのヨーロッパ列強による植民地支配は、アフリカ諸社会を大きく変化させた。奴隷制廃止はそれまでの王国の基盤を大きく揺るがす。王国の政治組織自体は、植民地統治機構の末端に組み込まれ、王の地位にある男性や王族男性は、植民地行政における役人という新たな権威と有用な情報にアクセスする機会を付与された。しかし奴隷の労働力を失った上層階級の女性たちの経済力は衰退し、「女性」内部の格差は縮小した。

植民地政府が強力に進めた都市開発、鉱山開発、それに伴う農村開発は、大規模な地域間人口移動を引き起こした。人頭税の導入も相まって、農村部では青壮年男性を中心にした出稼ぎが一般化する。出稼ぎの一般化で男性労働力が鉱山や都市での賃金労働とプランテーションでの換金作物栽培に吸収されたため、農村部の労働力不足が深刻になり、自給を担う女性は過重な労働を背負うようになる。

農村の政治経済的側面での変化も大きかった。出稼ぎに行った人びとがそれまでにない額の現金を持ち帰ることによって農村部にも現金経済が浸透し、現金による婚資の支払いが広まる。豊かな現金獲得機会をもつ青壮年男性の発言力が強まる一方、現金獲得の機会が少ない長老男性はそれまで行使していた政治権力を失っていく。こうした権力の揺らぎを好機に経済力を拡大した女性もあるが、全体として女性の経済活動は植民地政策の視野から外される(Robertson 1984)。男性が地域や世帯の長とされ、有用な情報や土地をはじめとする生産資源へのアクセス権が男性に集中するようになる。

植民地期には、男性が外で働き女性が内で再生産を支えるという、西欧的な性別役割分業に基づく開発政策が進み、植民地農業から鉄道建設に至るさまざまな場面で、女性よりも男性労働力に価値がおかれた。植民地経営を円滑に進めるための男性労働力の確保を目的に、西欧的なジェンダー観を意識的に組み込んだ政策もある。コンゴのカタンガでは男性の鉱山労働者を定着させるために、家事と育児を担う「主婦」としての妻の役割が重視され、妻子をつなぎとめる手厚い福利厚生が用意された(Berger & White 1999)。夫婦がそれぞれ独立した生計を営み、離婚が比較的容易だった西アフリカの農村部でも、換金作物栽培を安定させるために一夫一婦制の結婚制度を強化し、セクシュアリティをコントロールしようとする政策が進められた。域内交易などの商業活動においては、女性が自律的な経済活動性を拡大することができたが、そこにも植民地政府の規制が強化された。

「女性」の連帯による抵抗――「アバ女性の戦争」とメル女性の自己割礼

植民地政府による権利の抑圧が強まるなか、市場の使用料や課税に対して「女性」が集団となって抵抗した複数の記録がある。なかでも一九二九年にナイジェリア南部で起きた「アバ女性の戦争」は集団の規模や抵抗の経緯の点でよく知られている。この抵抗運動では、イボ人を中心に六つの民族集団の女性数千人が集団となって、植民地支配者とそれに協力するアフリカ人民事裁判官に抗議した。注目されるのは、女性が社会的ネットワークを駆使して既婚女性、未婚女性、女性商人など、社会的地位や立場を超えた集団を生み出し、伝統的な揶揄の手段と実力行使を含む大規模な運動を展開したことである。植民地政府が武力でこれに対抗した結果、数十人の女性が殺害され、多くの負傷者が出た(Van Allen 1975; Matera, Bastian & Kent 2011)。自分たちがおかれた不利な状況に抗する主体として行動するとき、その対象が植民地支配者だけでなく、政策に乗じて自らの政治権力を強化しようとするアフリカ人長老男性であった点、抑圧される側の世代や「民族」を超えた連帯の契機として「女性」というジェンダーが顕在化した点に注意したい。

植民地政府による「女子割礼[1]」廃絶政策に抵抗してケニアのメル女性が自己割礼をおこなった事例も問題提起的である(Thomas 1996)。それは成女儀礼として女性の管理下でおこなわれていた女子割礼を、植民地政府が「前近代的で野蛮」な慣習だとして、廃絶に動き出したことに端を発する。女子割礼の禁止が強要されると、何千人もの若い女性たちがお互いに施術しあい「大人の女性への変身を試み」るという、きわめて挑戦的な方法でこれに対抗したのである。トーマスはこの自己割礼運動から、植民地官僚と、官僚に連帯して自分たちを「近代的」に見せようとした長老男性ら地元の権力者の介入に対する、若い女性の抵抗という意味合いを読みとる。割礼によって「大人の女性」になるというメル独自の文化的脈絡を彼女たちが意識的に押し出し、長老男性、植民地政府という既存の権力への対抗軸を生み出した点に注目したい。ここでおこなわれた女子割礼は、当事者である若い女性たちの抵抗の道具として操作的に用いられており、彼女たちの政治的な主体性を示す事例でもある。自己割礼による抵抗という歴史的できごとをローカルな政治社会的文脈に落とし込んで解釈することによって、植民地支配や長老支配における犠牲者とはちがう、若い女性たちの主体的な姿が浮かび上がってくる。

再定義される男性性と人種概念による序列化、不可視化される女性

植民地化が西欧的ジェンダー観に基づいて男性性(masculinity)と女性性(femininity)を定義し、「人種」概念との組み合わせによる序列を生み出した動的な過程を、南ローデシア(現ジンバブウェ)に見ることができる(Lindsay & Miescher 2003)。当時の南ローデシアでは、「ヨーロッパ人」のハウスサーバントとして年長の「アフリカ人」男性が好まれていた。そこに持ち込まれた西欧的意味での男性性は、男性が一家の大黒柱として自分の世帯の女性成員をコントロールし、国家(公的領域)と家族(私的領域)とをつなぐ唯一の仲介者として存在するという考えかたに基づく。

当時の国家統治は植民地宗主国側の「ヨーロッパ人」(「白人」)が担っていたから、この考えかたに真に合致する男性性をもちうるのは白人男性でしかない。家庭において白人女性は夫の権威に従うべき者とされていたが、同時に使用人である「アフリカ人」男性より上位に位置づけられる。「アフリカ人」男性は植民地の労働関係において(雇い主より年上であるにもかかわらず)つねに子ども扱いされ「少年《ボーイ》」の位置におかれた。西欧的なジェンダー観による男性性についての考えかたが持ち込まれたことによって、家長としての男性と家庭婦人としての女性という序列に「人種」の基準が加えられ、「白人」男性、「白人」女性、「少年」としての「アフリカ人」男性という序列ができあがった。この序列のなかでアフリカ男性は未熟な男性性しかもたない従属的な立場に、アフリカ女性は序列外の見えない位置におかれた。

ヨーロッパ人との接触場面でジェンダーと「人種」による概念上の序列が浸透する一方、実生活における「世帯」や「家族」は、それとは別のありかたで変化していた。日常生活では、夫が高賃金を得て核家族世帯の家族全員を養うのではなく、夫の働きに加えて、妻である女性が加工食品や酒などの小さな商いや、針仕事、家事など「家庭内仕事」を現金獲得の手段として生計を営む(Hansen 1992)。彼女たちはさらに同業者や近隣住民、親族との相互扶助によって不安定な収入を補い、生計の安定を図った。都市部でも農村部でも生計維持に果たす女性の役割は大きかったが、それらが小規模で利益拡大の指向をもたなかったことから(矢内原 一九七三)、公的に重要な経済活動とはみなされなかった。そのように不可視化された女性の活動は、経済のインフォーマル・セクターへと追いやられるのだった。

四、植民地後期から独立以降における女性とジェンダー

貨幣経済の浸透と女性の商業活動

経済のインフォーマル・セクターに追いやられても、女性たちの経済活動がなくなったわけではない。とくに西アフリカの市場は植民地期以降も流通の要として機能し、女性の商業活動が活発である(Bohannan & Dalton 1962; Hodder 1969)。サハラ以南の地域で商業の総労働力に占める女性の比率がもっとも高いガーナでは、総労働力の八〇%が女性で、そのうち九四%が「自分の勘定で取引する」という(矢内原 一九七三)。これらの地域では夫と妻が独立した家計をもっており、夫婦間での売買や貸し借りがあることも報告されている。

市場の運営に重要な役割を担う女性の存在もある。商人たちが作る組織によって運営されているガーナ最大のクマシ市場では、売り場の割り当てや利害の調停を司る役に選ばれた女性は「クイーン・マザー」と呼ばれ、男女商人や市場外の企業や役人との厳しい交渉も引きうける。クイーン・マザーの権威は市場における手腕や人望、人柄への信頼によって成り立っているが、血縁関係の有無や出産経験にかかわらず、女性が「母たる存在 motherhood」であることにも裏打ちされている。クマシ市場で商売にたずさわる女性は、専業の商人から一時的に農産物を売りにくる農民まで幅広いが、彼女たちは出身地や民族集団を元にした社会関係をふまえつつ、同僚や顧客関係、同業者組合などの諸関係を組み合わせ、ジェンダー関係も駆使して重層的なネットワークを作り上げている。それは情報や商品の流通路になるだけでなく、相互扶助を通じた社会保障の機能を果たし、経済的支援の源泉ともなる。植民地からの独立を経た現在では、市場での商取引を拡大し、インフォーマル・セクターとフォーマル・セクターにまたがる領域で起業し、活発な経済活動を展開する女性も現れた(Clark 1994)。

女性の商業活動は農村部にもみられる。彼女たちは必要に応じて農産物や土器などの製作販売によって現金を獲得する。ザンビア南部のトンガ社会ではシコクビエを原料にしたローカルな酒醸造に新しい製法が導入され、酒の醸造販売が女性の現金獲得手段となる(Colson & Scudder 1988)。ザンビア北部のベンバ社会でも、一九四〇年代前後に酒の醸造・販売が広がった。ベンバ農村での酒の醸造販売は、既婚女性の主要な現金収入源となっただけでなく、村内の世帯間の経済的な格差を平準化する機能も果たした。一般に、アフリカ農村には豊かな者が持たざる者に分け与えるべきという倫理的原則がある。他の世帯より多くの現金を得た世帯の男性は、酒が販売される場で開かれる酒宴で多くの酒を買い、他の村びとにふるまうよう求められる。そこで使われた現金は酒を造った女性の懐に入り、農作業に必要な男性の働き手を雇ったり、生活必需品を購入したりする目的に使われた。女性による酒の醸造・販売は村内の現金や労働力を循環させるしくみの要となった(杉山 二〇〇七)。

「伝統」の応用と世帯を超えた「連帯」で地位の向上をはかる女性たち

植民地からの独立後も、植民地期に培われた女性の位置づけは変わらず、生産資源から遠ざけられる傾向が続く。しかし植民地下の社会変動によって父系社会における長老支配が揺らぎをみせたケニアの農牧民キプシギスの女性は、そうした状況の変化を利用して、主体的・戦略的に自らの地位を高めてきた。一夫多妻制をとる父系社会のキプシギスでは、一人の男性の複数の妻たちがそれぞれ、自分とその子どもからなる核家族世帯を構成する。妻たちは、夫の財産をそれぞれの妻単位の核家族が等分に相続する慣行を利用して、かつて成人男性たちが秘匿していた家畜貸借のネットワークをひそかに自分たちでも作り、妻同士が互いに連帯することによって着実に社会的地位を高めているという。さらに、かつては許されなかった離婚が長老支配の弱体化によって可能になったため、離婚した女性が「女性夫」として女性婚を望む現象も生まれた。女性婚の「夫」となることは、女性が自立して土地を入手するための唯一の方法だからである(小馬 二〇一八)。女性婚という制度を利用したジェンダー操作の例として興味深い。

西ケニアのイスハ社会では、クラン組織を基盤とした「伝統的」慣行を応用して広い範囲の人びとを巻き込むしくみを作り出し、それに正当性を与える動きがみられる。一九七〇年代までに数多く作られた自発的な互助組織や組合に女性たちが積極的に参加してきたことに注目した中林は、経済的には夫に依存してきたイスハの女性が複数の互助組織に重複して参加することによって女性同士の結びつきを強め、経済的な自立を可能にする結果が生まれたと述べる。さらに組合には全権をもつ女性リーダーがいることから、女性独自の権力が認められているという(中林 一九九一)。

ザンビアの母系社会ベンバでは、一九八〇年代なかば、常畑《じょうばた》の換金作物栽培を強力に進める制度が導入された。男性たちが多額の現金収入を求めて自分の世帯の常畑の開墾に夢中になり、他世帯の農作業を引き受けなくなったため、男性の働き手をもたない女性世帯主は自給用の焼畑さえ開墾できず苦境に陥る。しかし彼女たちは母系のつながりを駆使して、母や母方オバと共同し自給用の食料を確保する一方、近隣の町で学んだ新しい製法の酒を販売して当時のインフレに対応できる額の現金を得ようとした。またツケで酒を飲む未婚男性と交渉して代金の代わりに常畑の開墾作業を依頼し、自分の畑と母や母方オバの畑を確保した。さらに未婚の兄弟や母方の男性イトコの助力をとりつけ、焼畑の開墾もした。その結果、一九九〇年代には村のすべての世帯が常畑での換金作物栽培に着手し、焼畑耕作と併せて安定した生計を営むようになった。母系のつながりによる連帯を基礎に生み出された工夫が換金作物栽培へのアクセスを可能にした事例である(杉山 二〇〇七)。

独立後の国家におけるマクロな政策レベルで女性の周縁化が強まる傾向は否めない。それでも以上で述べてきたように、「伝統」を応用する形で構築された女性の意識的な連帯が世帯を超え、場合によっては男性も巻き込みながら、有用な経済的資源や情報・技術へのアクセスを可能にしてきたことは、社会経済的変動の過程をとらえる上で重要な示唆を与えてくれる。

おわりに——現代的な課題にむけて

女性が有用な経済資源から遠ざけられ周縁化される傾向は、グローバル化のなかでさらに拡大し「貧困の女性化」を招くことにもなった。土地法の改革によって土地の私有化が可能になり、人口増加も進むアフリカ地域は、土地そのものが資源ではなかった時代とは異なる局面での変動を迎えている。けれども一方で、より良い生活を求めて変動する状況を乗り切ろうとするとき、さまざまな差異を利用して社会的ネットワークを構築し、そこでの相互扶助によって新しい局面を開こうとする人びとの姿勢は変わらない。近年ではむしろ、多様なアクターが関わって生み出されるネットワークの幅が広がっている。それは女性のエンパワーメントに力が注がれ、従来インフォーマル・セクターに位置づけられてきた、小規模な経済活動や家族農業の価値が再評価される動きや、それぞれの活動における女性と男性、年長者と若者の役割が見直される現状を背景としている。こうした状況下で、資源へのアクセスの再編過程をジェンダーの視点で総合的にとらえ、開発における男性への支援に目を向けた研究(友松 二〇一九)などは、ジェンダー視点からの新たなアプローチを示したものといえる。

セクシュアリティを主題化した近年の研究では、女性婚を再考し、ホモセクシュアルの問題として検討しなおす研究もある。また、ケニアのギクユ社会における女性婚の当事者へのインタビューから、女性婚を生み出す動機の多様さを明らかにした研究(Wairimu Ngaruiya Njambi & O'Brien 2005)は、女性婚を多様なアクターが織りなすダイナミックな現象として描き直し、ジェンダーや社会の変動に迫る可能性を示している。

さらにマリのFGC廃絶運動において、運動を主導するローカルNGOとそれをバックアップする欧米NGO、F

GCを主導する女性割礼師など、参加するアクターの立場によって、同じできごとが異なる意味づけで語られるというゴスリン(Gosselin 2000)の興味深い研究は、異なる権力と価値観が交錯する場に多声的な歴史が生成されていることを示す。現代アフリカにおいて、ジェンダーやセクシュアリティを切り口にした多声性に注目することは、日常的な場における権力構造の動的様態に切り込む視点としても重要だといえる。

注

(1) ここでは歴史用語として「女子割礼」を用いた。今日では、「女子割礼」という用語を用いることによってこの慣習の儀礼的側面が強調され、女性の身体が不本意に傷つけられる事実を看過することにつながるという批判と反省から、行為そのものを指すFGC/FGM(女性性器切除)という用語を用いることが多い。筆者も通常はFGC/FGMを用いている。

参考文献

今村薫(二〇一〇)『砂漠に生きる女たち――カラハリ狩猟採集民の日常と儀礼』どうぶつ社。

小馬徹(二〇一八)『「女性婚」を生きる――キプシギスの「女の知恵」を考える』神奈川大学出版会。

杉山祐子(二〇〇七)「アフリカ地域における生業とジェンダー――中南部アフリカを中心に」宇田川妙子・中谷文美編『ジェンダー人類学を読む』世界思想社。

友松夕香(二〇一九)『サバンナのジェンダー――西アフリカ農村経済の民族誌』明石書店。

富永智津子(二〇〇九)「第二章　東アフリカ沿岸部・スワヒリの世界」川田順造編『世界各国史一〇　アフリカ史』山川出版社。

富永智津子・永原陽子(二〇〇六)『新しいアフリカ史像を求めて――女性・ジェンダー・フェミニズム』御茶の水書房。

中林伸浩(一九九一)『国家を生きる社会――西ケニア・イスハの氏族』世織書房。

ニアヌ、D・T(一九九二)「第二五章　アフリカ各地域間の関係と交流」松田素二訳『ユネスコ　アフリカの歴史――一二世紀から一六世紀までのアフリカ』第四巻下巻、宮本正興責任編集、同朋舎。

宮本正興（二〇一四）「奴隷交易」松田素二編『アフリカ社会を学ぶ人のために』世界思想社。
宮脇幸生・戸田真紀子・中村香子・宮地歌織編著（二〇二一）『グローバル・ディスコースと女性の身体——アフリカ女性器切除とローカル社会の多様性』晃洋書房。
矢内原勝（一九七三）「西アフリカのアフリカ人商人と市場（上）」『三田学会雑誌』六六—一六。
ロゴフ、バーバラ（二〇〇六）『文化的営みとしての発達——個人・世代・コミュニティ』當眞千賀子訳、新曜社。
Aidoo, Agnes (1981), "Asante Queen Mothers in Government and Politics in the Nineteenth Century", Filomina Steady (ed.), *The Black Woman Cross-Culturally*, Cambridge, Schenkman.
Amadiume, Ifi (1987), *Male Daughters, Female Husbands: Gender and Sex in an African Society*, London, Zed Books.
Berger, Iris & Frances White (1999), *Women in Sub-Saharan Africa*, Bloomington, Indiana University Press. (富永智津子訳『アフリカ史再考——女性・ジェンダーの視点から』未來社、二〇〇四年)
Bohannan, Paul & George Dalton (1962), *Markets in Africa*, Evanston, IL., Northwestern University Press.
Boserup, Ester (1970), *Women's Role in Economic Development*, New York, St. Martin's Press.
Bryceson, Deborah (ed.) (1995), *Women Wielding the Hoe: Lessons from Rural Africa for Feminist Theory and Development Practice*, Oxford, Berg Publishers.
Epprecht, Marc (2013), *Hungochani: the History of Dissident Sexuality in Southern Africa*, Canada, McGill-Queen's University Press.
Clark, Gracia (1994), *Onions are My Husband: Survival and Accumulation by West African Market Women*, Chicago, University of Chicago Press.
Colson, Elizabeth & Thayer Scudder (1988), *For Prayer and Profit: The Ritual, Economic and Social Importance of Beer in Guembe District, Zambia, 1950-1982*, Stanford, Stanford University Press.
Cooper, Barbara (2016), "Women and Gender", *Oxford Hand book of Modern African History* (Oxford Handbooks) (English Edition) (1st Edition), Oxford, Oxford University Press. (Kindle版)
Cornwall, Anderea (2005), *Readings in Gender in Africa*, Bloomington & Indianapolis, Indiana University Press.
Gosselin, Claudie (2000), "Handing over the Knife: Numu Women and the Campaign Against Excision in Mali", B. Shell-Duncan & Y. Hernlund (eds.), *Female "Circumcision" in Africa: Culture, Controversy and Change*, Boulder, Colorado, Lynne Rienner Publishers.

Guyer, Jane (1981), "Household and Community in African Studies", *African Studies Review*, xxxiv (ii-iii).

Hafkin, Nancy J. & Edna G. Bay (eds.) (1976), *Women in Africa: Studies in Social and Economic Change*, Stanford, Stanford University Press.

Hansen, Kalen Tramberg (1992), *African Encounters with Domesticity*, New Jersey, Rutgers University Press.

Hewlett, Barry S. (1992), *Father-Child Relations: Cultural and Biosocial Contexts*, London, Routledge.

Hodder, B. W. & U. I. Ukuyu (1969), *Markets in West Africa*, Ibadan, Ibadan University Press.

Hunt, Nancy (ed.) (1989), *A Colonial Lexicon: Of Birth Ritual, Medicalization and Mobility in the Congo*, Durham, Duke University Press.

Lindsay, L. & Stephan F. Miescher (2003), *Men and Masculinities in Modern Africa*, Portsmouth, NH., Heinemann.

Matera, Marc, Misty L. Bastian & Susan Kingsley Kent (2011), *The Women's War of 1929: Gender and Violence in Colonial Nigeria*, Hampshire, New York, Palgrave Macmillan.

McIntosh, Roderick (1998), *The Peoples of Middle Niger: The Island of Gold*, Oxford, Blackwell.

Murray, S. & W. Roscoe (1988), *Boy Wives and Female Husbands: Studies of African Homosexualities*, Hampshire, New York, Palgrave Macmillan.

Nast, Heidi (2005), *Concubines and Power: Five Hundred Years in a Northern Nigerian Palace*, Minneapolis, University of Minnesota Press.

Oyěwùmi, Oyèrónkè (1997), *The Invention of Women: Making an African Sense of Western Gender Discourses*, Minneapolis, University of Minnesota Press.

Smith, Michael G. (1978), *The Affairs of Daura: History and Change in a Hausa State 1800-1958*, Berkeley, University of California Press.

Robertson, Claire (1984), *Sharing the Same Bowl: A Socioeconomic History of Women and Class in Accra, Ghana*, Bloomington, Indiana University Press.

Van Allen, Judith (1976), "'Aba Riots', or Igbo 'Women's War'? Ideology, Stratification and the Invisibility of Women", Hafkin and Bay (eds.), *Women in Africa*, Stanford, Stanford University Press.

Wairimu Ngaruiya Njambi & William E. O'Brien (2005), "Revisiting 'Woman-Woman Marriage': Note on Gikuyu Women", Oyèrónkè Oyěwùmi (ed.), *African Gender Studies: A Reader*, Hampshire, New York, Palgrave Macmillan.

コラム｜*Column*

アクスム王国のオベリスク

――イタリアによる略奪と返還

眞城百華

アクスム王国は、現在のエチオピア北部を中心に一世紀から一二世紀にかけて栄えた古代王国である。中東やヨーロッパとも交流を持ち、紅海交易を基盤に栄えた。四世紀のエザナ王の治世にはシリアから伝わったキリスト教が国教化されエチオピア正教と称された。エチオピア正教は歴代の王朝とつながって政治と宗教の関係が深化していき、現在にいたるまでエチオピア北部を中心に広く信仰されている。アラビア半島にも勢力を拡大したアクスム王国であったが、中東の勢力拡大により紅海交易の利益が滞ると徐々に弱体化し、一二世紀には王国の南部に成立し勢力を拡大したザグウェ王朝により制圧され滅んだ。

アクスム王国の遺構は、その中心地であったアクスムを中心に多く残されており、一九八〇年にはユネスコの世界遺産に認定された。中でも際立って目を引くのが複数の高さ二〇メートルを超える石塔、通称「オベリスク」である。オベリスクの一群は、歴代の王の就任式を執り行った聖マリア教会の隣接地に建造され、アクスム王国の有力者の墓標と考えられている。アクスム王国を起源とするエチオピア帝国においてもアクスムの都市と聖マリア教会、オベリスクは歴史的・宗教的象徴である。

オベリスクはエチオピア現代史において新たな注目の的となった。一九三五年にイタリアのムッソリーニ政権がエチオピア侵略を開始し、その後五年弱同地を占領した。アフリカの独立国であったエチオピアは列強の支配を初めて経験した。イタリアは占領下のエチオピアから「戦利品」として多くの文化遺産を略奪した。ハイレセラシエ皇帝の権力の象徴であるユダのライオン像、歴代の王の王冠や古文書などとともに、アクスムのオベリスクもイタリアに持ち去られた。一九三七年にイタリアは、三世紀に建立されたものの、すでに倒壊していた高さ二四メートル、重さ一五〇トンのオベリスクを地中海経由で輸送し、エチオピア支配の象徴として当時の植民地省の前にオベリスクを再建した。

一九四一年にイタリアが第二次世界大戦に参戦すると、イギリス軍の掃討作戦により同国は北東アフリカから撤退し、エチオピア帝国が再建された。一九四七年に締結されたパリ講和条約で戦後賠償とともにオベリスクを含む文化遺産の返還義務がイタリアに科せられた。その後、五二年にようやく両国の国交回復がなされ、五六年には二国間で友好協定が締結され戦後賠償や文化遺産の返還についての詳細が決定された。オベリスクの返還は同協定の付属書Cで特記されたが、その後のイタリア政府の輸送責任はナポリまでに限定され、その後の輸送はエチオピアに一任されており、イタリアが事実上オベリスク返還の責任を放棄し、エチオピアに負担を強いる内容となっていた。エチオピアが輸送の十分な財源を持たないことは自明であり、オベリスク返還が両政府間で事実上不問に付されたことを意味した。オベリスクをめぐる不可解な決定の背景には、同協定の主眼であったイタリアによる戦後賠償と経済支援が関わっている。エチオピア政府は膨大な輸送費のかかるオベリスク返還よりも戦後復興や経済成長に不可欠な戦後賠償の確保とイタリアの経済支援を優先した。

他方、エチオピア国内ではオベリスク返還を求める運動の萌芽が早くからみられた。前述の付属書Cの存在が認知されると、帝国議会議員や学者、有識者を中心にオベリスク返還を求める声が高まり、一九七〇年の帝国議会ではオベリスク返還を求める決議がなされ、返還が果たされない場合のイタリアとの外交関係の停止まで言及された。しかし、同決議は帝政期には効力を持てなかった。さらに七四年のエチオピア革命で帝政崩壊後に成立した軍事政権が瓦解する九一年までオベリスク返還に進展はなかった。

オベリスク返還が再びエチオピアで脚光を集めたのは、一九九一年の軍事政権崩壊後である。新政権樹立にむけた政治転換期に帝政期からオベリスク返還運動を展開してきた歴史学者リチャード・パンクハースト博士が中心となり、元大臣・国会議員や学者、有識者からなるアクスム・オベリスク返還委員会が翌年に結成された。委員会のアピールや署名活動、外相への嘆願、イタリア大使館への嘆願書提出などが奏功し、エチオピア政府はオベリスク返還に関する公聴会を開催し、政府としてオベリスク返還にむけて動き出した。新政権樹立後にエチオピア連邦議会は一九九六年二月にオベリスクの即時返還を求める歴史的決議を採択した。エチオピアとイタリアの両政府間でオベリスク返還に関する外交交渉が行われ、一九九七年三月四日に正式にオベリスクを年内にエチオピアに返還することが決定された。

輸送経路の問題もあって返還はさらに遅れたものの、オベリスクは二〇〇五年五月に三分割されて飛行機でアクスムに返還された。その後、ユネスコの支援を受けて返還されたオベリスクは三年をかけてアクスムの地に再建された。二〇〇八年九月四日、アクスムにおいてオベリスクの返還と再建を祝う盛大な式典が開催された。オベリスク再建の祝祭に注目が集まり、オベリスク再建の式典に寄せられたイタリア大統領のコメントでは「オベリスク帰還とアクスムにおける再建は我々の歴史の暗い時代の最終的克服を表す象徴的意味を持つ」としたが、返還を契機にイタリアのエチオピア侵略に関する歴史認識問題の論議が尽くされたとは言い難い。オベリスク返還は両国間に横たわる侵略や占領・支配に関する問題に再び光をあて、再考する契機となるべきであろう。

焦点 *Focus*

植民地経済の形成とアフリカ社会
——仏領西アフリカ・セネガルを中心に

正木　響

はじめに

欧州列強によるアフリカの植民地化は、一八一五年のナポレオン戦争終結前後から徐々に始まり、一八八〇年代に本格化した。それ以前は交易のためのヨーロッパ商館が点在する程度で、西アフリカ地域は、むしろ、サハラ交易を通じて中東や北アフリカとの関係の方が強かった。しかし、二〇世紀初頭には、大半の地域が欧州列強の支配下に置かれることとなった。このうち仏領西アフリカ(Afrique Occidentale Française, 以下AOF)は、傘下に複数の植民地をもつ植民地連邦で、その首都がおかれたセネガルは、最も早くフランスの植民地となり、周辺地域の植民地化の拠点ともなった。

本章では、まず、欧州列強がアフリカ大陸に植民地を形成するに至る概略を示した後、ナポレオン戦争終結から二〇世紀初頭までの期間について、セネガルの事例を中心に論じる。セネガルは、アラブ・イスラーム圏においては、イスラーム化が遅れた西の最果ての地でしかなかったが、フランスのアフリカ植民地政策においては特権的な扱いを受けた。本章ではフランスがどのように植民地経済をセネガルに形成し、現地の人々がいかにそれに反応し、それが現在のセネガル社会にどのような影響を与えたかについて考察する。

一、奴隷貿易から領土獲得へ

よく知られているように、植民地化が始まる前の段階でヨーロッパがアフリカに求めた交易品は奴隷であった。当時は、ヨーロッパでもアフリカでも、支配者が被支配者を非人道的に扱うことは珍しくなく、欧州でも専制君主が君臨し、人権といった概念はまだ希薄であった。しかし、一七世紀末に英国から広まった啓蒙思想が徐々に浸透するにつれ、欧州では専制君主政から民主政への移行が実現し、一八世紀後半には反奴隷貿易運動も盛んになった。ただし、鈴木(二〇二〇:二七七頁)が指摘するように、この奴隷制廃止運動そのものが、時間の経過とともに、現実的な利益を見出す手段に転化した。特に、アフリカ伝統社会では奴隷制は一般的であり、サハラ砂漠越えの奴隷貿易は二〇世紀になっても続いた。「奴隷制のような野蛮な制度をもった人々を文明化する」という使命は、植民地化を正当化する重要な論拠となった。他方で、植民地化の過程で労働力不足に直面した宗主国が、今度は植民地化という目的のために、奴隷という言葉を巧みに避けながら強制労働を推進したことも併せて指摘したい。

欧州で新たに誕生した「市民」の自由闊達な経済活動の結果起きた産業革命は、拡大する世界経済の中で、工業製品の原料や機械を動かす燃料の供給地として、また、大量生産によって供給が増えた工業製品の市場としての役割をアフリカに求めるようになった。さらに産業革命に続いて起きた通信・交通革命は、ヨーロッパの視点にたてば、遠く離れた地に植民地を形成し、支配することを容易にし、一九世紀後半に起きた武器技術の進化は、抵抗するアフリカの人々を圧倒的な力でもって服従させることを可能にした。こうして欧州列強がアフリカにもつ領土は、一九世紀から二〇世紀にかけて点から面へと拡大することとなった。

領土を獲得するにあたり、当初、ヨーロッパ諸国はアフリカ側の首長と協定を結んで河口部を確保し、そこから川を遡って内陸部に勢力を拡大させる戦略をとった。したがって、多くの川が大西洋に流れ出る西アフリカでは、主な河川ごとに支配国が異なることとなった。たとえば、現在のアフリカの地図をみたときに、セネガル共和国にガンビア共和国が食い込んだような形になっているのは、フランスがセネガル川の、英国がガンビア川の河口部をおさえたからである。両宗主国からみても、この地域を分けて統治するのは非効率であり、一八七〇年代には、ギニア湾岸の仏領と交換に英領のガンビアをフランスに委譲するという案も出現した。しかし、入植者を含む現地住民の反対や調整に手間取り、構想は実現しなかった(正木 二〇一一)。両地域は政治的独立を果たした後に再び統合を検討するが、宗主国によって異なる公用語および制度を植え付けられた後の統合は難しく、ゆるやかな同盟を目的に設立されたセネガンビア国家連合(一九八二年)も、七年後に解消されている。両地域は、植民地化される以前は「セネガンビア」と呼ばれ、民族構成もよく似ている。それにもかかわらず、独立後、全く異なる国として現在の形で併存することをアフリカの人達自身が選択したのである。本事例は、植民地化を批判しながらも、宗主国によって与えられた制度を安易に捨てされないアフリカの人々の葛藤を示しているともいえよう。誰にとっても生まれたときの環境がすべての始まりであり、たとえそれが力で変更された境界域や押し付けられた制度であったとしても、時間がたつと、そちらの方がデフォルトと感じる人の数が増えていく。植民地問題が独立後も長く燻るのは、宗主国が去っても、宗主国が植え付けた制度等が原因で、国民統合が難しくなるからではないかと考える。

二、セネガル植民地の特異性

ユーロアフリカ空間の形成とメティス・エリート

一四四四年、ポルトガル人探検家ディニシュ・ディアシュ(Dinís Dias)一行がセネガル沖に到着した。それ以降、主たる交易相手国はポルトガルからオランダ、そして英仏へと変遷するものの、サン=ルイ島とゴレ島は、大西洋交易とアフリカ大陸交易の重要な結節点として機能し、一八一七年に、パリ条約(一八一四―一五年)に基づき、英国が両島をフランスに割譲した際には、ヨーロッパ化したアフリカ系の住人――「メティス」と呼ばれる混血――が社会エリートとして君臨し、独特の政治経済空間を形成していた。なお、ここでの「メティス」は、Jones(2013)に則り、人種的な意味合いよりも社会支配層の一カテゴリーを示す語として用いている。男性メティスの多くはヨーロッパで教育を受け、セネガルに戻った後は植民地政府の行政官や士官として、もしくはビジネスの世界で活躍した。他方、「シニャーレ」と呼ばれた女性メティスは、ヨーロッパ商人の公私両面でのパートナーとして男性メティスと伍してアフリカ内陸部との交易を取り仕切った。

両島は、カリブ海のマルティニクやグアドループと同様に、フランス革命期前後に英国に一時占領されるものの、フランス第一次植民地帝国時代からの植民地であり、このことは、宗主国政府の中で、セネガルを他のアフリカ植民地に比べて特別な位置に押し上げた。第二次世界大戦終結直後にフランスの海外県となった「古い植民地」(ancient colonies)(マルティニク・グアドループ・仏領ギアナ・レユニオンの四地域)ほどの高いステータスを与えられることはなかったが、セネガルは、それに準じる扱いを受けた唯一のサハラ以南アフリカ地域の植民地であった。

一九世紀を通じて、フランス本国の政体は何度も変わり、フランス本国から派遣される総督や役人は頻繁に替わった。そもそも西アフリカ行きを希望するフランス人は少なく、派遣された人物のモラルと能力は総じて低かった(Cohen 1971)。武力で領土の支配に成功しても、そこに住む人々を植民地政府に都合よく動員し、効率よく支配するためには、被植民地社会に通じた協力者が必要であった。セネガルでは、内陸部に親族関係を持つメティスが、内陸部のアフリカ伝統王国の君主やアフリカ商人との間で「パトロン−クライアント関係」を形成し、アフリカ側の庇護者として植民地政府やフランス商人との間に介在した。

コミューン創設と住民の政治参加

一八一七年にサン＝ルイとゴレが正式にフランスの植民地となっても、フランスの植民地統治が軌道に乗るまでに二十数年を要した。その間、フランスはメティスに依存し、彼らがサン＝ルイやゴレの市長もしくは総督の私設諮問機関(conseil privé)のメンバーとして采配を振るうことを認めていた。こうした中、一八三〇年一一月五日、セネガルで自由民として生まれたすべての男性にフランス法を適用するデクレ(政令)が発せられた。本デクレは彼らをフランスの「市民」と同等に扱うことを意味した。ただし、この時点での「フランス領セネガル」は極めて狭い領域に限られ、大半の地域はアフリカ伝統王国の君主の支配下にあった。

一八四〇年、フランスは、「古い植民地」にならって、セネガル植民地にも総評議会(conseil général)をサン＝ルイに設置し、選挙で選ばれた住人が予算等の審議を行い、総督に提出して承認を得る機能を与えた。本制度は、一八四八年の第二共和政の誕生とともに廃止されるが、その代わりにフランス本国の国民議会に植民地代表を送ることが認められた。また、総評議会そのものも一八七九年に再開され、一九二〇年まで維持された。加えて、一八七二年に、フランスはフランス本国のコミューン(自治体)と同等のステータスをサン＝ルイとゴレに与え、ルフィスク(一八八〇年)、ダカール(一八八八年)がそれに続いた。これらをフランス語で「キャトル・コミューン」(四コミューン)という。これらのコミューンに五年以上住んだ者は、原則として、人種に関係なくフランスの「市民」として扱われ、参政権も与えられた。ただし、婚姻や財産等で現地の慣習法やイスラーム法の適用を希望する者をフランスの「市民」と認めるのは難しく、一九一四年に黒人として初めてセネガル代表国民議会議員となったブレーズ・ジャーニュ(Blaise Diagne)が一九一六年の法制化(「ジャーニュ法」)に成功するまで、市民なのかそうでないのか曖昧な状態の住人も少なからずいた(Jones 2012: 332)。なお、植民地でフランス市民でないものは、フランスの臣民(sujet)となり、フランス法ではなく、原住民法に基づき都度発せられるアレテ(省令)やデクレが適用された。

一部に限られていたとはいえ、一九世紀の時点で、フランスが植民地の住人に政治参加を認めたのはなぜだろうか。フランス本国の政体が、王政、帝政、共和政をめぐって揺れ動きながら最終的に共和政を選択していく過程と同時並行でこれらの地域の植民地化が進んだことと不可分ではなかろう。一八四八年の二月革命で王政が倒れ、第二共和政が発足すると同時にフランスは植民地での奴隷制廃止を宣言し、「古い植民地」の四地域とセネガルおよびノシベとサン＝マリ(いずれもマダガスカル)の奴隷主に賠償金を支払った。奴隷制廃止に尽力した当時の植民地担当副大臣ヴィクトル・シュルシェール(Victor Schoelcher)は、「この地球上に一人でも奴隷がいるかぎり、それは人類に対する永遠の屈辱である」という言葉を残している。つまり、フランス本国で共和政の実現に燃えるリーダー達は、当初、植民地の住人にも自由・平等の精神を認めていた。他方、農民や貴族を支持基盤に持つ王党派に対して、商業ブルジョワジーや新興産業を支持基盤とする共和派は対外拡張にも積極的であった。共和政が掲げる自由・平等の精神とフランスの植民地拡張政策との間に内在する明らかな矛盾は、共和政下のフランスにおいても例外なく、「奴隷制は「文明の恥」＝悪であり、植民地化は後進国の「文明化」＝善である」(平野 二〇〇二)という「文明化の責務論」で払拭されることとなった。

三、支配地の拡大と植民地経済の形成

支配地の拡大と統治方法

一八一七年にフランスが「セネガルとその付属領」を建設した時点で、**図1**に見るように、大半の領土は複数の王国や首長国の支配下にあった。このうちフルベ系の住民が多く住むフータ・トロやブンドゥは早くからイスラーム化していたが、それ以外の伝統王国社会では、イスラーム学者が王宮で顧問を務めることはあっても、国としてイスラームが信仰されているわけではなかった。もちろん王国内で商業や宗教活動を生業とするムスリムはいたが、彼らは土着民ではなかった。これら伝統王国の社会は自由民と奴隷で構成され、さらに自由民は貴族、農民、その他職業カーストに分けられていた。ただし、身分の高さと政治権力の大きさは必ずしも一致せず、「王の兵士」は奴隷身分でありながら貴族以上の権力を保持していた。人口の大半を構成する農民が耕す土地は共同体に属したが、川や沼の近くでなければ穀物生産は難しく、荒地のままの土地も多く残されていた。君主た

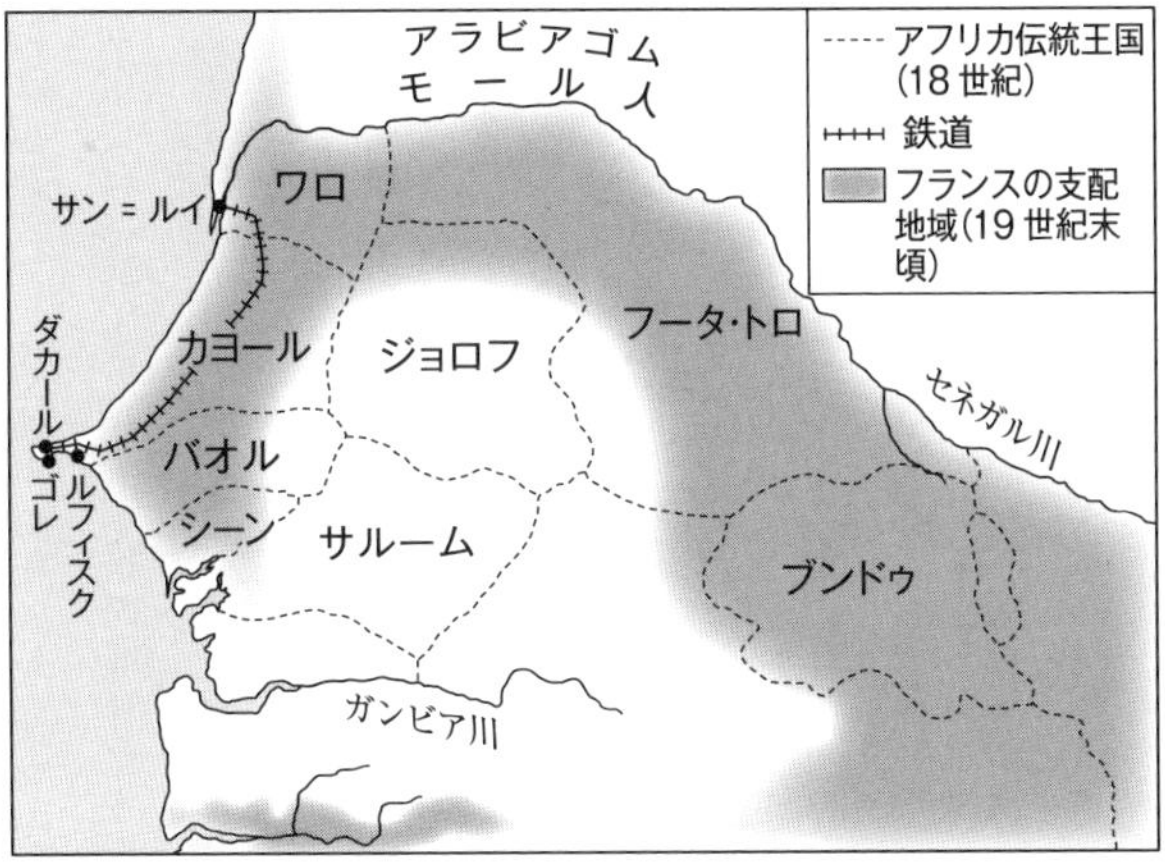

図1　セネガル(18-19世紀)

(出典：ミシガン州立大学アフリカ研究センター(http://exploringafrica.matrix.msu.edu/module-twenty-three-activity-two/), David Robinsonによる地図，およびElisée Reclus(1876-1905年，正確な発行年不詳), West Africa, Vol. 12 of *The Universal Geography: The Earth and its Inhabitants*, E. G. Ravenstein and A. H. Keane (eds.), London, J. S. Virtue & Comapany, 169, Fig. 72を基に作成)

ちは奴隷貿易と領地内の課税(農作物の貢納等)で富を成し、ヨーロッパから入手した贅沢品や酒で退廃的な生活を送り、これら君主の下で、税の取り立てや奴隷貿易に向けて奴隷狩りを行う「王の兵士」は、しばしば大酒を飲み人々に暴力をふるった(Glover 2007: 40)。こうした中、イスラーム宗教指導者(マラブー)が立ち上がり、人々の救いとなっていく。中にはジハード(聖戦)を起こして暴力で国を変えようとしたマラブーもいたが、村を作り、信徒を受け入れ、荒地を耕して食料を自給するマラブーもいた。フランスがセネガルを植民地にした一九世紀初頭の時点で、現地社会はこのように、君主およびその取り巻きと、それに批判的なマラブーの間で不安定な状況にあった。

フランスは、当初、これらアフリカの君主に貢納を支払って領土の一部を利用させてもらう立場にあったが、徐々に保護協定を締結して内陸部へと支配地を拡大した。仮に、保護協定が締結されない場合には武力で征服した。一八五四年に総督としてセネガルに着任したルイ・フェデルブ(Louis Faidherbe)は、フランスとの保護協定締結に後ろ向きであったセネガル川北側の首長国および上流のフータ・トロに侵攻し、セネガル川沿いの領土を支配下におさめた。続いて、伝統王国の領域に応ずる形でセルクルという行政区を創設し、君主に統治させるとともに、サン=ルイにこれら支配下の村長の息子や縁戚者のための「人質学校」(Ecole des Otages)という名の学校を創設して、フランスの西アフリカ支配を担う次世代の育成も行った(小川 二〇一四:一六六頁)。

英国・ベルギー・ドイツは、伝統的統治機構を利用して間接的に植民地を支配する手法をとったが、フランスは、本国から送り込まれた行政官や、同化政策を通じてフランス文化・慣習・言語を理解するエリートに植民地を支配させた(直接統治)といわれる。しかし、一九世紀末までに大半の地域がフランス領となったセネガルでは、四コミューン以外では間接統治も一般的であった。特に、一夫多妻制の下で、王位継承をめぐって争いが起きやすかったこともあり、植民地政府の意にそぐわない君主や村長は植民地政府に都合の良い人物に置き換えられていった。

加えて、フェデルブは一八五七年に、「セネガル歩兵部隊」を設立している。従来の部隊と異なり、魅力的なユニフォーム・銃・手当が提供された新部隊に、現地の若者が関心を持たないわけはない。つまり、セネガル歩兵部隊への入隊は、現地の人々の社会的上昇を可能とし、フランス側から見れば、現地人の同化を促す手段となった(平野二〇〇二：二六七－二六八頁)。当然のことながら、この新部隊は内陸部の平定と新たな植民地建設に貢献した。つまるところ、セネガルはフランスに植民地化されたが、セネガルの人々は、セネガルよりさらに内陸部の植民地化に加担したのである。

こうして西アフリカ各地に植民地ができると、フランスは、一八九五年にセネガル・フランス領スーダン・ギニア・象牙海岸の四植民地をまとめてAOF連邦を創設した。後に、オートボルタ(現ブルキナファソ)・ダホメ(現ベナン)・ニジェール・モーリタニアがこれに加わる。これにより植民地を担当するフランス政府内の部局も、海軍省から前年に設立された植民地省へと移管された。このことは、軍政から民政への移行を意味し、植民地統治も、腕力まかせの司令官から財政や行政に詳しい文官に委ねられることとなった。行政機構も、規模の大きい方から、連邦・植民地・セルクル・カントン・村レベルで整備され、セルクル以上の首長にはフランス人行政官が、カントンと村には現地の首長が採用された。これら行政機構は徴税をはじめとする植民地制度の導入・管理の主体となった。また、こうした制度や規則の明文化は、フランス人によるアフリカでのビジネスを容易にした。

フランスがセネガルに求めた換金作物

一九世紀前半にフランスがセネガルに求めた経済資源は、セネガル植民地の北側に広がるサヘル地域に自生するアカシアの木から採れる良質のアラビアゴムであった。アラビアゴムは以前より重要な交易品であったが、産業革命の原動力となった綿布の染色に不可欠であり、需要が急増していた。アラビアゴム交易を担っていたのが、サヘル地域に住む、俗にモール人と呼ばれる肌が褐色のアラブ・ベルベル系の民族で、彼らはアラビアゴムと交換に幅約一メートル、長さ約一五メートル、重さ約二キログラムの規格の藍染綿布を求めた（正木 二〇一五）。サヘル地域の人々は、現在でも、肌にうつった染料が肌の色を美しくし、日射しで荒れた肌を保護するという理由で藍染（もしくは藍染風）綿布をまとうことを好む。一七世紀以降、このタイプの綿布を賠償金や罰金の支払いに用いることを命じたファトワー（イスラーム法学に基づいて発令される勧告）がいくつも発せられており、事実上貨幣として機能していた。この藍染綿布をフランス人は「ギネ」と呼び、当初、セネガルもしくはフランスで生産することを試みるものの、安くて良質の藍が手に入らず計画は頓挫した。最終的にフランスは、セネガルと同時期に植民地となった仏領インドに近代的な工場を誘致してギネを生産し、フランス経由でサン＝ルイに運んでアフリカ商人に卸し、それと交換にアラビアゴムを入手した（Roberts 1992; 1996; Webb, Jr. 1995）。

一九世紀半ばになるとセネガルの主要輸出作物はアラビアゴムから油脂作物の落花生に置き換わっていく。なぜなら、ヨーロッパでアラビアゴムの代替物となる工業製品が出現し、他方で、工業化の進展により、工業油とその油にまみれた工場労働者が求める安い石鹸および食用油の需要が急増したからである。セネガルでは、一八二〇年代に試しに導入された落花生が、一九世紀半ばには大西洋沿岸部一帯で生産されるようになり、マラブー達の協力を得て、一九世紀後半にその栽培面積は一気に拡大した（Copans 1985）。

ヨーロッパ商人の進出とアフリカ商人の周縁化

ヨーロッパが求めた換金作物の輸出は現地社会にどのような影響を与えたのであろうか。アラビアゴム・ギネ交易では、当初、ヨーロッパとサン＝ルイの間の交易をフランス商人が担当し、そこから内陸の交易はサン＝ルイ在住のメティスやアフリカ商人（多くはムスリム）が仕切り、「トレタン」と呼ばれる交易人に前貸しでギネが渡されていた。その際に交換レート（ギネ一本あたりのアラビアゴムの量（キログラム））が定められ、トレタンはそのギネをセネガル川沿いに設置された「エスカル」と呼ばれる交易場に持ち込んでアラビアゴムと交換し、後日、サン＝ルイに戻った後で前借り分を清算して残りを自身の利益とした。つまり、トレタンは信用で得たギネを用いて、サン＝ルイとエスカルの二つの交換レートの差を利用して収入を得ていたわけである。本交易は、うまくいけば大きな利益が得られるが、逆ザヤが発生すれば債務を抱えることとなり、リスクの大きな取引であった。

総督が頻繁に入れ替わったセネガルでは、フランス南西部の港湾都市ボルドーからの商人が植民地支配に強い影響力をもっていた。ボルドーは一八世紀にはサン＝ドマング（現ハイチ）とのワイン・砂糖交易でフランス随一の港湾都市となっていたが、フランス革命中にサン＝ドマングが独立してしまったため、仏領インドやセネガルとの交易に関心をもつようになった。彼らの中には、伝統的な商慣行を無視して、自身でトレタンを雇用してエスカルにギネを運ばせる者もいた（Webb, Jr. 1995: 126-127）。しかし、エスカルに運ばれるギネ本数の増大は、そこでのギネ一本当りのアラビアゴムの交換量を減らす作用を持つことから、トレタンの収入は減少し、多額の債務を抱えて破産する者が出現することとなった（Hardy 1921: 253-276）。彼らが破産すれば、彼らに信用でギネを卸している商人も無傷ではいられない。一八三〇年代、メティスの影響下にあった植民地政府は、ギネとアラビアゴムの交換レートを固定したり、トレタンの数を管理したりして競争を抑制したが、こうした管理を嫌がるフランス商人の声もあり、体力のないトレタンやアフリカの商人は徐々に市場から淘汰されていった。

一九世紀半ば以降に本格化した落花生交易ではフランス商人（社）自身の内陸部進出がより顕著になった。まず、ダカールやルフィスクといった沿岸部の主要都市にフランス商社の現地法人が設置され、そこを頂点に、支店およびその下請け・孫請け商人等からなるピラミッド階層状の交易網が内陸部に向けて形成された。ピラミッドの下部にいくほどアフリカ商人の比率が高まり、彼らは上層部から落花生の交換財となる銀貨やヨーロッパ製品を前借りし、必要に応じてミレット（雑穀）や種子などに交換して落花生栽培に従事する農民に貸し付け、収穫時に返済を求めるという信用ビジネスを展開した(Marfaing 1992: 327-338)。当初、前借りした信用を内陸部で何度も回転させて手広く利ザヤを稼ぎ、直接、ヨーロッパ商社と取引をする大アフリカ商人もいた(Marfaing 1992: 337-338)。ただし、うまく信用が回らなければ、多額の債務を負うこととなった(Thiam 2007)。また、アフリカ商人が商品をもって消えることもあり、フランス商社は掛け売りには積極的ではなく、直接、アフリカ人を雇用する商社も出現するようになった(Marfaing 1992: 332)。アラビアゴム交易と同様に、参入者の増大は、独立して事業を営むアフリカ商人のビジネスを難しくした。結果的に、富裕な大アフリカ商人の中には、ビジネスの将来を悲観して子弟に事業の継承を望まず、むしろ、植民地政府内の職に就かせることを希望する者もいたという(Marfaing 1992: 343-345)。先の「セネガル歩兵隊」と同様、植民地政府内の職にありつくことは、現地の人々にとっては社会的上昇を意味したのである。

インフラ建設と強制労働

拡大した支配地を効率よく統治し、ヨーロッパ商人が内陸部でビジネスを拡大するには通信・交通インフラの整備が必須であった。セネガルにおいては、栽培した落花生の搬出方法がかねてから大きな課題となっており、一八八五年に、サン＝ルイから落花生の産地を通ってダカールに至る鉄道が開通している[図1]。鉄道建設と前後して、通信のための電線(電信線)も敷かれた。一八六〇年代前半の時点で、植民地内で既にテレグラフの利用が可能であり、一八八五年には、セネガルのヴェルデ岬からカナリア諸島を経由してヨーロッパに至る海底ケーブルも敷設されている。

こうした鉄道・電信網の敷設は現地でさまざまな軋轢《あつれき》・反発を招いた。例えば、サン＝ルイとダカールを結ぶ鉄道建設のためにフランスはカヨール王国の王ラット・ジョール Lat Joor に土地の無償提供を求める協定を結ばせた。ラット・ジョール自身、フランスが据えた傀儡《かいらい》王であったため、協定そのものは締結されたが、後日、このことが王国の崩壊に繋がると懸念したラット・ジョール自身によって鉄道建設が拒否されると、植民地政府は彼を王位から退かせ、激しい戦闘の後、殺害してしまう(小川 二〇一四：一四三―一五八頁)。

加えて、植民地開発・インフラ建設には大量の労働者を必要とした。しかし、ウィーン会議(一八一四―一五年)で英国が奴隷貿易廃止を提起したこともあり、植民地開発のために植民地政府が公然と奴隷を使うことは躊躇《ちゅうちょ》されたのであろう。セネガルでは、一八二〇年代初頭に、年季契約労働制(engagés à temps)が導入されている。これは既に誰かに所有されていた奴隷を政府が購入して、一定期間働かせた後に自由民にする制度であった(Zuccarelli 1962)。自由民にするというオプションを加えることで、罪悪感を払拭しながら必要を満たしたというわけだ。一八八七年に仏領スーダンを中心に多数設立された「自由村」(Village de liberté)でも、類似のレトリックは見られる。ヨーロッパ列強の支配下にまだ入っていない内陸部のアフリカ伝統社会から逃げてきた奴隷を「自由村」という名のフェンスで囲まれた「収容所」に隔離して、鉄道建設の現場等で一定期間強制労働をさせた後に、自由民とした(Bouche 1968)。セネガルの歴史家ババカル・ファルによると、一九一一年までに西アフリカでは一五五の自由村が存在したという(Fall 2002: 7)。

植民地の拡大とともに、インフラ建設やプランテーション開発のための労働需要はさらに増えた。当初、フランスはセネガルで綿花や藍などのプランテーション建設を試みるがすべて失敗した。しかし、仏領スーダンでは綿花の、コートジボワールではコーヒー・カカオなどのプランテーションが建設され、労働者を必要としていた。そこでAOFは一九一二年に「コルベ」(corvée)と呼ばれる労働賦役を導入した。これは、健康な成年男性に、一年のうち一―二週間、公共事業やプランテーションで無償労働を提供することを義務づける制度で、村長を通じて供出された。第一次世界大戦終結後のヴェルサイユ協定に基づき、一九一九年には、国際労働機関(International Labor Organization, 以下ILO)が設立され、強制労働廃止運動も高まった。しかし、フランスは、労働に代わって金銭で税金を支払うオプションを導入することで、強制労働を懸念する国際社会からの批判をかわすとともに(Van Waijenburg 2018: 51-52)、強制労働を禁止する一九三〇年のＩＬＯ強制労働条約採決時には棄権した。最終的に、フランスは、一九三七年に同条約を批准するのであるが、採択された条約には、通常の市民的義務と認められる労務は強制労働に包含されないことが示されているからだろうか。強制労働(travail forcé)という言葉を「義務労働」(travail obligatoire)という言葉に置き換えて、第二次世界大戦終結までその制度を維持した(Cooper 1996; Fall 2002: 5-15)。これに対して、アフリカの人々は様々な形で仕事をサボタージュすることで抵抗を示したが、こうした行動は「アフリカ人は労働意欲が低く、強制されなければ働かない」という植民地側の認識を強化し、強制労働の正当化に繋がった(Fall 2002: 7, 14)。

四、徴税制度と貨幣

財源の確保

植民地支配には費用がかかる。インフラ建設に必要な費用は債券等の発行で賄えたが、軍事費を除く植民地の維持に必要な費用の大半は植民地で集められた。最も導入が簡単な税は関税であった。特にアフリカ大陸外との交易への課税は、大型船の係留が可能な港での物流をおさえれば比較的簡単に行えた。輸入品のみならず輸出品にもしばしば税が課せられた。一方、間接税に比べて、直接税の徴収にはより大きな費用と労力を伴う。そこで、ＡＯＦでは、村長を通じて人頭税が集められた。集められた税収の数%は村長に還元されたため、彼らの徴税意欲は高かったようだ。また、家畜税や営業免許も重要な財源となった。これ以外にも植民地化以前の伝統社会で用いられていた制度をそのまま利用することもあった。例えば、サヘル地域には、アラビア語で一〇%を意味する「ウスルー」(oussourou)という通行税・関税が植民地化以前からあり、フランスは、仏領スーダン植民地を創設した直後の一八九一年一月から、サハラ交易のキャラバンが植民地に入る際に貨物に一〇%課税した。ウスルーで集められた税収額は、一八九四年の

仏領スーダン植民地の税収の四分の一超にも達しており、当時、重要な財源であったことがわかる。(1)

徴税及び財政支出のための貨幣

徴税するにあたって、どのような貨幣で税を集めるかは重要な関心事であった。セネガルには、奴隷制廃止の際にフランス政府から奴隷主に支払われた賠償金の一部を原資に、サハラ以南アフリカで最初の発券銀行となるセネガル銀行が一八五四年にサン゠ルイに設立されていた。しかし、四コミューン以外では紙幣を支払いの対価として受け取るアフリカ人は少なかった。代わりに、セネガル川沿いではギネが、大西洋沿岸部ではフランス本国の五フラン銀貨が貨幣の機能を果たしていた。こうしたことから、一八七〇年代後半に、フランスがセネガル川上流部からさらに内陸部に侵攻した際には、現地での食料調達や現地人雇用のために、ギネが大量に持ち込まれている(Roberts 1996: 161-167)。しかし、ギネは、時間の経過とともに小型化していくものの、それでも一本あたり二キロ弱と、かなり嵩張る商品貨幣であった。当時、ギネ一本の価値は一〇フラン程度であったが、その重さは、五フラン硬貨二枚(五〇グラム)に比べて四〇倍であった。この点について一八八八年に、フランスの海軍・植民地省に提出された報告書では、二五万フラン相当の貨幣を内陸部に運ぶにあたり、五フラン硬貨であれば一二五〇キログラムで済むところ、ギネを持ち込んだために三四トンにも達したことが記されている。(2) 報告書の執筆者は、商品貨幣から金属貨幣もしくは紙幣といった近代貨幣の導入を訴えたが、自動車や鉄道が導入される前のこの時代に、銀貨を大量に内陸部に運ぶ作業もリスクが高く、内陸部では常に硬貨が不足している状態にあった。貨幣がなければ徴税はできない。そこで植民地政府は、ギネで税を支払うことを認め、税収として集められたギネを、現地での支出に用いた(Masaki 2022: 62)。

アフリカ大陸領土分割がほぼ完了し、内陸部でも「近代」貨幣が流通するようになった第一次世界大戦前後に、植民地通貨利用の強制が本格化した。具体的な方策として、税金を植民地通貨で支払うことを強制することで、人々に自発的に植民地通貨を求めさせた。しかしながら、植民地通貨が充分に供給されていない地域では、税金を支払う時期になると、植民地通貨の需要が高まり、その価値を急騰させ、納税のためにフランを必要とする農民がフランス商社に農産品を買いたたかれる現象を創出させた(中尾 二〇二〇：三一九―三二〇頁)。つまり十分にフランが流通していない地域では、フランを持っているフランス商人が取引で圧倒的に有利な立場にあった。

保有する貨幣の価値低下を望む人はいないように、植民地通貨のアフリカでの浸透は、望むとも望まずとも、アフリカの人々がその通貨発行体である植民地政府を信認することを意味した。また、宗主国と植民地との間での通貨経済圏形成によって、植民地は宗主国の付属物として世界経済に統合され、他方で異なる宗主国の下にある近隣アフリカ諸国との交易・決済は煩雑になった。

おわりに

啓蒙主義によって絶対王政から解き放たれ、新たに「市民」となった人々の自由な経済活動の結果、欧州では産業革命が起こり、その原材料の調達先および生産物の市場として、アフリカの植民地化が推進された。その際に、自らの社会の発展と繁栄のために、他地域を支配し、そこに住む人々の自由を奪うという行為は、「文明化の責務」論で正当化された。本章ではセネガルを中心にみたが、領土の確保、インフラ建設、そのための強制労働と徴税、植民地貨幣といった宗主国に有利な制度の導入、アフリカ側の経済アクターの衰退などは、他の地域でも観察される共通の現象である。

通常、植民地を効率的に支配するには現地での協力者が不可欠であり、「植民」という言葉が示すように、宗主国から入植者が送り込まれる。しかし、目ぼしい天然資源もなく、落花生ぐらいしか育たない乾燥した土地のセネガルに入植を希望するフランス人は限られた。結果的に、セネガルでは、メティス・エリートが植民地政府とアフリカ黒人との間に介在した。もっとも、メティス・エリートも決して一枚岩ではなく、植民地の限られた資源を巡っての対立は日常茶飯事で、各コミューンに設立された商業会議所や町議会、総評議会、フランス国民議会への植民地代表選出選挙等が政治闘争の場となった(Jones 2013)。最終的には、ボルドーおよび植民地政府と近い関係にあったメティスが、アフリカ内陸部の商人や君主と強い関係をもっていたメティスを凌駕するようになるのであるが、そのプロセスは、黒人を含むさまざまなアクターの離合集散を繰り返しながら進んだ。こうした激しい政治闘争の最たる帰結が、セネガル初の黒人代議士ジャーニュの誕生である。彼は、第一次世界大戦中に、フランスのために植民地の人々の徴兵に協力した人物としても知られ、前述のＩＬＯの強制労働禁止条約採択の際に、フランス代表団の代表として棄権票を投じ、ボルドー商人と良好な関係を築き、セネガルの政治的独立にも反対した(小川 二〇一四：三八二―三八五頁)。そもそも「ジャーニュ法」の適用対象となったのは四コミューンのみで、それ以外の地域に住む人々は依然として臣民の扱いであった。つまり、彼はフランス「市民」としての義務を果たすことで同等の権利も求め、四コミューンがフランスの一部であり続けることを望む、完全にフランスに同化した黒人であった。

他方、四コミューン以外の地域に目を移してみると、フランスの侵攻に抵抗する者は数多くいたが、最終的には殺害されるか、フランスにとって都合の良い人物に置き換えられた。こうなると、植民地化に抵抗するよりも植民地政府に協力して生き残ることを選択する方が賢明と判断する者が出てもおかしくはない。たとえば、セネガルで重要なイスラームのスーフィー教団の一つムリッド教団の創始者アフマド・バンバ(Ahmad Bamba)は、フランスの侵攻に非暴力で抵抗し、何度も幽閉されたが、その弟子のイブラ・ファル(Ibra Fall)は、宗教活動に熱心なバンバのカリスマ性を高めて信者を惹きつけながら、農村に信徒を集めて農業共同体を作り、「労働は祈ることである」(労働すれば祈らなくてもよい)という独得の解釈を示して、宗主国が求める落花生栽培拡大に貢献した(3)。フランスは植民地のイスラーム化を推進してはいなかったが、宗教指導者の力を借りて目的を実現し、宗教指導者とその信徒である農民は落花生生産で新たな収入源を得たのである。この点について、マーティン・クラインは、「奴隷貿易はウォロフ(アフリカ)伝統王国君主の力を強化したが、落花生交易は農民に富と力を与えた」(Klein 1972: 424)と述べた。また、西アフリカイスラーム研究の泰斗デイヴィッド・ロビンソンは、スーフィー教団の指導者たちが、フランス当局に政治領域を委ねながら、他方で、宗教・経済社会領域で自治を維持したとして、対立の際の「調整」や「受容」を意味する「accommodation」という言葉をつかって、「Paths of accommodation」(受容への途《みち》)と表現した(Robinson 2000)。

こうしてセネガルでは、伝統社会の既得権益層とアフリカ黒人商人および彼らと強い関係を持っていたメティスは植民地化によって力を失ったが、植民地政府やフランス商人と良好な関係を築いていたメティスとスーフィー教団および農民は力を得た。特に、後二者については、フランスがアフリカ社会で虐げられていた人たちを解放したともとれる。しかし、解放された奴隷がすぐに強制労働や兵士に動員されたように、被支配者側に利用価値がなければ、解放者はすぐに権威支配者の面をみせた。それに対して、被支配者側の中に、フランスに同化して、新たな体制の中で自らを少しでも有利な立場に置きたいと考える者もいた。平野(二〇〇二:三〇七―三一〇頁)が指摘するように、まさにフランス同化政策の真骨頂であり、「精神の征服」である。

通常、植民地政府に協力的もしくは懐柔された人達の出現は社会の分断を招き、独立後、国民国家を形成する上で大きな障害となる。しかし、セネガルは、ガンビアより南部のカザマンス独立問題を除けば、安定した政治社会を維持できており、取り返しのつかない社会の分断は避けられたようだ。なぜ、そのようなことが可能だったのか。ここでは二つの仮説を提示して終わりたい。一つ目は、宗主国が求めた落花生生産は大きな初期投資を必要とせず、多数の小農が生産を担ったため、極端な富の偏在が避けられたこと、二つ目は、既に小川(一九九八)が先鞭をつけたように、スーフィー教団が、中間組織として「社会関係資本」を担い、大衆の「アトム化」を阻み、社会の安定に寄与したことである。これらの仮説の検証については、今後の研究に期したい。

注

（1） *Exposés des motifs du budget de l'exercice 1894*, フランス海外領土文書館（ANOM）, Soudan IX 1 d.

（2） Carnavantという調査員が海軍植民地省に一八八八年六月一日付けで提出した以下のレポート、*Rapport sur l'emploi des guinées et autres matières d'échange dans le Haut Fleuve et le Soudan Français*, ANOM, Sénégal, XIII 74.

（3） この独得の解釈については、正木（二〇一三：二一六―二二〇頁）を参照されたい。

参考文献

小川了（一九九八）『可能性としての国家誌――現代アフリカ国家の人と宗教』世界思想社。

小川了（二〇一四）『ジャーニュとヴァンヴォ――第一次大戦時、西アフリカ植民地兵起用をめぐる二人のフランス人』東京外国語大学アジアアフリカ言語文化研究所。

鈴木英明（二〇二〇）『解放しない人びと、解放されない人びと――奴隷廃止の歴史』東京大学出版会。

中尾世治（二〇二〇）『西アフリカ内陸の近代――国家をもたない社会と国家の歴史人類学』風響社。

平野千果子（二〇〇二）『フランス植民地主義の歴史――奴隷制廃止から植民地帝国の崩壊まで』人文書院。

正木響（二〇一一）「英領ガンビアの対仏割譲交渉とその社会経済史的背景」井野瀬久美惠・北川勝彦編『アフリカと帝国――コロニアリズム研究の新思考にむけて』昴洋書房。

正木響（二〇一三）「概説：ムリッド教団（一）」『金沢大学経済論集』三三巻二号。

正木響（二〇一五）「一九世紀にセネガルに運ばれたインド産藍染綿布ギネ――フランスが介在した植民地間交易の実態とその背景」『社会経済史学』八一巻二号。

Bouche, Denise（1968）, *Les villages de liberté en Afrique noire française*, Paris, MouTon.

Cohen, William B.（1971）, *Rulers of empire: the French colonial service in Africa*, California, Hoover Institution Press.

Cooper, Frederick (1996), *Decolonization and African society: the labor question in French and British Africa*, Cambrdige, Cambridge University Press.

Copans, Jean (1985), *Les marabouts de l'arachide*, Paris, L'Harmattan.

Fall, Babacar (2002), *Social History in French West Africa: Forced Labour, Labour Market, Women and Politics*, Kuala Lumpur, Vinlin Press.

Glover, John (2007), *Sufism and Jihad in Modern Senegal: The Murid Order*, Rochester NY, University of Rochester Press.

Hardy, Georges (1921), *La mise en valeur du Sénégal de 1817 à 1854*, Paris, E. Larose.

Klein, Martin A. (1972), "Social and Economic Factors in the Muslim Revolution in Senegambia", *The Journal of African History*, 13-3.

Jones, Hilary (2012), "Rethinking Politics in the colony: The Métis of Senegal and urban politics in the late nineteenth and early twentieth century", *The Journal of African History*, 53-3.

Jones, Hilary (2013), *The Métis of Senegal: urban life and politics in French West Africa*, Bloomington, Indiana University Press.

Marfaing, Laurence (1992), "L'implantation des maisons de commerce au Sénégal et la réaction du commerce africain", B. Barry & L. Harding (eds.), *Commerce et commerçants en Afrique de l'Ouest: Sénégal*, Paris, L'Harmattan.

Masaki, Toyomu (2022), "Spheres of Money, Payments, and Credit Systems in the Colony of Senegal in the Long Nineteenth Century", K. Pallaver (ed.), *Monetary Transitions: Currencies, Colonialism and African Societies*, Cham, Palgrave.

Roberts, Richard (1992), "Guinée Cloth: Linked Transformations in Production within France's Empire in the Nineteenth Century", *Cahiers d'Études Africaines*, 32-128.

Roberts, Richard (1996), "West Africa and the Pondichery Textile Industry", T. Roy (ed.), *Cloth and commerce: textiles in colonial India*, Thousand Oaks CA, Sage.

Robinson, David (2000), *Paths of Accommodation, Muslim Societies and French Colonial Authorities in Senegal and Mauritania, 1880-1920*, Athens, Ohio University Press.

Thiam, Samba (2007), *Les indigènes paysans entre maisons de commerce et administration coloniale: Pratiques et institutions de crédit au Sénégal (1840-1940)*, Aix-en-Provence, Presses universitaires d'Aix-Marseille-PUAM.

Van Waijenburg, Marlous (2018), "Financing the African Colonial State: The Revenue Imperative and Forced Labor", *The Journal of Economic*

History, 78-1.

Webb, Jr., James L. A. (1995), *Desert Frontier: Ecological and Economic Change Along the Western Sahel, 1600-1850*, Madison, Wis., University of Wisconsin Press.

Zuccarelli, François (1962), "Le régime des engagés à temps au Sénégal (1817-1848)", *Cahiers d'Études Africaines*, 7.

焦点｜Focus

パン・アフリカニズムとアフリカ
——解放の思想と運動

荒木圭子

はじめに

二〇二〇年五月末、米国ミネソタ州ミネアポリスの路上で黒人男性ジョージ・フロイド(George Floyd)が取り締まり中の警察官によって殺害されたことをきっかけに、人種差別に抗議するブラック・ライヴズ・マター(Black Lives Matter)運動が、米国内のみならず世界中に広がった。これを受けて六月初め、アフリカ人作家一〇五名は、フロイドを含む犠牲者七〇名の名前を記した上で、米国の人種差別に基づく暴力を非難する署名付き公開書簡を発表した。そしてアフリカへの移住を希望するアメリカ黒人に対し「パン・アフリカニズムの名のもとに」避難場所や市民権を提供するよう、アフリカ諸国政府に求めた。(1) さらにその三日後には、ユッスー・ンドゥール(Youssou Ndour)やサミュエル・エトー(Samuel Etoo)といった政治・経済・文化・スポーツなどの分野で国際的に活躍するアフリカ人八八名が、「われわれは黙っていられない」として、「グローバルなアフリカ国家」(the global African nation)の建設や経済的連携を呼びかけながら、アメリカ黒人との確固たる連帯を表明した。(2)

これらの動きから推察されるのは、現代においてもアフリカ人がアフリカ外に居住する黒人との間に、一定のアイデンティティを共有していることである。かれらを「黒人」として集団化する人種概念については、科学的根拠をもたないことが証明されて久しい。アフリカ内に目を向けても、多様な民族を統一化するのが困難なことは明らかである。にもかかわらず、彼らは文化や慣習の全く異なるアメリカ黒人を、ひとつの大きなコミュニティの仲間として迎え入れようとしているのだ。

このようなアフリカ内外の「黒人」たちの連帯意識は「パン・アフリカニズム」と呼ばれ、一九世紀末から欧米諸国の黒人たちの権利獲得運動とアフリカ人の反植民地運動を結びつけてきた。本章では、一九世紀から二〇世紀への世紀転換期において、パン・アフリカニズムが両者をどのように結合し、解放の思想として機能したのかを明らかにする。前半では、欧米諸国の黒人たちによって実践されたパン・アフリカニズムとしてパン・アフリカ会議とガーヴィー運動を取り上げ、後半ではアフリカ内でのパン・アフリカニズムの同時代的展開として、南アフリカの事例を紹介する。

なお、本章では欧米の黒人とアフリカ人をまとめて扱う際、当時の国際社会で一般的に受け入れられていた人種概念とその後の社会通念に従って、「黒人」と表記する。この人種規定は一九世紀に流布した社会進化論に基づくものであるが、以下で見ていくように、黒人の地位の低さが国際的構造であることを認識していた当時の黒人指導者たちは、自らにあてがわれた人種の規定をまず受け入れた上で、その構造を覆すことを目指した。アフリカ人に関しては当時「原住民」(Natives)という用語が一般的に使用されていたが、差別的ニュアンスを含むことから、本章では「アフリカ人」あるいは文脈によって「黒人」という用語を使用する。人種概念は所与のものではなく社会的に規定されたものであるため、厳密には「黒人」「アフリカ人」と括弧で括るべきであるが、煩わしさを避けるため、特に強調すべき時を除いて括弧を外すこととする。

一、パン・アフリカニズムの発展

パン・アフリカニズムは観念と運動の両方を指すことから、定義することが難しい。エセデベは「アフリカ、アフリカ人、海外のアフリカ系人を一つの集団としてとらえる政治的・文化的現象」であり、「アフリカを再生・統一し、アフリカ世界の人々の一体感を促進することを目指す」ものという簡易的な定義を与えた上で、「新世界」をその発祥の地としている(Esedebe 1994: 5, 8)。アフリカ大陸から連れ出された黒人たちとその子孫が、「新世界」で経験した差別的待遇に対し集団としての抵抗を行うなかで、アフリカとのつながりを新たに見出していったのである。奴隷交易を発端とするアフリカ内外の黒人たちの直接・間接的な接触は大西洋地域に黒人独自の公共圏を生み出した。ポール・ギルロイ(Paul Gilroy)はこれを「ブラック・アトランティック」(Black Atlantic)と名付けている(Gilroy 1993: 1-5)。

一九世紀以降、黒人たちはブラック・アトランティック内をさまざまに移動したが、とくにロンドンには、留学、出稼ぎ労働、スポーツ、芸能活動といった多岐にわたる分野において各地から黒人たちが集った。彼らはそれぞれの経験してきた人種差別的待遇を共有し、その共通性を確認することでパン・アフリカニズム的思考を形成・発展させていった。一九世紀末になると、「パン・アフリカニズム」という用語がイデオロギー的に使われるようになり、黒人の地位向上のために国籍や民族を超えた統一的な運動が開始された。

イデオロギーとしてのパン・アフリカニズムの第一人者であるヘンリー・シルヴェスター・ウィリアムズ(Henry Sylvester Williams)も、四一年間の生涯にわたってブラック・アトランティック内を往来し、活動を行った一人である。一八六七年、カリブ海地域に広がる英領西インド諸島のバルバドスで生まれたウィリアムズは、幼少期に同諸島内のトリニダードに移住し、青年期に米国とカナダに滞在したのちロンドンに渡った。三四歳でトリニダードに戻るまではロンドンに基盤を置きつつ、南アフリカやリベリアでも活動した。

ウィリアムズは一八九七年、アフリカ人の交流と連帯意識の促進ならびに彼らの利益の保護・促進を目的として、ロンドンにアフリカ協会(African Association)を設立した。このきっかけとなったのは、南アフリカ人のアリス・キンロッチ(Alice Kinloch)の活動である。一九世紀後半にダイヤモンドが発見された内陸都市キンバリーの出身であったキンロッチは、夫が同地のダイヤモンド鉱山に勤務していたことから、南アフリカの黒人労働者の苦境について詳しく、ロンドンで彼らの待遇改善を求める活動をしていた(Killingray 2012)。キンロッチから南アフリカの人種差別体制について知らされたウィリアムズは、アフリカ人の利益を代表する機関をイギリスに設立する必要性に気づき、同協会を設立した。ウィリアムズと同じ法曹院に通っていたシエラレオネ出身のトーマス・J・トンプソン(Thomas J. Thompson)が会長、ウィリアムズが副会長、キンロッチが会計役を務め、まさにブラック・アトランティックを実体化した組織であった(Sherwood 2011: 40)。

アフリカ協会は一九〇〇年にロンドンでパン・アフリカ会議(Pan-African Conference)を開催した。当初は南アフリカなど大英帝国内におけるアフリカ人の待遇に焦点を当てる予定であったが、米国やハイチといった国々からも会議開催への賛同者が集まったことから、それらの地域の国内問題も扱うことになった。実際、アフリカを代表する参加者は数名であり、ほとんどが米国あるいはカリブ海地域出身者であった(Sherwood 2011: 70, 78)。

会議では人種に関するあらゆる問題について報告されたのち、列強に宛てた声明が発表された。米国の黒人指導者W・E・B・デュボイス(W. E. B. Du Bois)が起草したもので、冒頭部分に記された「二〇世紀の問題は人種(color line)の問題である」という文言は、一九〇三年に出版された代表作『黒人のたましい *The Souls of Black Folk*』でも繰り返され、現在に至るまでデュボイスの代名詞ともなっている。

声明では、米国内の黒人への参政権等の付与やハイチやリベリアといった黒人国家への独立の保障などが求められた一方で、植民地の独立については明確に要求されていない。イギリスに対しては「アフリカと西インド諸島の黒人植民地に対し、できるだけ早く責任ある政府の権利を与えること」を求めるにとどまり、ドイツおよびフランスに対しては「植民地の真の価値は繁栄と進歩にあり、〔中略〕正義が繁栄の第一の要素であることを忘れてはならない」と、政治的権利さえ明記されていなかった(Du Bois 1900: 639-641)。会議後、アフリカ協会はパン・アフリカ協会(Pan-African Association)として改組され、二年ごとに会議を開催することになったが、目立った成果はなく数年後に活動を休止させた。

アフリカの独立に関して直接的な成果を上げることはできなかったものの、本会議は、あらゆる地域に居住する黒人たちを、ひとつの人種として集団化した点で大きな意味を持っている。アフリカやカリブ海地域で欧米諸国による植民地支配が広がっていた時代、黒人たちはブラック・アトランティックのなかで情報や思想を共有し、植民地や欧米諸国における人種差別を、それぞれの地域固有の問題ではなく、黒人全体に共通した問題として認識するようになった。そしてパン・アフリカニズム的思考のもとに団結して問題解決を目指したのである。このようなパン・アフリカニズム運動は、第一次世界大戦を機にさらに発展していった。

二、第一次世界大戦と自決権の要求

第一次世界大戦はパン・アフリカニズムを大きく進展させた。戦後の新たな国際秩序が模索されるなか、黒人たちは連帯して旧来の人種主義的な国際秩序の是正を求めたのである。大戦には米国のほか各植民地からも黒人たちが従軍していた。連合国の勝利に貢献した見返りとして、黒人たちは新たな理念として提唱された自決権を、旧ドイツ領アフリカへ適用することを訴えるようになった。

パン・アフリカ会議

一九一九年にパリ講和会議が開催されることが決まると、一九〇〇年のパン・アフリカ会議に参加していたデュボイスは、黒人たちの主張を国際社会の指導者たちに伝えるべく、新たなパン・アフリカ会議(Pan-African Congress)の開催を決定した。旧ドイツ領の処遇が主要な関心事であったものの、即時の自決権付与までは求めず、同地域に関する黒人たちの要望をまとめる機会として同会議を位置付けた。デュボイスはアフリカへの自決権付与に関しては「自決権の原則をいまだ半文明化の状態にある人々に対して完全に適用することはできないが、部分的には適用できる」という立場をとっていた(NAACP 1919: 119-120)。

一九一九年二月にパリで開催されたパン・アフリカ会議は、一九〇〇年の会議と区別して第一回目と数えられる。欧米やカリブ海地域を中心とした一五カ国から五七名の代表が集結し、うちアフリカの代表は九カ国一二名であったが、その多くは会議のために渡仏したわけではなく、すでにフランスに滞在していた者たちであった。当初フランス政府からは本会議の開催について懸念が示されていたものの、デュボイスの意を受けたフランス領セネガル出身の代議士ブレーズ・ジャーニュ(Blaise Diagne)が交渉し、二カ月後にクレマンソー首相から「宣伝はしないように。でもどうぞ」という言葉を得て開催に漕ぎ着けた(Du Bois 1945: 15)。

フランスは「同化」思想の下、セネガルの四つの地域に対して本国の地方自治体と同等の「コミューン」としての地位を与え、国民議会議員を選出する権利を認めていた。フランス語やヨーロッパ的「教養」を身につけたアフリカ人エリートにはフランス市民権が与えられたが、初のセネガル選出アフリカ人議員であったジャーニュはその代表格であった(小川 二〇一五：九七—一一五頁)。

パン・アフリカ会議はフランスの植民地運営を賛辞するジャーニュの開会宣言から始まった。最終決議においては、戦勝国がアフリカ人を国際的に保護する取り決めを策定することと、国際連盟がその取り決めの履行に関して責任を負うことが提案されたほか、アフリカ人とアフリカ系人を統治する際に準拠すべき原則が列挙されたが、アフリカ人の政治的権利に関しては、「文明化」の程度によって地方レベルから国家レベル、さらにはアフリカ全体へと漸進的に参政権を付与することが求められたのみであった。自決権という言葉すら使われず、パリ講和会議に対していくらかでも影響を与えたとは言いがたい(Du Bois 1919: 271-74)。

一九二一年には第二回パン・アフリカ会議がロンドン、ブリュッセル、パリの三都市で開催された。最終決議として採択された「世界への宣言」は、「人種間の絶対的平等——肉体的、政治的、社会的——は、世界平和と人類の進歩の礎石である」と断言して植民地主義を批判し、現存する黒人独立国家の保持を訴えたものの、全体的なトーンとしては第一回目と同様にエリート主義的かつ融和的であった(Du Bois 1921b: 5-10)。会議終了後には国際連盟に嘆願書を提出したが、これもアフリカへの自決権を要求するものではなく、黒人労働者問題への注意喚起のほか、委任統治委員会への黒人の任命などを求める程度であった(Du Bois 1921a: 18)。

パン・アフリカ会議は一九二四年と二七年にも開催されたが、植民地と直接つながりをもたない欧米のエリート黒人および植民地経営のなかに取り込まれたアフリカ人エリートによる会合といった性格が強かったことから、アフリカの独立に実質的な影響をもたらすには至らなかった。しかし、「黒人」がひとつの集団であり、権利獲得を求める主体であることを、国際社会に対して明確に突きつけた意義は指摘しておくべきであろう。

マーカス・ガーヴィーの運動

パン・アフリカ会議と同時期、マーカス・ガーヴィー(Marcus Garvey)による運動は、米国から世界各地に広まり、それぞれの地域に根ざした大衆運動に影響を与えた。ガーヴィーは一八八七年に英領西インド諸島ジャマイカに生まれ、中南米地域を周遊して見聞を広めたのち一九一二年に渡英した。二年後に帰国すると、国内の黒人の権利獲得のため万国黒人向上協会(Universal Negro Improvement Association, 以下UNIA)を設立したが、一九一七年、資金集めのため米国を遊説したことをきっかけに、米国を拠点に黒人全体の地位向上を目指すパン・アフリカニズム運動を展開した。ガーヴィーもまたブラック・アトランティックでの移動を通じてパン・アフリカニズムの思想を身につけ、第一次世界大戦後の新たな国際秩序に希望を見出しながら、運動を発展させていった。

ガーヴィーは国際社会で黒人が名誉ある地位を獲得するためには、黒人を代表する「強い国家」が必要だと確信していた。UNIAをあらゆる黒人を庇護する擬似的な国家と位置付け、「国歌」や「国旗」を制定したほか、自らアフリカ共和国暫定大統領を名乗った。また、「強い国家」は政治的に独立しているだけではなく、経済的にも欧米諸国に依存することなく自立していなければならないという認識の下、黒人汽船会社ブラック・スター・ライン(Black Star Line, 以下BSL)を設立した。これは黒人が株主となって黒人独自の経済圏を支えるパン・アフリカニズム的な自立経済プログラムで、実際にカリブ海で船舶を運航させたBSLは黒人たちの熱狂的な支持を集めた(荒木 二〇二一:六一一三頁)。

ガーヴィーは強い黒人国家建設のため、国際社会に対し旧ドイツ領アフリカの独立を求めた。一九一九年にはUNIAとして要望をまとめ、講和会議中のパリに代表を派遣した。この要望書には「アフリカおよびアフリカ系人が多数を占めるヨーロッパ支配下の全ての植民地に対し自決権を適用すること」とあり、アフリカのみならず中南米などの植民地にも自決権を付与することが求められた。さらに旧ドイツ領アフリカに関しては、「教育を受けた東西の黒人を指導者として、原住民に引き渡すこと」とある(UNIA 1918: 288)。デュボイス同様、ガーヴィーもヨーロッパ文明を基準とする価値観を共有していた。ただしその背景には、当時の国際社会のなかで欧米諸国と対等なアクターとして認められるためには、欧米の文明基準を満たさなければならないという現実認識があった。ガーヴィーは、

「欧米化」すなわち「文明化」した黒人が手助けすることで、アフリカに欧米諸国に比肩しうる黒人国家を実現させようとしたのである。

一九二二年七月、旧ドイツ領のトーゴランドとカメルーンが英仏によって委任統治されることが国際連盟で正式に承認されると、ＵＮＩＡはこれに抗議する嘆願書を準備し、ジュネーヴの国際連盟総会での配布を試みた。嘆願書では国境を越えて集団化された「黒人」たちを自決権の担い手である「民族」(nation)や「人民」(people)として提示し、残りの旧ドイツ領アフリカ地域を彼らに委ねるべきだと訴えた(UNIA 1922: 735-740)。この嘆願書は最終的にガーヴィーの依頼を受けたペルシア代表によって総会出席者に配布された(荒木 二〇二一：七八―八五頁)。

旧ドイツ領アフリカへの自決権付与の道が閉ざされると、一九世紀半ばにアメリカ黒人を中心に建国されたリベリア共和国を世界中の黒人を代表する「強い国家」建設の対象と位置づけ、アフリカ「帰還」運動を開始した。知識や技術を身につけたアフリカ外の黒人がリベリアに「帰還」して同国の経済発展を牽引するという一大プロジェクトである。しかし、最終的にリベリア政府からの協力が得られず、実現することはなかった。

ガーヴィー運動は、ＢＳＬが破綻してガーヴィー自身がアメリカ合衆国から国外退去になったことで衰退していった。しかしエリート中心であったパン・アフリカ会議とは異なり、大衆自らがＢＳＬの株を購入するなどしてパン・アフリカニズム運動の直接的担い手として参加したことから、米国内のほかカリブ海地域、中南米、アフリカの各地で「現地化」された抵抗運動を生み出した。その一例として、アフリカ内で最も活発にガーヴィー運動が広まった南アフリカについて見ていきたい。

三、南アフリカにおけるパン・アフリカニズム

南アフリカにおいては一七世紀以来、ヨーロッパから入植してきた移民の末裔であるアフリカーナーが現地のアフリカ人を民族別に制圧していき支配力を強めていた。しかし一九世紀後半にダイヤモンドと金が発見されたことをきっかけにイギリス人が内陸部に進出し、アフリカーナーとの戦争に勝利して一九一〇年に南アフリカ連邦を成立させた。産業の発展に伴い、労働力の確保と困窮するアフリカーナー救済を目的として人種隔離政策が導入される中で、アフリカ人たちは民族の区別なくまとめて「原住民」と分類され、安価な労働力として位置づけられた。南アフリカではアメリカ合衆国とは異なり、白人と黒人の間に混血層を指す「カラード」の人種カテゴリーが定められた。また「インド人」のカテゴリーもあった。

エチオピアニズム

南アフリカにおいて、アフリカ人たちの抵抗運動は教会から始まった。アフリカ人に対する布教活動は一八世紀末のイギリスによるケープ植民地占領から活発化していたが、宣教師はアフリカ人に対して常に父権主義的な態度で接し、「野蛮」から「文明」へとアフリカ人を引き上げる役割を自任していた。キリスト教への改宗者は、ヨーロッパ的な思考や文化を身につけた「進歩」を体現する存在であった。当初、各伝道団は、いずれアフリカ人に教会運営の権限を委譲することを意図していたが、一九世紀後半からの人種主義と植民地主義の拡大により、結局のところアフリカ人には補助的役割しか与えられないままであった(Campbell 1995: 103–11; Fredrickson 1995: 80)。

一九世紀末、教会における人種差別に不満を抱いたアフリカ人牧師が独立教会を設立し、「エチオピアニズム」と

呼ばれる黒人教会独立運動が広まった。エチオピアニズムの理念的根拠は『旧約聖書』「詩篇」第六八篇三一節の「エジプトより王子が到来しエチオピアは神に手を差し伸べる」(Prince shall come out of Egypt; Ethiopia shall soon stretch forth her hands to God)に求められる。当時、「エチオピア」はアフリカ全体を意味する言葉であったことから、この箇所がアフリカの解放を予言するものとしてとらえられたのであった。

多くの独立教会が特定の地域や民族を対象としていたなかで、マンゲナ・モコネ(Mangena M. Mokone)は南アフリカ全土を対象にエチオピアニズムを展開した。モコネは一八七四年にウェスリー派メソディスト教会で洗礼を受けたのち牧師となったが、教会内における人種差別から同教会を脱退し、一八九三年にエチオピア教会を設立した。同教会には教派や民族の枠を超えて聖職者や信者が集まったが、モコネらはアフリカ大陸の他地域に宣教師を派遣することも考えていたという(Chirenje 1987: 44)。

エチオピア教会は米国のアフリカン・メソディスト監督教会(African Methodist Episcopal Church, 以下AME教会)と協力関係を築きながら発展した。AME教会は人種隔離に反対して既存の教会から脱退したアメリカ黒人たちが設立した独立教会である。一九世紀末には四〇万人以上の信徒を有し、西アフリカにも活動範囲を広げていた。

両者を結びつけたのは、モコネの姪にあたるシャーロット・マニエ(Charlotte Manye)によるブラック・アトランティックでの活動である。当時人気を博していたアメリカ黒人の聖歌合唱団が南アフリカで巡業したことをきっかけに、南アフリカでもアフリカ人聖歌合唱団が結成されたが、その一員となったマニエは英国や米国を巡業した後、一八八五年にほかのメンバーとともにAME教会の提携する米ウィルバーフォース大学に入学した。モコネはマニエを通してAME教会について知り、すぐに同教会のヘンリー・マクニール・ターナー(Henry McNeal Turner)主教に支援を求める手紙を書いたのであった(Chirenje 1987: 50-52)。

一八九八年、ターナーは南アフリカを訪れ、六週間にわたって各地を巡回しながらアフリカ人聖職者の叙任を行った。AME教会に吸収され、一四番目の教区となったエチオピア教会は短期間のうちに飛躍的に拡大したものの、ターナーの約束した金銭的支援が実現しなかったことやアメリカ黒人による父権主義的態度から求心力をなくしていった(Campbell 1995: 216-22; Frederickson 1995: 80)。しかし、エチオピア教会の全国的規模での活動は各地における独立教会運動を促進し、教会におけるアフリカ人の自治獲得にとどまらず、当時アフリカ人に対して課せられていたさまざまな負担や制限に対する抵抗運動の拠点を作り出していった(Frederickson 1995: 82-89)。エチオピアニズムはアフリカ人たちを政治化し、彼らが主体的に参加する初めての組織的抵抗運動をもたらしたのである。

ガーヴィー運動とアフリカ人ナショナリズム

南アフリカでアパルトヘイトが法制化されるのは、一九四八年にアフリカーナーによる国民党が単独で政権を取ってからであるが、同様の人種隔離政策は一九一〇年に南アフリカ連邦が結成された頃から実施されてきた。アフリカ人たちは権利獲得のため、政治的な組織を結成して抵抗するようになった。一九一二年には、三つに分割された首都のうち司法機能を担うブルームフォンテンで、民族の違いを超えてアフリカ人の利益を代表することを掲げた南アフリカ原住民民族会議(South African Native National Congress)が設立された。同会議は一九二三年にアフリカ民族会議(African National Congress)と改称されたことから、以下ANCで統一する。

一九一九年にはケープタウンでアフリカ人にとって初めての労働組合組織である産業商業労働者組合(Industrial and Commercial Workers Union of Africa, 以下ICU)が結成された。前述のマニエは、南アフリカ黒人として初めて学位を得た女性であったが、ICUの集会で演説するなどして同組織の拡大に協力したほか、一九一三年にはのちのANC女性組織の前身であるバントゥ女性連盟(Bantu Women's League)を組織し、アフリカ人女性の地位向上にも貢献した。

南アフリカでは、マニエのような留学経験のあるエリートのほか、西インド諸島出身の船員たちもブラック・アトランティックに参加していた。南アフリカの産業化が進むと、港湾都市ケープタウンには西インド諸島出身の黒人船員が滞在するようになり、コミュニティを形成した。彼らがUNIA機関紙『ニグロ・ワールド *Negro World*』を持ち込み、ガーヴィーの教えを説いたことで、南アフリカにガーヴィー運動が普及したのである。南アフリカにはアフリカ内で最も多くのUNIA支部が設立された。

白人による支配に抵抗するため、異なる民族集団に属するアフリカ人たちがひとつの集団として地位向上を目指すとき、ガーヴィー運動が強く打ち出す人種団結のメッセージは極めて有効であった。ICU指導者らが創刊した新聞『ブラック・マン *Black Man*』にはしばしば米国でのUNIAの活動が紹介され、南アフリカの黒人たちもそれにならうべきだと訴える記事が掲載された。また、カラードに対して「黒人」としてアフリカ人と連帯すべきことも強く訴えられた(*Black Man*, August, 1920)。

ANCにおいては、米国への留学経験をもち、UNIAでも活動していた西ケープANC議長ジェイムズ・タエレ(James Thaele)がガーヴィー運動の普及に努めた。一九二五年には『ニグロ・ワールド』にならった『アフリカン・ワールド *African World*』が公式機関紙として発刊されたほか、ケープタウンにあるANC支部はニューヨークのUNIA本部と同じリバティ・ホールと名付けられ、その写真が『ニグロ・ワールド』紙上でも紹介された(*Negro World*, October 10, 1925)。『アフリカン・ワールド』創刊号には、「アフリカ帝国」(The African Empire)と題した巻頭記事が掲載され、アフリカ解放という目的を早期に成功させるためには、アフリカ外のアフリカ人の協力を得ることが必須であり、UNIAのプログラムを理解しなければならないと訴えられた(*African World*, May 23, 1925)。

このようにガーヴィー運動は、ANCやICUが非白人の利益を代表する組織として発展していくことに寄与した。一九二〇年代後半になると、これらの組織において共産党の影響力が強まり、ガーヴィー運動に取って代わるようになっていったが、その流れのなかで、ガーヴィー運動の影響は農村部に拡大していった。ズールー人のエリアス・ブテレジ(Elias Butelezi)が、アメリカ人のウェリントン博士(Dr. Wellington)と称してコーサ人の多く住むトランスケイの農村部で広めたウェリントン運動は、パン・アフリカニズム的なガーヴィー運動がアフリカ人大衆の間で「現地化」した例である。

ウェリントン運動では、ANCやICUによる運動と同様、白人による支配に抵抗するため、民族の壁を超えてアフリカ人が団結することが訴えられた。また、当時トランスケイの農民が直面していた物価高騰や重税といったさまざまな負担からの解放が千年王国的な救済と結びつけられた。アメリカ黒人が飛行機で南アフリカの白人を追放しにやって来るという予言を信じた信奉者たちは、救済を受けるため、UNIAの「国旗」に使われている赤、黒、緑の三色ボタンの購入や豚の殺害といったブテレジからのあらゆる指示に従った。根拠のない予言を繰り返すブテレジに対してはガーヴィー自身も警戒を示しており、一九二七年七月の『ニグロ・ワールド』紙上で「ペテン師」であるとして警告している(荒木 二〇二一:一六一—一六五頁)。

ブテレジは黒人を支配してきた白人の価値観を否定し、ウェリントン学校と呼ばれる独自の学校を設立した。多くのアフリカ人が既存の学校への登校をやめ、一時的にウェリントン学校へ通ったが、のちに反アパルトヘイト闘争の指導者となるウォルター・シスル(Walter Sisulu)も、少年時代トランスケイの地元に設立されたウェリントン学校に通った経験をもつ。のちにシスルは、ウェリントン学校でガーヴィーの思想について学んだことで、白人による抑圧を初めて認識できるようになったと語っている(Sisulu 2012: 24, 178)。

ウェリントン運動はANCやICUそして独立教会と融合しながら農村部に広まっていった。社会の秩序を乱すとされたブテレジに対しては、一九二七年に制定された原住民統治法に基づいて、南アフリカ連邦首相の名で逮捕状が出された。このことはウェリントン運動が当局からも警戒されるほどの影響力を有していたことを示している。ただし、アメリカ黒人による救済の予言が当たらないことや資金不足により、各地のウェリントン学校は閉校し、運動は次第に消滅していった(荒木 二〇二一:一六五頁)。

南アフリカで人種隔離政策が本格化していった時期、アフリカ人たちはそれに抵抗するために、民族を超えたアフリカ人の団結とカラードとの共闘のほか、国境を超えた欧米の黒人たちとのつながりをも訴えた。欧米の黒人たちがアフリカの脱植民地化を自らに直結する問題として捉えたのとは異なり、南アフリカの黒人たちの関心事はあくまで国内の人種問題であったが、彼らの抵抗運動はブラック・アトランティックのなかでパン・アフリカニズム的要素を多分に含みながら展開されてきたのである。

おわりに

第二次世界大戦が終結して間もない一九四五年一〇月、第五回パン・アフリカ会議がイギリスのマンチェスターで開催された。本会議において、パン・アフリカ会議の主たる参加者は欧米のエリート黒人からアフリカ人ナショナリストに移った。特にアメリカ留学中であった英領ゴールドコーストのクワメ・ンクルマ(Kwame Nkrumah)は、トリニダード出身でアメリカ共産党に入党したのちパン・アフリカニズムに転向したジョージ・パドモア(George Padmore)と協力して運動の中心的役割を担った。ンクルマは帰国後、反植民地運動を指揮し、一九五七年に独立したガーナの初代大統領となった。パドモアはンクルマの政治顧問となり、ガーナの国家建設に直接的に関わった。デュボイスは、一九〇九年から取り組みながら未完であった黒人に関する百科事典の編纂をンクルマから依頼され、一九六一年に九三歳でガーナに移り住んだ。二年後に病気のため志半ばにしてガーナで生涯を終えることとなったが、パン・アフリカニズムの体現ともいえるこのプロジェクトはその後、長い時を経て一九九九年、米ハーバード大学のクワメ・アンソニー・アッピア(Kwame Anthony Appiah)とヘンリー・ルイス・ゲイツ・ジュニア(Henry Louis Gates,

Jr.)によって完成された(Gates, Jr. and Appiah 2010: iX)。

本章で見てきたように、アフリカ内外の黒人たちは、大西洋地域における移動と接触によって、パン・アフリカニズムを発展させてきた。各社会における黒人の地位の低さを根本的に解決するためには白人を頂点とする人種構造を是正しなければならないと考え、連携した運動を展開したのである。アフリカ各地において反植民地運動に発展していくさまざまな抵抗運動には、大西洋世界における黒人間の相互作用が影響している。多民族社会であるアフリカにおいて、「黒人」として統一化を図ることは非現実的とも取られるであろう。しかしながら一九世紀以降アフリカ人たちは、大西洋上に広がるより大きな黒人世界のなかに自らを位置付けることによってエンパワーメントを高め、抵抗運動を実現してきたのである。

注

（1）“An Open Letter from African Writers: #BlackLivesMatter”, AFRICAN ARGUMENTS, June 3, 2020.（https://africanarguments.org/2020/06/an-open-letter-from-african-writers-blacklivesmatter/）最終閲覧日二〇二二年七月一九日。

（2）“An open letter from prominent Africans: We cannot remain silent”, Royal African Society, June 5, 2020.（https://royalafricansociety.org/an-open-letter-from-prominent-africans-we-cannot-remain-silent/）最終閲覧日二〇二二年七月一九日。

参考文献

【一次資料】

Du Bois, W. E. B.（1900）, “To the Nations of the World”, David Lever Lewis（ed.）, *W. E. B. Du Bois: A Reader*, New York, Henry Holt and Company, LLC.

Du Bois, W. E. B.（1919）, “The Pan-African Congress”, *Crisis*, Vol. 17, No. 6（April 1919）.

Du Bois, W. E. B.（1921a）, “Manifesto to the League of Nations”, *Crisis*, Vol. 23, No. 1（November 1921）.

Du Bois, W. E. B. (1921b), "To the World (Manifesto of the Second Pan-African Congress)", *Crisis*, Vol. 23, No. 1 (November 1921).
Du Bois, W. E. B. (1945), "The Pan-African Movement", George Padmore (ed.) (1963), *Colonial and Coloured Unity: A Programme of Action: History of the Pan-African Congress* (London, The Hammersmith Bookshop Ltd.).
Hill, Robert A. (1983-2014), *The Marcus Garvey and Universal Negro Improvement Association Papers,* Vols. 1-10, Berkeley, University of California Press.
NAACP (1919), "The Future of Africa", *Crisis*, Vol. 17, No. 3 (Jan. 1919).
UNIA (1918), "Nine Point Declaration", November 12, 1918, in Robert A. Hill, *The Marcus Garvey and Universal Negro Improvement Association Papers*, Vol. 1, Berkeley, University of California Press, 1983.
UNIA (1922), "Petition of the Universal Negro Improvement Association and African Communities League", July 20, 1922, in Robert A. Hill, *The Marcus Garvey and Universal Negro Improvement Association Papers,* Vol. 4, Berkeley, University of California Press, 1985.
"A Liberty Hall for the African Congress", *Negro World*, October 10, 1925.
"Bloemfontein Conference. Delegates' Reports", *The Back Man*, August 1920: 1.
"Negroes of South Africa! Take Notice!", *Negro World*, July 30, 1925.
"The African Empire", *African World*, May 23, 1925.

【二次資料】
荒木圭子（二〇二一）『マーカス・ガーヴィーと「想像の帝国」――国際的人種秩序への挑戦』千倉書房。
小川了（二〇一五）『第一次大戦と西アフリカ――フランスに命を捧げた黒人部隊「セネガル歩兵」』刀水書房。
Campbell, James T. (1995), *Songs of Zion: The African Methodist Episcopal Church in the United States and South Africa*, New York, Oxford University Press.
Chirenje, J. Mutero (1987), *Ethiopianism and Afro-Americans in Southern Africa, 1883-1916*, Baton Rouge, Louisiana State University Press.
Esedebe, P. Olisanwuche (1994), *Pan-Africanism: The Idea and Movement, 1776-1991*, 2nd ed., Washington, D.C., Howard University Press.
Fredericksson, George M. (1996), *Black Liberation: A Comparative History of Black Ideologies in the United States and South Africa,* New York, Ox-

ford University Press.

Gates, Jr., Henry Louis, and Kwame Anthony Appiah (2010), *Encyclopedia of Africa*, Vol. 1, Oxford, Oxford University Press.

Geiss, Imanuel (1974), *The Pan-African Movement: A History of Pan-Africanism in America, Europe and Africa*, New York, Africana Publishing Co.

Green, Jeffrey (1998), *Black Edwardians: Black People in Britain: 1901-1914*, Portland, OR, Frank Cass Publishers.

Gilroy, Paul (1993), *Black Atlantic: Modernity and Double Consciousness*, Cambridge, Harvard University Press.（上野俊哉・毛利嘉孝・鈴木慎一郎訳『ブラック・アトランティック――近代性と二重意識』月曜社、二〇〇六年）

Killingray, David (2012), "Significant Black Africans in Britain before 1912: Pan-African Organisations and the Emergence of South Africa's First Black Lawyers", *South African Historical Journal*, 64-3.

Sherwood, Marika (2010), *Origins of Pan-Africanism: Henry Sylvester Williams, Africa, and the African Diaspora*, New York, Routledge.

Sisulu, Walter, George M. Houser and Herbert Shore (2012), *I Will Go Singing: Walter Sisulu Speaks of His Life and the Struggle for Freedom in South Africa*, South African History Online (September 14).

コラム　*Column*

原爆と反核
――二〇世紀中葉のアフリカと日本の共通体験

溝辺泰雄

二〇世紀に生み出された最悪の兵器の一つである原子爆弾(原爆)は、アフリカを搾取した植民地支配体制と密接に結びついていた。一九四五年八月に広島と長崎で無数の人々の命を奪い、多くの人々を後遺症で苦しめてきた二発の原爆に用いられたウランの多くは、ベルギー領コンゴ(現コンゴ民主共和国)南部カタンガ州のシンコロブウェ鉱山で採掘されたものであった。

コンゴがベルギー国王レオポルド二世の「私領地」(コンゴ自由国)とされていた一九〇六年、カタンガ州の豊富な銅とコバルトを「開発」する目的で、ベルギーはイギリスと合同で鉱山会社「上カタンガ鉱山連合」(UMHK)を設立した。二〇世紀前半の急速な工業化の流れのなかで銅とコバルトの需要は急増し、UMHKは一九二五年までに二万人以上の現地の人々を動員して生産を加速させた。UMHKの生産量は、世界の銅の生産量の七%、コバルトの九〇%を占めるまでに至り、莫大な利益をベルギーにもたらした。

UMHKがシンコロブウェに純度の高いウラン鉱の存在を「発見」したのは一九一五年頃とされる。ウランの採掘は一九二〇年代初頭から開始されたが需要は伸びず、シンコロブウェ鉱山は一九三七年に一旦廃鉱となる。しかし、一九三八―三九年の核分裂反応の発見と第二次世界大戦の勃発により状況が一変した。欧州主要国がウランを用いた新兵器(原爆)開発に着手したのに続き、アメリカも一九四二年に原爆開発計画(マンハッタン計画)を極秘に開始した。チェコのウラン鉱山を支配下においたドイツに対抗すべく、アメリカは同盟国イギリスの支援を得てUMHKと交渉し、シンコロブウェ鉱山のウランを確保した。

この時UMHKの代表としてアメリカと交渉したのは、ベルギー人鉱山技師でUMHK取締役のエドガー・サンジエであった。ドイツのベルギー侵攻を受けてアメリカに逃れていたサンジエは、シンコロブウェに残されていた計一七〇〇トンのウランを数回に分けてアメリカに移送し、ニューヨーク・スタテン島の倉庫に保管させていた。さらに、サンジエは現地の人々を徴募してシンコロブウェ鉱山を再操業させ、アメリカにウランを供給し続けた。こうした「功績」が認められ、サンジエは終戦後、戦争功労者としてアメリカ政府から叙勲された。

一方、コンゴでウラン採掘に動員された人々の境遇は悲惨であった。三交代制で昼夜を問わずウランの採掘に当たらされた彼らは、何を採掘しているのかを知らされず、防護服も供与されなかった。そのため、多くの人々が許容量を超える

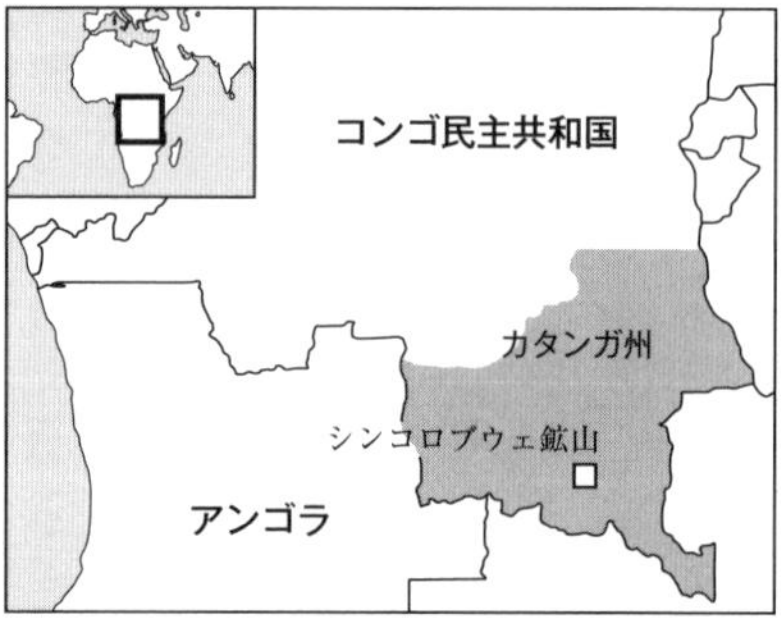

シンコロブウェ鉱山の位置（出典：BBC NEWS, http://news.bbc.co.uk/2/hi/programmes/file_on_4/6401491.stm）

放射線に被曝した。また、汚染された土壌や飲用水によって、鉱山周辺の住民にも甚大な健康被害が及んだ。これらの被害は植民地体制のなかで隠蔽され、独立後も長らく被害者の声はかき消されてきた。

広島と長崎に投下された原爆の被害者は、当時被爆地で暮らしていた・暮らさざるを得なかった人々だけでなく、コンゴにも存在していたことについて、日本では十分に認識されているとはいえない。しかし、南アフリカ在住のコンゴ人市民団体（CCSSA）が、コンゴにおけるマンハッタン計画による被害の実態を調査するためのプロジェクトを二〇一五年から開始するなど、近年コンゴ人の側から、この問題を見つめ直す動きが起こり始めている。

アフリカと原爆の関係は、原料の供給源としてだけではなかった。原爆はアフリカでも使用されていたのだ。アフリカ各地で植民地解放のための闘いが繰り広げられていた一九六〇年二月、フランスが自らの植民地支配下におくアルジェリア領内のサハラ砂漠で、原爆実験を実施したのである。計画公表時から抗議を続けていたアフリカの人々は、この原爆実験の強行をフランスによる植民地主義の象徴として受け止めた。

ガーナの初代大統領クワメ・ンクルマもアフリカにおける反核運動を主導した。ンクルマが一九六二年にガーナの首都アクラで開催した「爆弾なき世界のためのアクラ会議」は、世界から一三〇人以上の参加者を集め、欧米諸国による核実験への抗議と核廃絶へ向けての国際運動体の創設を目指した。そして同会議には、日本からも元参議院議員で平和活動家の高良とみ、広島市長の浜井信三、そして日本被団協理事長の森瀧市郎が出席し、反核運動におけるアフリカとアジアの連帯が模索された。

こうしたアフリカにおける反核の動きは、「アクラ会議」の翌年に発足した「アフリカ統一機構」（OAU）が主導する形で継続されていく。OAUは、翌一九六四年に「アフリカの非核化に関する宣言」（カイロ宣言）を採択し、同宣言は一九六五年の国連総会で承認された。そしてこの流れは、一九九〇年代前半の南アフリカによる核放棄、一九九六年のOAUによる「アフリカ非核兵器地帯条約」（ペリンダバ条約）の採択、二〇〇三年のリビアによる核放棄、そして、二〇〇九年の「ペリンダバ条約」の発効へとつながるのである。

【執筆者一覧】

松田素二(まつだ もとじ)
1955年生．総合地球環境学研究所特任教授．社会人間学・アフリカ地域研究．

寺嶋秀明(てらしま ひであき)
1951年生．神戸学院大学名誉教授．生態人類学・民族学．

坂井信三(さかい しんぞう)
1951年生．南山大学名誉教授．西アフリカの歴史人類学．

鈴木英明(すずき ひであき)
1978年生．国立民族学博物館グローバル現象研究部准教授．インド洋海域世界史．

網中昭世(あみなか あきよ)
1976年生．アジア経済研究所地域研究センターアフリカ研究グループ研究員．アフリカ研究・国際関係学．

武内進一(たけうち しんいち)
1962年生．東京外国語大学現代アフリカ地域研究センター教授．アフリカ研究・国際関係論．

米田信子(よねだ のぶこ)
1960年生．大阪大学大学院人文学研究科教授．言語学・バントゥ諸語．

苅谷康太(かりや こうた)
1979年生．東京大学大学院総合文化研究科准教授．西アフリカ・イスラーム史．

杉山祐子(すぎやま ゆうこ)
1958年生．弘前大学人文社会科学部教授．生態人類学．

正木　響(まさき とよむ)
1969年生．金沢大学人間社会研究域経済学経営学系教授．世界経済論．

荒木圭子(あらき けいこ)
1972年生．東海大学国際学部教授．アフリカン・ディアスポラ研究．

中尾世治(なかお せいじ)
1986年生．京都大学大学院アジア・アフリカ地域研究研究科助教．歴史人類学・西アフリカ史．

佐藤千鶴子(さとう ちづこ)
1973年生．アジア経済研究所地域研究センター主任調査研究員．南部アフリカ地域研究．

石川博樹(いしかわ ひろき)
1973年生．東京外国語大学アジア・アフリカ言語文化研究所准教授．歴史学・アフリカ史．

眞城百華(まき ももか)
1974年生．上智大学総合グローバル学部教授．エチオピア現代史・アフリカ研究・国際関係学．

溝辺泰雄(みぞべ やすお)
1974年生．明治大学国際日本学部教授．アフリカ学・日本アフリカ関係史．

【責任編集】

永原陽子(ながはら ようこ)
1955年生. 京都大学名誉教授. アフリカ史.『人々がつなぐ世界史』〈MINERVA世界史叢書 4〉(ミネルヴァ書房, 2019年).

岩波講座 世界歴史 18　　第13回配本(全24巻)

アフリカ諸地域 ~20世紀

2022年10月28日 第1刷発行

発行者 坂本政謙

発行所 株式会社 岩波書店　〒101-8002 東京都千代田区一ツ橋2-5-5
電話案内 03-5210-4000 https://www.iwanami.co.jp/

印刷・法令印刷 カバー・半七印刷 製本・牧製本

ISBN 978-4-00-011428-8

岩波講座

世界歴史

A5 判上製・平均 320 頁（黒丸数字は既刊，＊は次回配本）

全㉔巻の構成

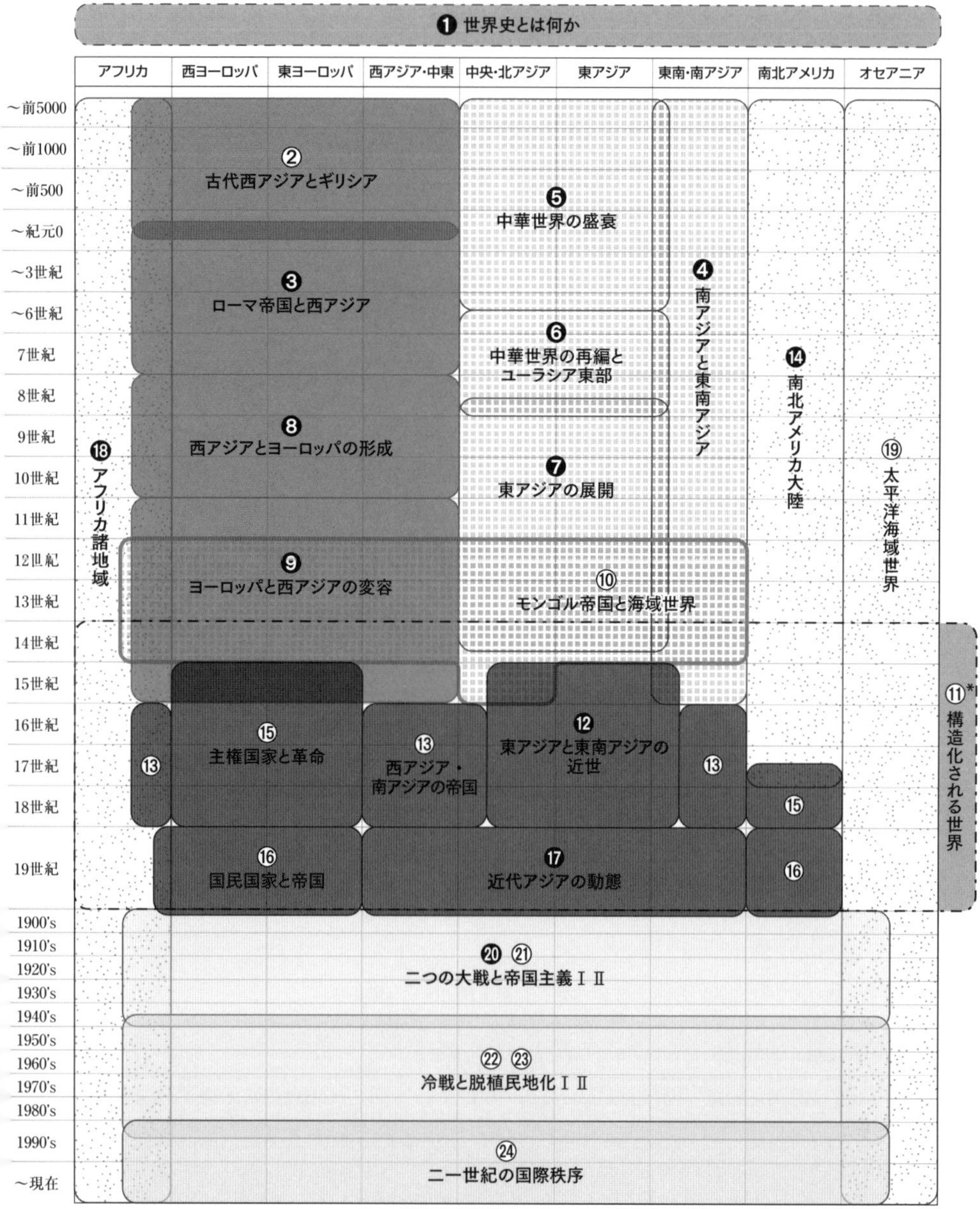

※本図は各巻の内容を厳密に反映したものではなく，便宜的に図示したものです．